国学新读大讲堂

道德经 全书

原著◎老　子　编著◎司马哲

感悟国学智慧　品味经典魅力

一部真正的智慧经典，不仅可以跨越她所属的领域，而且可以跨越时空。

中国长安出版社

图书在版编目（CIP）数据

道德经/司马哲编著. —北京：中国长安出版社，
2007.6
（国学新读大讲堂）
ISBN 978－7－80175－657－2

Ⅰ.道...　Ⅱ.司...　Ⅲ.①道家②老子—通俗读物　Ⅳ.
B223.1－49

中国版本图书馆 CIP 数据核字（2007）第 092211 号

道 德 经

司马哲　编著

出版：中国长安出版社

社址：北京市东城区北池子大街 14 号（100006）

网址：http://www.ccapress.com

邮箱：ccapress@yahoo.com.cn

发行：中国长安出版社　全国新华书店

电话：(010)65281919(编辑部)　65270433(发行部)

印刷：北京通达诚信印刷有限公司

开本：787×1092　1/16

印张：21

字数：300 千字

版次：2007 年 10 月第 1 版　2007 年 10 月第 1 次印刷

印数：1－5000 册

书号：ISBN　978－7－80175－657－2

定价：39.80 元

（如有印装错误　本社负责调换）

前 言

　　《道德经》是我国春秋时期的思想家、哲学家老子所著，这是一部十分具有智慧的书籍，它思想深邃、内容广泛、深远。涉及的论道、修身、养生、治国、兵法、管理等众多内容在今天看来也是十分具有指导和教育意义的。

　　《道德经》可以说是现代青年人必读的一部人生指导书。本书的目的就是使读者对于道德经的阅读与理解，领悟道德经的思想内涵，给予人们的人生选择和行为提供一种参照和模范。

　　《道德经》中老子提出"功成身退""宠辱不惊""知足常乐""自是者败""祸福相依"的为人处世原则是中华民族精神的精髓，更是人们安身立命，为人处世的基础。范蠡的功成身退、蔺相如的谦让保国、郭崇韬的力倡节俭等等都是遵循老子处世原则的良好例子。在当今社会人们追求金钱、享受、权利等物欲，老子提出的清静自然、无欲无求、谦退、俭约、质朴的处世哲学就是拯救人们心灵的一剂良药，指导人们行为的准则。

　　有人认为《道德经》是一部关于治国方略的书籍。它主张治理国家要实行"无为而治"、"小国寡民"、"治大国若烹小鲜""以正治国""无为无不为"。这些主张可以说对于现在我们管理国家、企业都具有借鉴意义。本书通过历史上的众多事例对于老子的治国思想进行了具体的解释和论证，以加强读者的理解和阅读。

　　还有人认为《道德经》是部兵书，其中的兵法具有哲理性。本书虽然不同意这种观点，但是仍对于其兵家思想

老子骑牛图

进行了阐述。因为老子所说的兵法是史无前例的，对于行军作战具有指导意义。如"以奇用兵""善战者不怒""祸莫大于轻敌""抗兵相加，哀者胜矣"等等。

本书的主要特点是对于《道德经》作出浅显的注释与解析，对于老子所体现的思想进一步的浅显化的解读，并根据文中的典型名言或是主要思想配以后世的历史故事来加以进一步的解释说明，以帮助读者的阅读与理解。将原文、解析、评析和故事作为一个有机的整体，使读者在阅读理解后能受到教育和启迪。

由于《道德经》及老子的思想极为深奥、微妙，而笔者才疏学浅，如有注释、评析疏漏错误之处，恳请广大读者和学者赐教。

清源山老君像

一、关于老子的生平

老子是我国古代的思想家、哲学家。相传他是道家学派的创始人，是中国，也是全世界最早具有朴素辩证法思想的伟大哲学家。他对著作的《道德经》对于后世的影响非凡，他开创了我国古代哲学思想的先河。但有关老子本人的记载留下得不多，有人把他神化，有人认为他就是太上老君，有关老子的传说不胜枚举，种种的遐想赋予了老子太多的神秘色彩，那么老子到底是什么样的呢？

老子

司马迁在《史记·老子韩非列传》中记载：老子者楚苦县厉乡曲里人也。姓李氏，名耳，字聃，周守藏室之史也。孔子适周，将问礼于老子。老子曰："子所言者，其人与骨皆已朽矣，独其言在耳。且君子得其时则驾，不得其时则蓬累而行。吾闻之，良贾深藏若虚，君子盛德容貌若愚。去子之骄气与多欲，态色与淫志，是皆无益于子之身。吾所以告子，若是而已。"孔子去，谓弟子曰："鸟，吾知其能飞；鱼，吾知其能游；兽，吾知其能走。走者可以为罔，游者可以为纶，飞者可以为矰。至于龙，吾不能知其乘风云而上天。吾今日见老子，其犹龙邪！"老子修道德，其学以自隐无名为务。居周久之，见周已衰，乃遂去。至关，关令尹喜曰"子将隐矣，疆为我著书。"于是，老子乃修书上下篇，言道德之意五千言而去，莫知其所终。

据《神仙传》记载："老子，楚国苦县濑乡曲仁里人。姓李，名耳，字伯阳，一名重耳，外字梆，身长八尺八寸，黄色美眉，长耳大目，广额疏齿，方口厚唇，额有三五达理，日角月悬，鼻有双柱，耳有三门，足蹈二五，手把十文。周时人，李母八十一年而生。"

《玄妙·内篇》中说："李母怀胎八十一载，逍遥李树下，乃割左腋而生。"又说："玄妙玉女梦流星入口而有娠，七十二年而生老子。"《上元经》云："李母昼夜见五色珠，大如弹丸，自天下，因吞之，即有娠。"

关于老子的生卒年代，也是很有争论的。按照司马迁的说法老子是和孔子同一时代并稍早一些，孔子生在周灵王二十一年，老子大约生在周灵王初年。根据就是孔子曾向老子问过学。有一些学者认为，孔子向老子请教学问的传说是不可靠的。根据老子的思想学说来看，老子比孔子晚，大约是战国时代的人，即晚老子100多年的太史儋。有人认为老子并不是李耳，而是同一时代的老莱子。还有人认为李耳和老聃并不是同一个人。

至于老子的籍贯，有人说老子并不是苦县人而是陈国相人。其实苦县和相是一个地方，原来属于陈国，后来楚国出兵灭陈，就成为楚国的地方了。

不管老子到底是什么人、哪里人、生卒年代是什么时间，老子以及他的思想对于后世的巨大影响都是不可磨灭、无人可以代替的。

老子

二、《道德经》的主要思想内容

《道德经》的主要内容分为上下两篇，上篇为道经，一章至三十七章；下篇为德经，三十八章至八十一章。所涉及的思想内容十分的广泛和深远，其中还包含了道家思想、哲学思想、社会思想等。

道是《道德经》思想体系的核心，全书贯穿了"道"这一概念和思想。老子认为"道"是天地万物的本原，是宇宙万物产生的总根源，"无名天地之始，有名万物之母。""道生一，一生二，二生三，三生万物。""谷神不死，是谓玄牝。"天地万物都是由道而产生，它是宇宙万物的母体。作为宇宙本源的道，它永远存在。

老子说"大道泛兮，其可左右！万物恃之以生而不辞，功成不名有。""故道生之，德畜之，长之育之，成之熟之，养之覆之。生而不有，为而不恃，长而不宰，是谓玄德。"道既是生成万物的基础，又是万物生成演化的规律，万物生成变化无不依据于道。万物依赖它生长壮大，但它却从不任意发号施令，不认为自己有功，泽被万物却不做万物的主宰。

"天下之至柔，驰骋天下之至坚。""人之所教，我亦教之。强梁者不得其死，吾以为教父。"道是至柔至缓的，但最坚强的事物也得适应于道。道就象气一样无所不入，象水一样无所不适。道虽是最柔弱的，但是却能战胜世界上最刚强的东西。

老子被认为是中国，乃至世界上最早的朴素主义的哲学家，老子的哲学思想的中心就是"道"，而对于道的阐述中《道德经》中体现了唯物主义思想、辩证法思想和认识论的内容。

马王堆帛书本《道德经》

老子认为道是物质的，在万物出现之前就已经产生了，并且道的运动是有规律的。"无名天地之始，有名万物之母""有物混成，先天地生""道之初物，惟恍惟惚""道生一，一生二，二生三，三生万物。""独立而不改，周行而不殆"。这种关于道是万物本原的描述贯穿于《道德经》全文，系统的反映了老子的唯物主义思想。

老子还指出事物是相互依存、相互矛盾、对立统一存在的，而不是孤立的。老子提出了众多的对立统一的概念，大小、多少、高低、远近、厚薄、轻重、实华、正反、黑白、静躁、柔强、美丑、真伪、利害、生死、祸福、兴废、进退、主客、巧拙、贵贱、公私、贫富、怨德等等。老子不仅提出了对立统一的矛盾现象，而且认为这一切是事物的对立是永恒的规律，事物矛盾的双方在一定的条件下可以相互转化。

《道德经》插图

老子的辩证法的思想里体现了量变与质变的辨证关系——事物量变的积累会引起事物的质变。"合抱之木，生于毫末；九层之台，起于累土；千里之行，始于足下。"

最为可贵的是在老子的那个年代，老子能够提出认识论的观点，"故以身观身，以家观家，以乡观乡，以邦观邦，以天下观天下。""知人者，智也；自知者，明也""知不知，尚矣，不知知，病矣"。

在春秋末期，各诸侯国之间互相侵扰、兼并战争不断，社会混乱，统治者过着骄奢淫逸的生活，而人民则苦不堪言。在这种社会背景下老子提出了无为而治的主张。老子构筑了一个理想的社会蓝图——小国寡民的美好憧憬。社会回到原始社会的状态，人人平等、没有争端、没有战争、国与国之间和平共处。为了这个理想，老子提出了一系列的主张，"绝仁弃义"、"不尚贤，使民不争"、"处无为之事，行不教之言"、"我无事民自富"等等。

由此老子在社会思想方面进一步提出了"无为而治"的主张。"为无为，则无不治。""我无为而民自化""圣人处无为之事"老子认为统治者不要枉加干涉人民的生活，不要强行妄为，让人民顺其自然的生活，无忧无虑的生活，统治者越是实行强制的统治，人民就会不安宁。

老子还由"道"的思想中总结了为人处世的行为准则，即主张贵柔、守雌、卑下，反对刚强、强硬。他认为处在柔弱卑下的位置才会取得胜利，刚强则会遭致灾祸。"曲则全，枉则之""柔弱胜刚强""强大处下，柔弱处下""天下之至柔，驰骋天下之至坚""物壮则老""强梁者不得其死""兵强则灭，木强则折"。"柔弱胜刚强"是老子的为人处世的思想总方针。

应该看到《道德经》是一篇十分富有哲理的书，虽然有些思想受到当时时世的影响有一定的局限性，但是它对于中国的文化发展与教育和指导人民都具有积极重要的意义。

三、《道德经》的历史地位

《道德经》是一部影响深远的哲学著作，堪称是我国历史文化宝库中的一颗璀璨的明珠，在中国思想发展史上占有十分重要的地位，对中华民族优秀文化传统的形成和发展产生了深远的影响。它内容丰富，思想深邃，说理透彻，文笔优美。至今，老子的一些语言，如"天网恢恢，疏而不漏"、"天长地久"、"知足常乐"等已经成为人们耳熟能详的名言。在我国长达两千多年的思想文化发展史上，老子以及其道家思想、孔子及儒家思想和墨子的墨家思想等众家思想百家争鸣、相互抗衡，交相辉映，它们都对我国思想文化的发展有深远的影响。

《道德经》，古往今来普遍受到人们的高度评价。《汉书》评价道家之学："道家者流，盖出于史官，历记成败存亡祸福古今之道，然后知秉要执本，清虚以自守，卑弱以自持，此君人南面之术也。"唐代白居易说"《老子》言者不如知者默，此语吾闻自老君。若道老君是知者，如何自著五千文？"鲁迅说"懂得道家，便懂得了中国……中国文化的根柢全在道教。"著名的历史学家范文澜先生说"古代哲学家中老子确是杰出的无与伦比的哲学家"。著名的美学家叶朗先生说"《老子》是中国哲学、美学的开端，这个开端是一个灿烂的日出"。如今，《道德经》越来越引起国人的重视，有人把它用于执政治国，有人把它用于企业经营之道。如海尔集团把"天下难事，必作于易，天下大事，必作于细。"作为企业管理之道，以此创出了 OEC 管理和海

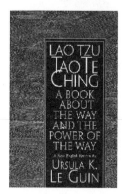

《道德经》风靡欧美

尔企业文化；他们把"有无相生，难易相成，长短相较，前后相随"作为企业经营之道，以此创出了持续二十年的企业发展。

古往今来，研究《道德经》与老子的学者不计其数，为《道德经》作注解的书也很多，达上千种之多。其中著名的有韩非子的《韩非子·解老》、《韩非子·喻老》、王弼的《老子道德真经注》、司马光的《道德真经论》、苏辙的《道德真经注》、任继愈的《老子今译》、《老子新译》等等。至今人们成立了老子研究学会、老子专业论坛来研究《道德经》，它也被翻译成多种译本流行国际。《道德经》不仅是中国文化传统的精髓，也是世界文化的瑰宝。

本章的主旨仍是宣传"虚用",同前两章相连,犹在宣传"无为",所使用的方法,仍是由天道而人道,由自然而社会。承上章对"道冲"作进一步的论述。此处由"天道"推论"人道",由"自然"推论"社会",核心思想是阐述清静无为的好处。

本章用简洁的文字描写形而上的实存的"道",即继续阐述第四章"道"在天地之先的思想,用"谷"来象征"道"体的虚状;用"神"来比喻"道"生万物的绵延不绝,认为"道"是在无限的空间支配万物发展变化的力量,是具有一定物质规律性的统一体。

老子的思想,均由对自然而推及人事。本章所论,最为典型。老子指出:流放一己的睪执趋求,顺任于天下之自然,将可以使自身的利益与天下的利益谐和耦合,将会更有助于自身利益的实现。

本章以水为喻,以水为道之本性的象征。水与物无争,安于卑下,所以近于道。老子在自然界万物中最赞美水,认为水德是近于道的。本章把水作为一个"行为者"或"行为者集群"而进行了一系列拟人化的肯定评述,劝导人们以水为典范。

老子在这一章提出了适可而止、功成身退的忠告。一般人的心理是知进不知退,尤其是当名利正盛之时,更是趋之若鹜。老子以一系列生活中的现象作比喻,阐明了知进不知退、善争而不善让的害处。

本章的主旨,论述了老子学说的六项基本主张的可行性——概括起来就是:抱朴、守中、守柔、无欲、无知、无为。前五条主要是修身方面,最后一条是治国方面。这里的六句问话,似乎是把"道"在运用于修身治国方面所做的几条总结,对一般人和统治者提出了概括的要求。

这章是老子辩证思想的具体阐述。老子认为，事物的实体与空体是矛盾对立、相反相成的。只有具有两方面的东西，才能够成为有用的东西。为了证明自己的观点，老子举出了车毂、器皿、房屋三个具体的例子。

老子认为，要是纵情于声色之娱，沉溺于五色、五音、五味、驰骋田野等，必然会带来恶果。这是老子的正确之处。但是，有些学者认为老子的主张过于偏激，五色、五味、五音全盘的否定是不对的。他只看到了社会弊端，没有看到社会的发展进步。

本章是老子的政治论。论证了荣辱、贵贱、上下、得失的辩证关系，说明贵吾、爱吾的人有惊恐之灾，丧身之祸；贵民、爱民的人得天下之贵、天下之爱。这充分体现了老子的贵民、爱民思想。

本章以抽象的理解，来描述"道"的性质，并讲到运用"道"的规律。本章所讲的"一"（即"道"）包含有以上所讲"道"的两方面内涵。老子描述了"道"的虚无飘渺，不可感知，看不见，听不到，摸不着，然而又是确实存在的，是所谓"无状之状，无物不象"。

这一章紧接前章，对体道之士做了描写。老子称赞得"道"之人的"微妙玄通，深不可识"，他们掌握了事物发展的普遍规律，懂得运用普遍规律来处理现实存在的具体事物。也可以说这是教一般人怎样掌握和运用"道"。

本章是老子关于"自然"与"人生"关系问题的哲学思辨。宇宙万物各归其根，然而归根必须复命。守静则元神动，守虚则元气实，元气充沛则元神旺畅，元气是元神的物质基础。这如同精神，精是神的存在基础，有精则有神，无精则神灭。反过来说，精须神守，有神守护的生命才会充满活力。

　　老子在全书中第一次描画了他的理想国政治蓝图。老子在本章中从自己的社会政治观念出发，为当时的统治者设计了理想的统治模式，这就是顺乎自然，清净无为。

　　这一章充分阐述了老子的辩证思想：当整个社会大道兴盛时，人们的行为准则自然而然是仁义这些东西，故没有倡导仁义的必要。某种道德行为的倡导、表彰，原因正是这个社会缺乏它，否则，人人都这样，就不需加以特别赞扬和崇尚了。

　　在本章，老子是针对上一章提出的社会病态反常现象的问题所开出的药方。他立足于否定新生事物的保守立场，鼓吹回归到原始的状态。老子的这种希望整治社会风气的愿望是好的，但是他幻想开历史的倒车，彻底的否定了文化的发展、历史的进步，这是一种消极的、不现实的、错误的思想，违反了社会发展的自然规律。

　　本章运用对比的手法描绘了得道之人和世俗之人的对立、差异，反映了老子淡泊宁静、与世无争、无为自在、悠闲旷达的理想人生追求。老子对当时的世道人心进行批判，认为风气颓废，泛滥无边。本章仍然是老子自甘淡泊、消极无为思想的反映。

　　本章是对道的境界的描述，表明人的正确思想是来源于道的。大道蕴藏着世界万物发生、发展及其变化的奥秘，识破了这些奥秘，就能树立正确的世界观、人生观和价值观。人生觉悟了，也就具备道德了。这是老子的微观认识论。

　　本章开头老子用了六句古代成语，讲述事物由正、反两个方面的变化所包含的辩证法思想，导致对现象世界透彻的认识、对世界本质的认识。全章的内容与第二十一、二十三、二十四等密切关联，目的都在论述自然之道而为自己的政治主张服务。这恰好是本书的核心思想之所在，颇为重要，值得注意。

本章强调在行为方式上作不同的选择将导致不同的结果，劝导统治者要少发号法令规条，要顺任自然，要对立言难以守信的困境保持清醒的认识。老子用自然界狂风暴雨必不持久的事实作比喻，告诫统治者少以强制性的法令横加干涉，更不要施行暴政，而要行"清静无为"之政，才符合于自然规律，才能使百姓安然畅适。倘若以法令戒律强制人民，用苛捐杂税榨取百姓，那么人民就会以背戾抗拒的行动对待统治者，暴政将不会持久。

本章老子仍是提倡他的谦恭退让，柔弱无为的处世思想，有保守消极的一面，但是同时也应该看到其中辩证的因素，现实生活中适得其反的例子不胜枚举，懂得了这个道理，时时留心，事事在意，思虑周全，办事稳重，往往能够避免许多麻烦，把事情办得更好。

本章是对"道体"以及其运动特征、作用等的集中描述，是该书至关重要的一章。老子认为："道"并不是不同分子或各部分组合而成的，它是一个圆满自足的浑朴状态的和谐体。对于现象界的杂、多而言，它是无限的完满、无限的整一。它是生产现象界一切事物的根本，是在天地产生之前便已经存在了的。

在本章里，老子所讲的辩证法是为其政治观点服务的，他的矛头指向是"万乘之主"，即大国的国王，认为他们奢侈轻淫，纵欲自残，即用轻率的举动来治理天下。在老子看来，一国的统治者，应当静、重，而不应轻、躁，如此，才可以有效地治理自己的国家。

这一章老子又一次阐明"自然"、"无为"思想。他用具体贴切的比喻说明以自然为准则，不用有形的作为，而贵无形的力量。有"道"的"圣人"就善于用含而不露的智慧，去观照人与物，从而做到人尽其才、物尽其用。

本章是老子的法治思想。法律的意义在于保护弱者，战胜邪恶，驱逐黑暗，人人享有平等自由的权利，这是确保国泰民安的强大武器；朴的意义同样在于保护弱者，战胜邪气，使每一个细胞都能得到真气的呵护，这是确保身体健康长寿的法宝。

本章以治身之道印证治国之道，以不道统治烘托圣人之治。统治者无道，故有甚、奢、泰的不道行为；圣人明道，故"去甚、去奢、去泰"。中心思想还是以道为本。

本章反映老子的战争观。老子反对战争，反对"以兵强天下"。如果迫不得已进行战争，也只限于解除危难；反复强调，不要逞强。老子告戒统治者：谁凭借武力横行霸道，谁就会自食其果，自取灭亡。

本章承袭了上一章的反战思想。老子在其中比较系统地阐述了自己否定、反对战争的基本立场与态度。它是老子战争观念的一次集中体现。老子的反战思想，是从人道立场出生的，正如在三十章他指出的，"师之所处，荆棘生焉"，"大军之后，必有凶年"。

老子在本章指出，自然的"道"是一种确确实实的存在，而且这种存在是不以人的意志为转移的。相反，人只有"守道"，也就是按照"道"的规律行事，才能得到最大的益处。

本章专门阐述了精神修养方面的观点，也是用道作为指导思想的。老子在文章中精辟的论述了个人身心的自我反省完善问题，主张既要知人、胜人，又要作到自知、自胜。尽管文章中的"知足、死而不亡"等是唯心的消极思想，但是这些道理对于人生修养不无超越时空的借鉴、启示意义。

本章是大道的颂歌，是对大道的"大"的品性的阐述。道之"大"既指道作为普遍行为规范的普适性，也指道作为某一拟人化的行为者的无不涵纳、无不兼容的宽容品性。

这一章，述说了"道"的作用和影响。"道"的作用和影响不可低估，它可以使天下的人们都向它投靠而不相妨害，过上和平安宁的生活。因而可以这样说，本章实为"道"的颂歌。

这一章，老子描述了若干矛盾双方相互转换的情况，表明了他的辩证法思想。老子认为，事物总是处于不断对立转化的状态中，当事物发展到某一个极限的时候，它必然会向相反的方向转化，譬如月圆的时候，便意味着月亏，月亮圆满便是月亮亏缺的征兆；人们常说的"冬天来了，春天还会远吗"，也是这个道理，冬天就是春天的征兆。

本章的主旨是通过"天道"无为来论证"人道"贵静，通过自然自化来推定社会的自定。充分反映了老子反对有为，"不欲以静"的社会政治主张。老子的理想虽然是幻想，不可能实现，但是他要求统治者依照道的法则来为政，不要胡作非为，不要危害百姓的主张，还是有积极意义的。

下 篇 · 德 经

本章是《德经》的首章。辩证地分析了道与德、仁、义、礼的关系。这里，老子没有否定德、仁、义、礼，相反，而是追求最纯真，最完美的德、仁、义、礼。

本章集中体现了老子的朴治主义思想。首先用对比的方法从正反两个方面说明朴治对于天、地、神、谷、万物、侯王的重要意义。而后又辩证地指出称寡道孤的统治者是不道的，其结果也只能是数辈无辈，江山是不会永固的。最后说明，要想实现天下大治，就必须充分利用弱者，推翻不道统治，走朴治主义道路。

本章是老子的宇宙观，进一步强调道是天下万物产生的总根源，含有辩证法的思想。老子从三个方面进行了阐述：一、论道的运动特点；二、论柔弱是道克胜刚强的武器；三、简括万物由来的过程。

本章是对有关道与德的思想观念的解释说明。他强调：他所推崇的道与德是的确可以用一种"善贷"的方式帮助人们完成各种行为目的的。后面所引的十二句成语，从有形与无形、存在与意识、自然与社会各个领域多种事物的本质和现象中，论证了矛盾的普遍性，揭示出辩证法的真谛，这是极富智慧的。

本章前半部分讲的是宇宙的生成论；第二部分讲事物相反相成，矛盾的双方既是对立的，又是统一的。矛盾是事物客观存在的普遍现象，阴阳是事物中矛盾的两个方面，所以我们要用"一分为二"的观点来看待一切问题。

本章老子强调"柔弱"的作用和"无为"的效果。"柔弱"是"道"的基本表现和作用，它实际上已不局限于与"刚强"相对立的狭义，而成为《道德经》概括一切从属的、次要的方面的哲学概念。

在本章，老子首先以排比反诘的方式引发人们的疑情：通常习惯定势的追求是否太过于没有经过充分的权衡？老子宣传的是这样一种的人生观，人要贵生重己，对待名利要适可而止，知足常乐，这样才会避免遇到危难；反之，为名利奋不顾身，争名逐利，最终必然落得身败名裂的下场。

本章前半部分用辩证的观点描述健全人格的特征。后半部分借"静胜躁，寒胜热"比喻清净无为的作用，进一步说明加强心性修养，达到清净无为的境界，并能够保持清净无为，就能够在天下取得成功。

这一章主要反映了老子的反战思想。老子指出战争会带来巨大的祸害，国家与人民应对自力所得的福利感到满足，不要贪图他国非分之利而轻起战端。

这一章，讲的是认识论，仍然表达了老子的清净无为的思想。老子强调在认识的过程中注意内省的工夫，而不是对于社会实践的否定。只有内心的自省，下工夫自我，才能领悟到"天道"，才能知晓天下万物的变化发展规律。

本章论述了为学之旅与为道之旅的不同，强调为道可以使行为体达成无为而无不为的柔弱灵动性。老子把"无为"的思想发挥到极高的程度，从哲学高度来论证"无为"的社会意义。"无为"看似一种后退的手段，但真正的目的，则在于避开前进中所存在的矛盾和问题，从而占据主动，以达到"无不为"的最终目的。

本章分为三层，观点鲜明。首先讲理解人，接着讲尊重人，最后讲爱护人。老子讲的这些圣人与百姓心连心，爱民如子，尊重人的自化，都是讲传统的治国经验。此章是老子阐述悟道观点的精华表现，其所阐述的观点具有十分积极的意义。

老子从生存的角度阐述无为自然的重要性。老子认为，人生在世，环境险恶，危机四伏，随时都有生命的危险，活着和死亡的机会是均等的。人们求生心切，为了活着，有时往往不择手段，以至事与愿违，本应长寿的，反而过早结束了自己的生命。

这一章是老子的道德观。老子认为万物由道而生，由德而育，由物质而赋形，由外界环境而长成。也就是说，道、德、物质和环境是万物生成的四大要素。老子还认为，万物的自然境界就是最完美的境界。

在本章中，老子又一次使用了"母"、"子"这对概念。强调了道是产生天下万物的总根源，是把握天下万物以至是立于不败之地的总根本、总原则。在这里，"母"就是"道"，"子"就是天下万物，因而母和子的关系，就是道和万物；理论和实际；抽象思维和感性认识；本和末等关系的代名词。

在本章，老子赋予他的道论以明确的对社会政治现实作批判的蕴含，对中国集权专制社会习常可见的"盗夸"现象表示了极大的愤慨。老子常常以一种相当慈和宽容的立场既为人民着想，也为人君献策，并且以后者居多。而像本章这样强烈而鲜明的感情表露在道论中是不多见的。

本章所述的是修道可以立身为政的思想，老子建议统治者信道、讲道，将心比心，推己及人，把道的自然无为原则贯彻到一家、一乡、一国以至全天下，这样统治就会长久，天下就会安乐。

本章老子以婴儿的种种生理现象作比喻，宣传柔弱无为的人生哲学。老子承认"万物并作"的世界是多样性和普遍存在的矛盾，但是他对社会上存在的占有、掠夺、欺诈、征战的状况却极为悲愤，所以他把和谐统一看成所要追求、所要恢复的事物的常态。

这一章文字蕴含很深，他要求人们要加强自我修养，排除私欲，不露锋芒，超脱纷争，混同尘世，不分亲疏、利害、贵贱，以开豁的心胸与无所偏的心境去对待一切人和物。如此，天下便可以大治了。

这一章也是老子社会政治哲学的集中反映，其主旨在于说明有为的弊端和无为的好处。老子开头的"以正治国，以奇用兵"是有积极意义的。老子分清国内百姓和国外敌人的不同，主张使用不同的手段，对内要用正，对外要用奇要不厌其诈。这一思想既有批判不合理社会现实现象的积极的一面，又有守旧、保守、反对变革的消极一面。

在本章中，老子朴素的辩证法的观点论述了两个方面的内容：一、政治上的宽大与苛严的问题。老子崇尚清净无为的宽大政风，反对横加干涉限制的粗暴政风。二、生活中的祸福相依的问题。老子提出了"祸兮福之所倚；福兮祸之所伏"的辩证主张。

会日趋混乱，所以，为求社会稳定，他主张愚民。他的愚民思想与封建统治者的那种为求一己纵欲之顺畅而施行的以欺民而愚民的统治术不可同日而语。民愚、士明、君浑是老子思想中理想的社会图象。

认为，"知不知"，才是最高明的。

本章对统治者提出警告，劝导他们为王朝的恒常稳定计划，要切实地调整自身的行为以减轻人民的负担，要以慈临民。出于对激烈的社会变革所造成的大动荡大破坏的避免以及对"能敝而新成"的渐进变革的向往，老子把他的政治理想寄托在对统治者的可能的成功劝诱之上。

本章主要讲人生哲学。老子认为，自然的规律是柔弱不争的。他说，勇气建立在妄为蛮干的基础上，就会遭到杀身之祸；勇气建立在谨慎的基础上，就可以活命。勇与柔相结合，人们就会得到益处，勇与妄为相结合，人们就会遭受灾祸。

本章的主旨是在于批评和谴责统治者对百姓滥用杀戮政策。前一部分，指出杀戮是无效的，因而是不该实行的。后一部分说奉行杀戮政策是违背天道的，同时警告说，违天伤人者必自伤。

本章揭示了劳动人民与封建统治者之间阶级矛盾的实质：人民的饥荒，是统治者沉重的租税造成的；人民的轻生，是统治者无厌的聚敛造成的。老子警告统治者：只有恬静无为，不自私自利，才不会激起老百姓的怨恨，作到上下相安，国运长久，统治者也能长寿。

老子在本章中用日常生活中最为常见的事物和现象作比喻，进一步形象的说明了贵柔处弱重要性的深刻哲理。全章首先摆出事实，其次阐述道理，最后得出结论，逻辑严谨，说理透彻。这一章又一次表达了老子的辩证法思想。这种思想来源于对自然和社会现象的观察和总结。

本章文字透露出一种平等与均衡思想，这是他的社会思想。老子把自然界保持生态平衡的现象归之于"损有余而补不足"，因此他要求人类社会也应当改变

"损不足以奉有余"的不合理、不平等的现象，效法自然界。这体现了他的社会财富平均化和人类平等的观念。

本章以水为例，说明弱可以胜强、柔可以胜刚的道理。老子认为，体道的圣人就像水一样，甘愿处于卑下柔弱的位置，对国家和人民实行"无为而治"。本章后面有一句话："正言若反"，集中概括了老子辩证法思想，其含义十分深刻、丰富。

老子理想的政治社会是以德化民、辅助人民，给予而不大量索取，决不骚扰百姓。即要求统治者实行清静无为之政，辅助百姓而不干涉他们；给与百姓而不向他们索取；这样就不会积蓄怨仇，这便是治国行政的上策。

本篇描述的是老子理想中的"国家"的一幅美好蓝图，也是一幅充满田园气息的农村欢乐图。老子用理想的笔墨，着力描绘了"小国寡民"的农村社会生活情景，表达了他的社会政治理想。

本章是《道德经》的最后一章，应该是全书正式的结束语。本章的格言，可以作为人类行为的最高准则，例如信实、讷言、专精、利民而不争。人生的最高境界是真、善、美的结合，而以真为核心。

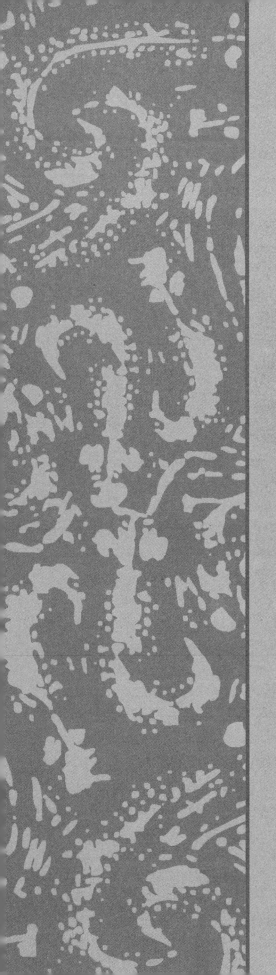

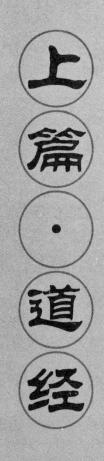

上篇·道经

五色令人目盲；五音令人耳聋；五味令人口爽；驰骋畋猎，令人心发狂；难得之货，令人行妨。是以圣人为腹不为目，故去彼取此。

——选自《道德经·道经》

第一章　众妙之门

【原文】

道可道①，非常②道；名可名③，非常名。无名天地之始④，有名万物之母⑤。故常"无"，欲以观其妙⑥；常"有"，欲以观其徼⑦。此两者，同出而异名，同谓之玄⑧。玄之又玄，众妙之门⑨。

【注释】

①第一个"道"是名词，指的是宇宙的本原和实质，引申为原理、原则、真理、规律等。第二个"道"是动词。指解说、表述的意思

②非：不是；常，恒常、永远。"常"，在长沙马王堆出土的汉代帛书《老子》作"恒"，以避讳汉文帝名字，下句"非常名"亦然。

③第一个"名"是名词，指"道"的形态。第二个"名"是动词，说明的意思。

④无：天地形成的开端。名：动词，命名、称呼。天地之始，天地形成的开端。

⑤有：可以叫做万物的根源。母，根本、根源。有，指天地形成以后，万物竞相生成的状况。这两个"名"字，也有这样读的："无名，天地之始；有名，万物之母"，意思相同。

⑥妙，微妙的意思。

⑦徼（jiǎo）：边际、边界。引申端倪的意思。

⑧谓：称谓。此为"指称"。玄：玄妙深远的含义。

⑨门：之门，一切奥妙变化的总门径，此用来比喻宇宙万物的唯一原"道"的门径。

【译文】

可以用语言说出来的"道"，它就不是永恒的"道"；

可以用言词说出来的"名",不是永恒的"名"。"无"是天地的本始,"有"是万物的根。所以,有人经常从"无"中去观察"道"的奥妙;经常从"有"中去认识"道"的端倪。无与有这两者,来源相同而名称相异,都可以称之为玄妙、深远。它不是一般的玄妙、深奥,而是玄妙又玄妙、深远又深远,是宇宙天地万物之奥妙的总门。

【评析】

本章是《道德经》的总纲,老子开门见山给出了"道"的定义,并首章开宗明义,确立了"道"的哲学概念。"道"是老子哲学的核心。老子认为,"道"是天地万物的原始。道即是无,无产生有,衍化而为天地万物。老子的"道"具有一种对宇宙人生独到的悟解和深刻的体察,这是源于他对自然界的细致入微的观察和强烈的神秘主义直觉。这种对自然和自然规律的着意关注,是构成老子哲学思想的基石。

从老子对"道"的种种构想中,我们完全可以体味到他对"道"的那种近乎虔诚的膜拜和敬畏的由来。老子对"道"的尊崇,完全源于对自然和自然规律的诚信,这完全有别于那个时代视"天"和"上帝"为绝对权威的思想观念。

同时,老子的"道"构筑了"阴阳"学说的界定,老子的"道"具有阴阳的两重性。它以"无、有"为依托,也架构了阴阳学说的基础本源,定义了"一阴一阳谓之道"的"道"的基本框架,解决了中国哲学的本体论问题。同时,老子对无(阳)有(阴)的概念进行了定性,即事物中个别和一般的问题。

【故事】

老子在本章中提出了名与实的辩证关系。老子的"名"是与道这一概念一同提出来的,它不是指礼乐制度的名,而是指普通存在的名。老子所说的名与实,实际上是思维与存在的关系,我们可以引申为名义上的口号与实际目的

道德经幢

唐朝李姓皇室尊老子李耳为其始祖,以此来神化李姓皇族,并借助老子思想以治民。唐玄宗李隆基最崇道教。开元二十五年,唐朝首次置玄学博士,每年都像科举中的明经科一样考试,推崇包括老子《道德经》在内的道家学说。就在"初置玄学博士"的第二年,在今河北易县"奉敕"竖立了石刻道德经幢。易县石刻道德经幢,是校译老子《道德经》的重要实物资料,是我国现存较好、年代较早且形体最大的石刻道德经幢。

之间的关系。人们常说名不副实、名副其实等等，就是对名与实关系的具体阐释。同样在历史上，也有许多的人打着这样那样的名号而实际上却做着不符合实际的事情，汉代末年的曹操挟天子以令诸侯就是一个比较鲜明的例子。

曹操刚崛起时，天下各主要势力各有优势，如孙策凭借长江天险而固守，刘备则凭借"光复汉室"的招牌而感召天下。在这种群雄并起的形势下，欲想谋求霸业，必须营造一种自己的优势来号令天下，曹操经过比较权衡，决定以"奉戴天子"——即所谓"挟天子以令诸侯"作为自己的政治优势。实际上，曹操就是借助"奉戴天子"的"名"来达到"称霸天下、独尊为王"之"实"。曹操的这种做法可谓是名不副实，但是由于"奉戴天子"之名用得比较巧妙，没有人能够提出异议，所以也就达到了"挟天子以令诸侯"的实际目的。

古往今来，并不是只有曹操知道"名"的运用，众人皆知的春秋五霸之首的齐桓公，就是通过"尊王攘夷"的做法而获得其政治上、军事上的主动权。还有就是在曹操之前，董卓控制了汉献帝这面"义旗"。

初平元年二月，董卓将献帝西迁长安，安置在未央宫中。董卓自己则在长安城东修筑了一座堡垒居住，取名郿坞。郿坞城墙高厚各达七丈，高度与长安城墙相等，称为"万岁坞"。董卓将从洛阳等地掠夺的大量金银财宝和粮食藏在坞中，单粮食就可供30年食用。董卓不无得意地说："如果大事成功了，我可以雄踞天下；如果不成，我守着这些东西也可以过一辈子了。"

周初时，周文王立吕尚为太师，武王即位，尊为师尚父，意谓太师吕尚是可尊崇的父辈。董卓以吕尚自居，自为太师，号曰"尚父"。他擅自乘坐只有皇太子才能乘坐的青盖车，对亲戚大加封赏，以弟董旻为左将军，封鄠侯，兄子董璜为侍中、中军校尉，执掌兵权。其子孙即使还是幼童，也都一概授官，男的封侯，女的做邑君。宗族内外，并列朝廷，声势煊赫。但是董卓却失败了，因为他并没有利用好这一优势，空乏其"名"，最后落得个"暴尸于市"

汉献帝

汉献帝刘协，东汉最后一位皇帝，汉灵帝刘宏的儿子，汉少帝刘辩的弟弟，原封陈留王。公元196年，曹操迎汉献帝刘协到许昌，改称许都。但汉献帝刘协依然是一个没有实权的皇帝。曹操虽然利用刘协来试图实现他统一中国的目的，却不敢直接取代他而自立为皇帝。刘协试图谋杀曹操的计划也未能实现。

"焚尸于路"的下场。

董卓的假借于名的失败，使得曹操在这个问题上不能决定，阵营内部谋士们也是采取不同的态度，于是对于这样一个重大问题的决策，建安元年，曹操在贺年节的会议中向重要的幕僚和将领们征求最后的建议。

富于谋略的大胡子将领程昱首先表示意见："依情报显示，皇上在奉、董承等挟持下离开关中，进驻于安邑，如果能趁机奉迎皇上，必能取得竞争优势。"

荀彧也表示："豫州离司隶区最近，目前有一半以上已在我们的控制中，如果要迎接皇帝，应以洛阳及许都最为合适，因此要准备这件工作，必须清除豫州境内其他的力量。"

首席猛将曹仁则有不同意见："虽然张邈的势力已清除，但吕布、陈宫等雄仍占徐州，并和袁术勾结，随时可能再度威胁兖州。因此属下认为应先稳定东方，彻底摧毁袁术及吕布力量，再行经营豫州。"

夏侯惇的意见也差不多："纯就军事形势观察，豫州连接司隶区和荆州，目前拥有部分倾向袁术和刘表的小军团部署，正好可作为缓冲。清除豫州反而会使自己陷入北方袁绍、东方吕布、南方刘表、西北面西凉及司隶区军团的层层包围中，是相当不利的。"

几乎大部分将领及幕僚都赞同夏侯惇的看法。

曹仁更进一步表示："奉迎天子并不一定有利，董卓便成了众矢之的，以我们现有实力，'挟天子'不见得便能'令诸侯'。万一掌握不好，未蒙其利反将先受其害。"

满宠也表示："目前最重要的是探询袁绍的动向，奉迎天子来讲，袁绍最有实力。如果这个时候因此事和袁绍闹翻，很可能会遭到倾覆危机，应审慎对待。"

曹操回答道："由冀州府传来消息，袁绍阵营里为了奉迎天子之事，意见分歧，大老派的审配坚持反对意见，袁将军本身似乎兴趣不大，况且和公孙瓒间的战争仍在持续中。依目前情报判断，或许不至于有所行动。"

荀彧大声表示："奉迎天子绝非纯为功利，从前高祖

袁绍，字本初，汝南汝阳人。汉灵帝时为中军校尉，领导皇宫禁卫军，灵帝死后，他带兵进宫杀尽了宫中宦官。董卓控制国家大权时，他从冀州发兵讨伐董卓，成为诸侯军的盟主，在诸侯混战中势力进一步扩大，成为当时兵将最多的豪强。但在与曹操决战时，因不听谋士的良言，在官渡被曹操击败，不久病死。

（刘邦）东向讨伐项羽，便以为义帝复仇作为出师之名，因此得到天下诸侯响应。董卓之乱起，天子流亡关中，将军便首倡义军勤王，只因山东秩序混乱，才使我们无力兼顾关中。虽然战事连连，我相信将军仍然心向王室，以平定天下为己任吧！今皇上脱离西军掌握，正是大好机会啊！拥护皇帝顺从民望，此乃大顺；秉持天下公道以收服豪杰，此乃大略；坚守大义招致人才，此乃大德。即使会遭到其他势力围剿，也难不倒我们的。要不及时决定大计，等到别人也有所行动，就来不及了啊！"

在众人争执不休中，曹操突然想起当年反董联盟对自己和袁绍间的对话。

袁绍曾问曹操："如果这次举兵失败，您看我们应以何处为据点最为适当？"

曹操反问："以阁下的意见呢？"

袁绍："我认为我们应以黄河以北的冀州山区为据点，争得北方异族的协助，以向南争取霸权。"

曹操当时并不同意袁绍的看法，他认为地利固然重要，但更重要的是人心。的确如荀彧所言，汉献帝虽早已名实不符，但在一片混乱的政局中，他仍是天下人心之所系呢！

曹操当机立断，决心奉迎汉献帝。

此后，曹操又经过一番艰苦曲折的奋争，终于于建安六年八月将当时处于困窘中的汉献帝迎至许都。

将窘困流徙中的献帝迁到许都，由自己来充当献帝的保护人，是曹操政治生涯中的得意之作。曹操这样做，不仅使自己获取了高于所有文臣武将的地位，而且把献帝变成了自己进行统一战争的工具，从此无论是征伐异己还是任命人事，都可利用献帝之名。

曹操

曹操，一名吉利，字孟德，小字阿瞒，沛国谯郡（今安徽省亳州市）人。中国东汉末年军事家、政治家及诗人。出生于一个显赫的宦官家庭。曹操的祖父曹腾，是东汉末年宦官集团十常侍中的一员，汉相国曹参的后人。父亲曹嵩，是曹腾的养子。

第二章　功成弗居

【原文】

天下皆知美之为美，斯恶①已；皆知善之为善，斯不善已。有无相生②，难易相成，长短相形③，高下相倾④，音声相和⑤，前后相随，恒也。是以圣人处⑥无为⑦之事，行不言之教⑧；万物作而弗始⑨，生而弗有，为而弗恃⑩，功成而弗居⑪。夫唯弗居，是以不去⑫。

【注释】

①斯：即也，此处犹言即有。恶，指丑。

②有无相生：此"有"、"无"与一章中的"有"、"无"内涵不同，这里指的是自然界事物的存在或不存在。

③形：帛书本作"刑"，为"形"的假借字，体现、显现的意思。

④倾：通行的本子都作"倾"，甲乙帛书本均作"盈"。"高下相倾"指高、低互相对立而存在。

⑤音声相和：乐器的音响和人的声音相应和。

⑥处：帛书本作"居"，处世行事的意思。

⑦无为：这是老子所使用的特定概念。老子的"无为"，并非什么事也不做，而是不做那些违背本性、背离自然意志、束缚心灵、异化人性的事。老子的"无为"，实际上就是不妄为，而顺任自然而为的意思。

⑧行不言之教：不言，就是不发号施令、不滥用政令的意思。

⑨万物作而弗始：始、辞，都读作"司"，主宰的意思。

⑩生而弗有，为而弗恃：此两句中的"弗"王弼本作"不"。有，占有，据为己有；恃，自（有能耐）。生而弗有，指"圣人"生养万物而不据为己有。为而弗恃，指

"圣人"推动了万物发展而不自恃有能耐，

⑪居：居功、自我夸耀。

⑫是以不去：以，因为；是，指示代词，这。是以，即以是的倒装，因此之意。不去，指"圣人"的功绩不会消失。

【译文】

天下人都知道美之所以为美，那是由于有丑陋的存在；都知道善之所以为善，那是因为有恶的存在。所以，有和无互相转化，难和易互相形成，长和短互相显现，高和下互相充实，音与声互相谐和，前和后互相接随——这是永恒的。因此，圣人用无为的观点对待世事，用不言的方式施行教化；听任万物自然兴起而不施以创始，既不据为己有，又不自夸有能耐，功成业就也不自居功自傲。正由于不居功，就无所谓失去。

【评析】

本章揭示了矛盾的对立转化规律，中心论点是"处无为之事，行不言之教"，也是整部经书的灵魂，以后各章论述都是围绕着"无为之治"和"不言之教"这一辩证法的基本原理而展开的。本章内容分两层次。第一层集中鲜明地体现了老子朴素的辩证法思想。他通过日常的社会现象与自然现象，既阐述了世间万物存在，都具有相互依存、相互联系、相互作用的关系，又说明了对立统一的规律，确认了对立统一的永恒的、普遍的法则。

第二层老子提出了"无为"的观点。此处所讲的"无为"不是无所作为，随心所欲，而是要以辩证法的原则指导人们的社会生活，帮助人们寻找顺应自然、遵循事物客观发展的规律。他以圣人为例，教导人们要有所作为，但不是强作妄为。"无为"也是老子以及道家思想的一个核心内容，它对于中国的两千年历史中的封建的统治思想有巨大的影响。

【故事】

老子在这里首次提到了无为的思想，老子认为圣人要"处无为之事，行不言之教"，顺其自然，不居功，不自恃。

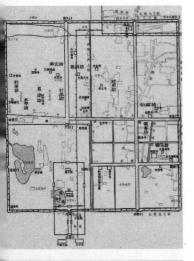

辽南京城平面图

宣和二年，北宋与女真族的金朝订立海上之盟，相约南北夹击辽朝。宣和四年，金朝攻陷辽南京。宣和五年四月，经过反复交涉，金朝以北宋每年交岁币四十万，年输燕山代税钱一百万缗为条件，将辽南京及涿、易、檀、顺、景、蓟六州二十四县之地归还宋朝。金人撤出辽南京时，"尽毁诸州及燕山城壁楼橹，要害皆平之。又尽括燕山（即辽南京）金银钱物，民庶寺院一扫皆空。"

因为老子认为，有所作为、有所功劳之后，就自恃有功、强作妄为、胡作非为的人是不会有好下场的；只有做到无为、淡泊、不居功自傲，才是真正的圣人。

张俭，辽宛平人。他在辽圣宗耶律隆绪统和十四年举进士第一，即状元。随后，担任云州幕官。

按照当时的惯例，皇帝出巡时每到一地，当地长官都必须有所贡献。有一次，圣宗到云州打猎，云州节度使向他奏道："臣境无他产，唯幕僚张俭，一代之宝，愿以为献。"圣宗召来张俭一看，只见他容貌举动质朴，问其治世之道，却口若悬河，当即奏对了30多件事。圣宗非常高兴，遂将他带回朝中予以重用。

张俭于开泰年间累迁同知枢密院事，太平三年为武定军节度使，太平六年为南院枢密使、左丞相兼政事令，封韩王。兴宗耶律宗真即位后，又赐他"贞亮弘靖保义守节耆德"功臣，拜太师中书令，加尚文，改封陈王。

虽然张俭仕途顺利，官居高位，但他一直关心下情，体恤百姓。

有一次，某地发生了一桩特大抢劫案，官府在破案时捕获了8个嫌疑人，并立即将他们全部处死。然而，为时不久，真正的强盗落入了法网。于是，被杀的那8个人的家属一哄而起，纷纷到官府诉冤。官府无计可施，致使此事越闹越大。张俭听说后，上奏兴宗，请求为死者洗雪冤屈。兴宗勃然大怒，斥责道："你难道要朕去抵命吗！"张俭仍据理力争，说："被杀的这八家，既然有冤，自然要申诉。他们中并无一人提出偿命要求的，只是期盼陛下对他们稍加慰问抚恤，使尸体能够收葬，使生者和死者得到安慰。"兴宗这才消了火，并听从了他的意见。

后来，宋辽边境发生冲突，兴宗打算亲率大军同宋军开战。张俭认为，如此一来，必然会给百姓带来战争之苦，不知又有多少人死于非命，遂竭力陈述出兵的利害，建议他派一使臣前去交涉，而不要远劳征讨。兴宗感悟，没有发兵，而是通过外交手段解决了宋辽的争端，从而免除了双方生灵涂炭。

张俭为相二十年，一直保持着俭朴的生活作风。他食不重味，穿的也只是粗布衣服。每领到俸禄，除留下生活必需之外，全都周济给了那些贫困的亲朋故友。

有一年冬天，张俭在便殿议事，兴宗见他身上的衣袍破旧不堪，就秘密指令侍从用火夹子将他的袍子烧了几个小洞，促使他快换件新长袍。不料，兴宗在此后数次召见他时，见他依旧穿着它。兴宗不解，问他为什么老是穿着这件旧袍?他答道："臣穿这件袍子，已经三十年了。多年来，人们都崇尚奢靡。臣为了矫正时弊，才以自己的实际行动来开导!"

事后，兴宗可怜张俭的清贫，特下旨让他到内库随意选取他所需要的东西。他接旨谢恩，但结果却"持布三端而出"——当时的"三端"，相当于现在的十八丈（1丈=3米）。兴宗见他放着金银财宝都不拿，仅仅拿了三端布，对他更加敬重起来。

张俭有五位弟弟。兴宗"欲俱进士第"，即打算赐给每个人进士出身，但张俭却始终没答应。

张俭晚年退休在家，兴宗有时候还亲自到他家中去看望。有一次，掌管御膳的官吏得知皇上要在张家用餐，特地先行一步，供设下各种珍味佳肴。而张俭为了勉励皇帝节俭，却让人撤去了那些御膳。当他们君臣二人谈到吃饭时间，张俭让家人奉上清淡的蔬菜和干饭，双方都吃得很香甜。

张俭享年92岁，敕葬宛平县。张俭作为两朝宰相，可谓是权高位重，功绩显赫，但是他并不因为自己的功劳，而自骄自恃。张俭依然过着俭朴、清廉的生活，并以身作则，引导下属，劝谏皇帝。《辽史》上称赞他"服敝袍不易，志敦薄俗，功著两朝，世称贤相"。

第三章　圣人之治

【原文】

不尚贤①，使民不争②；不贵难得之货③，使民不为盗；不见可欲④，使民心不乱。是以圣人之治，虚其心⑤，实其腹，弱其志⑥，强其骨，常使民无知无欲。使夫智者不敢为也。为无为⑦，则无不治。

【注释】

①尚贤：尚，崇尚、看重，贤，有才能的人。

②不争：不争夺功名利禄、权势地位。

③贵：以为贵，重视。货：即财

④不见可欲：见，同"现"，显示、显耀的意思。可欲，指能诱发人贪欲的东西。

⑤虚其心：使人民的头脑空虚。

⑥弱其志：使他们的意志削弱。

⑦为无为：前一个"为"字是动词，做、实行之意。即以无为的态度去对待世事。

【译文】

不崇尚贤能、不分高低贵贱，使得民众没有攀比争夺的目标和基础；没有价值昂贵的难得货物，使得民众没有盗窃对象而永不为盗；见不到自己想要的东西，使得民众安于现状而不会产生动乱。

所以，圣人治世的方法，就是使他们头脑空虚，有足够的衣食，削弱他们的意志，身强体健，永远使他们无知无欲。即使那些巧智的人也不会有所作为了。这样一来，实行"无为"，就没有什么治不了的事。

【评析】

本章提出了一系列使人群社会回复到混沌无名的施政准则。老子认为，这样做可以使社会获得长治久安。这样他就定下了道论，并把他对一般行为体的普遍考察推行贯彻于社会政治领域的基调。老子以他的人生哲学为出发点，既不讲人性善，也不讲人性恶，而是说人性本来是纯洁素朴的，犹如一张白纸。不使人们贪欲，并不是要剥夺人们的生存权利，而是要尽可能地"实其腹"、"强其骨"，使老百姓的生活得到温饱，身体健壮可以自保自养；此外要"虚其心"、"弱其志"，使百姓们没有盗取利禄之心，没有争强好胜之志，这样做，就顺应了自然规律，就做到了无为而治。

但是，本章老子提出的"虚其心，弱其志，"、"常使民无知无欲"。体现了老子的愚民政策的主张，即穷民政策，这是违背社会历史发展规律的，也是老子思想中的糟粕。

【故事】

"为无为，则无不治。"老子阐发的是治国要实行无为而治的策略的思想。无为治国就是国君不妄加干涉百姓的生活与生产，使百姓安居乐业。政治清明，实行宽松的政策，没有苛捐杂税，没有战争兵役。这样的治理方式，国家才能长治久安。历史上，有许多的统治者都认识到了老子"无为而治"的真正含义，国家取得了经济繁荣、政治昌盛、人民安居的功绩。晋朝的皇帝司马炎正因为实行了无为而治的政策，而解决了内忧外患，巩固了自己的统治。

公元265年，司马炎以当年魏王曹丕接受汉献帝禅位几乎一样的形式，接受了魏帝曹奂的禅让，建立晋朝。

司马炎即位后，首先要处理的是内忧外患。这内忧是他的父祖带来的。为了给司马氏家族夺取皇位铺平道路，司马懿与司马师、司马昭曾经对曹氏家族以及附属势力进行了残酷的屠杀，人们仍然对此心有余悸。外患即是东吴，蜀汉已平，而此时的东吴虽不足以与西晋抗衡，但毕竟也是一个不小的威胁。因此，要解决内忧外患，巩固自己的统治，就必须采取怀柔政策。于是司马炎刚即位，就下令让已成为陈留王的魏帝载天子旌旗，行魏正朔，郊祀天地礼乐制度皆如魏旧，上书不用称臣，同时又赐安乐公刘禅子弟一人为驸马都尉，然后又解除了对汉室的禁锢。这一

司马炎

司马炎，字安世。晋朝的开国君主，谥号晋武帝。司马炎为司马昭长子，曾出任中抚军。起初司马昭有意让幼子司马攸继承，在重臣的反对之下，司马炎于公元265年被封为晋王太子。司马昭过世之后，司马炎继承晋王的爵位。同年十二月，司马炎逼迫魏元帝禅让，即位为帝，国号晋。

三国鼎立形势图

箭三雕之法，缓和了朝廷内患、安定了蜀汉人心，还赢得了吴人的好感，进而为吞并东吴取得了主动权。

为了使国家从动乱的环境中摆脱出来，为统一打下牢固的基础，无为与宽松成了西晋之初的立国之策。司马炎力求在国家的大政方针中充分体现这一点。但是"无为"并不是无所作为，司马炎在缓和了朝廷的内患之后，为了进一步实现统一的目的，他决定出兵伐吴。

公元279年，司马炎下令，晋军20万伐吴。吴军为了阻挡晋军的进攻，也早有准备，他们在长江的险要之处，布下长长的铁链，又在江中埋了长丈余的铁锥，企图使晋军的战舰陷入尴尬的境地。王濬是个有谋略的将军。他早就作好伐吴的准备，在益州督造了大批战船。这种战船很大，能容纳两千多人。船上还造了城墙城楼，人站在上面，可以四面眺望。所以也称作楼船。见吴军的防御如此，王濬想出了一个办法。他吩咐晋兵造了几十只大木筏，每个木筏上面放着一些草人，披上盔甲，手拿刀枪，还在木筏上灌足了麻油，一点就着。他又派几个水性好的兵士带领这一队木筏随流而下。这些木筏碰到铁锥，那些铁锥的尖头就扎在木筏底下，被木筏扫掉了。在碰到拦在江面的铁链以后，王濬命令点燃木筏，一时间，木筏燃起熊熊大火，烧了一段时间以后，那些铁链铁锁都被烧断了。王濬的水军扫除了水底下的铁锥和江面上的铁链，大队战船上就顺利地打进东吴地界，很快就和杜预中路的大军会师。

他们一路南下，直驱建业。这时，另一路陆路大军在王浑的率领下也势如破竹，合围建业。在两路大军的夹攻下，建业城中的孙皓成了瓮中之鳖，只得素车白马，肉袒而缚，投降西晋。

司马炎灭吴之后，完成了西晋的统一，也结束了汉末群雄割据、三国鼎立的分散局面。这与司马炎实行无为而治的政策是分不开的。

第四章 和光同尘

【原文】

道冲①，而用之或不盈②。渊兮③，似万物之宗。挫④其锐，解其纷⑤，和其光⑥，同其尘⑦。湛⑧兮，似或存⑨。吾不知谁之子，象帝之先⑩。

【注释】

①道冲：冲，通"盅"。这里冲引申为虚。道冲，指道是虚空而没有形体的。

②盈：满，引申为尽。

③渊：深远。

④锉：消磨，折去。

⑤解其纷：消解掉它的纠纷。

⑥和其光：调和隐蔽它的光芒。

⑦同其尘：把自己混同于尘俗。以上四个"其"字，都是说的道本身的属性。

⑧湛：沉没，引申为隐约的意思。

⑨似或存：似乎存在。连同上文"湛兮"，形容"道"若无若存。

⑩象：显象，具象。帝：天帝，此处为天敌之代称。

【译文】

"道"是虚而不见的，然而却用之不尽。它是那样渊深，好像是万物的宗主。不露锋芒，没有纷乱，神光内敛，纯朴如尘，精湛啊，却似存而非存。我不知道它如何产生，然显现在天地之先。

【评析】

此章论述的是道的本质，它虚空无形，而实存在，先天地生，用之无尽。

老子通过形容和比喻，给"道"作了具体的描述。本

来老子认为"道"是不可以名状的，实际上"道可道，非常道"就是"道"的一种写状，这里又接着描写"道"的形象。

老子说，道是空虚无形的，但它所能发挥的作用却是无法限量的，是无穷无尽而且永远不会枯竭。它是万事万物的宗主，支配着一切事物，是宇宙天地存在和发展变化必须依赖的力量。在这里，老子自问："道"是从哪里产生出来的呢？他没有作出正面回答，而是说它存在于天帝显象之前。既然在天帝产生以前，那么天帝也就无疑是由"道"产生出来的。由此，研究者们得出结论，认为老子确实提出了无神论的思想。老子被认为是中国第一个提出唯物主义思想的先驱。

老子的伟大，就在他是彻底的唯物主义者。在老子眼里，一切都是物质，而没有非物质。老子的真知灼见，来自于实践。老子通过修炼，获得了"道"，达到了与"道"相合的境界，其智慧是圆融的。因此，老子把握了天地宇宙的至理，也把握了"道"之理。

【故事】

老子在本章主要描述了"道"的具体形象，道是不可名状的，是渊深、精湛的；它不露锋芒，神光内敛，纯朴如尘。老子通过对于道的描述，体现了他为人处世的基本观点：不露锋芒，纯朴如尘。也就是我们通常所说的"藏锋"。

藏锋是一种自我保护的方式，也是道的精髓的一种体现。谁掌握了其精髓，就获得了安身立命的法宝。藏锋的关键不是藏身而是做到藏心。曾国藩就是这样，尽管自己站在第一线，但始终能把一颗饱经风霜的心置放在安全袋里，做到"藏心即藏身"，而藏心的秘诀在于"避免碰撞，绕道迂回"。

屈是为了伸，藏心本是蓄志。不屈不以伸展，不藏心志从何来？曾国藩的"藏心"表现在他与君与僚属的共事上，这种藏锋来自于他对中国传统文化的体认，来自一种儒释道文化的综合。

一般谈曾国藩的思想往往只谈他所受到的儒家文化的影响，作为一个对中国传统文化全面研究过的人，曾国藩对道家文化也情有所钟，尤其是在他晚年。他终身都喜读《老子》，对受道家文化影响很深的苏轼钦佩不已，而且周敦颐和朱熹也是儒道兼通的人物。在政治上，曾国藩是一个儒家；在军事上，曾国藩又是一个道家。

正因为他学养深厚，才能做到"凡规划天下事，久无不验"。他能总揽全局，抓住要害，表现出高超的战略水平，以至"天子亦屡诏公规划全势"（李鸿章语）。正因为他学养深厚，才能慧眼识英才，看得准识得透，大凡他所举荐的人，"皆能不负所知"，李鸿章对此格外佩服，称他"知人之鉴，并世无伦"。正因为他学养深厚，才能使他以文人身份站在行伍之间，在全军险些覆没之时，稳住军心，东山再起。

曾国藩认为，人单有志不行，还要修炼自己，蓄势而发。此间最重要的是戒傲气、少言实干。他在写给九弟的信中说：自古以来讲凶德致败的道理大约有两条，一是长傲，二是多言。丹朱不肖，曰傲、曰嚣讼，就是多言。历代公卿，败家丧命，也多是因为这两条。我一生非常固执，很高傲，虽不多言，但笔下却近乎嚣讼。安静下来自我反省，我所以处处不顺，其根源也是这两条……我在军中多年，怎么会没有一点可取呢？就是因为"傲"字，百无一成。所以我谆谆教导各位兄弟引以为戒。

曾国藩藏锋的典型事例很多，同治三年天京攻破，红旗报捷，他让官文列于捷疏之首，即有谦让之意，尤其是裁撤湘军，留存淮军，意义极为明显。不裁湘军，恐权高震主，危及身家，如裁淮军，手中不操锋刃，则任人宰割，因此他叫李鸿章按淮军不动，从自己处开刀。

曾国藩到达天京以后，七月初四日"定议裁撤湘勇"，在七月初七的奏折中，向清朝廷表示，"臣统军太多，即拨裁撤三四万人，以节靡费"。从当时的材料来看，曾国藩裁撤湘军的表面原因是湘军已成"强弩之末，锐气全消"，而时人却认为这完全是借口，实为避锋芒。时人王定安就

曾国藩

曾国藩，晚清重臣，湘军创立者和统帅。初名子城，字居武，号涤生。湖南湘乡人。早年中进士，入翰林院，为军机大臣穆彰阿门生。曾经师从太常寺卿唐鉴讲求义理之学，主张以理学经世。

说过："曾国藩廉退，以大功不易居，力言湘军暮气不可复用，主用淮军。以后倚淮军以平捻。然国藩之言，以避权势，保令名。其后左宗棠、刘锦棠平定关外回寇，威西域，席宝田征苗定黔中，王德榜与法朗西（法兰西）战越南，皆用湘军，暮气之说，庸足为定论乎？吾故曰，国藩之暮气，谦也。"

当时曾国藩所统湘军约计12万余人，但左系湘军进入浙江以后，已成独立状态，早在攻陷天京以前，江忠义、席保田两军1万人已调至江西，归沈葆桢统辖，鲍超、周宽世两军2万余人赴援江西以后，随即也成为沈葆桢的麾下人马，剩下的便只有曾国荃统率的5万人，而这些人也正是清政府最为担心的。于是曾国藩从这5万人开始进行裁撤。

曾国藩留张诗日等1万余人防守江宁，15万人由刘连捷、朱洪章、朱南桂率领，至皖南北作为巡防军队。裁撤了助功天京的萧庆衍部（李续宜旧部）近万人和韦俊的2500余人。但实际上，曾国荃的嫡系部队基本被保留下来。同治四年正月，又裁撤了八营。五月，曾国藩奉命北上山东剿捻，当时江宁未撤防军还有十六营8000人，但只有张诗日一营愿随曾国藩北上，其余都不愿北上，于是曾国藩又裁撤了其余的7500人。之后，又陆续裁撤了刘连捷、朱洪章、朱南桂三军。此时，曾国藩能够调动的部队只剩下张诗日一营和刘松山老湘营共6000人。

在裁撤湘军的同时，他还奏请曾国荃因病开缺，回籍调养。此时，曾国荃在攻陷天京的所作所为，一时间成为众矢之的。同时，清政府对他也最为担心，唯恐他登高一呼，从者云集，所以既想让他早离军营而又不让其赴浙江巡抚任。无奈，曾国藩只好以其病情严重，开浙江巡抚缺，回乡调理。很快清政府便批准了曾国藩所奏，并赏给曾国荃人参六两，以示慰藉。而曾国荃却大惑不解，愤愤不平溢于言表，甚而在众人面前大放厥词以发泄其不平，致使曾国藩十分难堪。曾国藩回忆说：同治三年秋，吾进此城行署之日，会弟甫解浙抚任，不平见于辞色。时会者盈庭，吾直无地置面目。

曾国荃

曾国荃，字沅甫，号叔纯。湘军将领，清朝大臣。湖南湘乡人。清朝著名大臣曾国藩的胞弟。1852年举优贡。1856年招募壮勇两三千人增援江西吉安，助曾国藩镇压太平天国，所部称吉字营，成为曾国藩的嫡系。

所以，曾国藩只好劝慰他，以开其心窍。"弟何必郁郁！从古有大劳者，不过本身一爵耳，吾弟于国事家事，可谓有志必成，有谋必就，何郁郁之有？"

在曾国荃41岁生日那天，曾国藩还特意为他创作了七绝一首以示祝寿。曾国藩的至诚话语，感动得曾国荃热泪盈眶，据说当读至"刮骨箭瘢天鉴否，可怜叔子独贤劳"时，竟然放声恸哭，以宣泄心中的抑郁之气。随后，曾国荃返回家乡，但怨气难消，以致大病一场。从此，辞谢一切所任，直至同治五年春，清政府命其任湖北巡抚，他才前往上任。

早在裁湘军前，曾国藩写信给李鸿章说：唯湘勇强弩之末，锐气全消，力不足以制捻，将来戡定两淮，必须贵部淮勇任之。国藩早持此议，幸阁下为证成此言。兵端未息，自须培养朝气，涤涤暮气。淮勇气方强盛，必不宜裁，而湘勇则宜多裁速裁。

曾国藩书中之意极深，只有李鸿章才能理解他的苦衷：朝廷疑忌握兵权的湘淮将领，舆论推波助澜，欲杀之而后快，如湘淮并裁，断无还手之力，若留淮裁湘，则对清廷可能采取的"功高震主者杀"起到强大的牵制作用。李鸿章既窥见清廷的用心，又理解了曾国藩的真实意图，因而决定投双方之所好，坐收渔人之利。他深知在专制制度下"兵制尤关天下大计"，淮军兴衰关乎个人宦海浮沉。他致函曾国藩表示支持裁湘留淮的决策，说："吾师暨鸿章当与兵事相终始"，淮军"改隶别部，难收速效"，"唯师门若有征调，威信足以依恃，敬侯卓裁"。由于曾、李达成默契，所以裁湘留淮便成定局。

曾国藩藏锋的"龙蛇伸屈之道"，是一种自我保护，自我实现价值的生存之道。正是因为他知道藏锋，才能在当时乱政时局中得以保全，也是因为他知道藏锋使他避免了杀身之祸，并且施展了自己的才华，得到了功德圆满的结局。

李鸿章旧照

李鸿章，本名章桐，字渐甫，号少荃，晚年自号仪叟，别号省心，谥文忠。李鸿章在直隶总督兼北洋大臣任上秉政达25年，参与了清政府有关内政、外交、经济、军事等一系列重大举措，成为清廷倚作畿疆门户、恃若长城的股肱重臣。随着李鸿章地位、权利的上升，他一手创建的淮军，陆续被清廷派防直隶、山东、江苏各地，成为充当国防军角色的常备军。

第五章　多言数穷

【原文】

天地不仁①，以万物为刍狗②；圣人不仁，以百姓为刍狗。天地之间，其犹橐龠③乎！虚而不屈，动而愈出④。多言数穷⑤，不如守中⑥。

【注释】

①天地不仁：仁，即儒家所谓的爱，这里是特指私爱、偏爱。天地不仁，是指天地无所偏爱。

②刍狗：用草扎成的狗，供祭祀时用。人们把草做成刍狗时，并不对它有什么偏爱或重视；祭祀完了就扔掉它，也不是恨它或轻视它。

③橐龠（tuóyué）：冶炼用以鼓风吹火的装置，犹如现在的风箱。橐，是箱的外壳。龠，是里面送风的管子。

④虚：空。屈：竭、尽。愈：更加。

⑤多言数穷：帛书本作"多闻数穷"。数为速的假借字，术、技的意思；穷，困也，尽也。这句的意思是统治者政令烦苛，只会加速败亡。这里的"多言"与二章的"不言"恰成对比。

⑥守中：中即"冲"，内心的虚静。"守冲"：保持虚静的意思。这是老子"处无为之事"思想的又一阐述。

【译文】

天地是无所谓仁慈的，它没有仁爱，对待万事万物就像对待刍狗一样，任凭万物自生自灭。圣人也是没有仁受的，也同样像刍狗那样对待百姓，任凭人们自作自息。天地之间，不正像是气囊或空管那样的大空泡吗？虚怀以待，无屈无挠，有动则应，永无穷竭。统治者政令烦苛，只会加速败亡。不如保持虚静，进退自如。

【评析】

本章的主旨仍是宣传"虚用",同前两章相连,犹在宣传"无为",所使用的方法,仍是由天道而人道,由自然而社会。承上章对"道冲"作进一步的论述。此处由"天道"推论"人道",由"自然"推论"社会",核心思想是阐述清静无为的好处。

本章用具体比喻说明如何认识自然和正确对待自然,论述天地本属自然,社会要顺乎自然,保持虚静,比喻鲜明生动。天地之间的关系的法则,是不变的规律。那么,人如何适应这个规律呢?"多言数穷,不如守中。"天地之间的关系这个规律是一个天数,对此不要过多地研究它,研究到最后,这个数就会没有了,穷尽了。这是什么意思呢?地球消亡了,这个数就没了,这就是"多言数穷"。因为天地之间的关系,是一个天数,天数是改变不了的定数,研究它又有何用呢?研究这个数还不如守于中,保持内心清静呢。心静则心安,心安则康健。

【故事】

本章老子仍然是阐述他清静无为的主张,从反面的角度论述,统治者如果政令繁苛,只会加速其灭亡。老子认为天地是无为的,天地间的一切事物,都是按照自然界的发展规律生长变化的,任何凌驾于自然之上的行为都会导致其灭亡。同样,统治者对待百姓,也要顺其自然,强制政令,横征暴敛,穷兵黩武,这样的胡作非为,最终会遭致毁灭。

始皇赢政在一统天下后,处理政事时常走极端,譬如赢政强调以法治国,在政治上推行严刑峻法,在经济上层层设卡。其实如果不胡作妄为,这些措施对巩固政权、发展经济肯定大有好处,但他却严刑到人人谈刑色变,征敛到横征暴敛,又大兴土木,建骊山陵、修阿房宫、修长城、修驰道等,这些工程本可徐而渐图之,却由于他的峻急而昼夕无舍,给人民带来了深重灾难,这样极端化的结果自然会大违初衷。

在封建专制的社会形态中,一个希图有所作为的君主,

秦始皇嬴政，秦庄襄王之子（有人说他是吕不韦的私生子），13岁即王位，39岁称帝。中国历史上杰出的政治家、军事家、统帅。自公元前230年至前221年，先后灭韩、魏、楚、燕、赵、齐六国，终于建立了中国历史上第一个统一的、多民族的、专制主义中央集权制国家——秦朝。

要想很好地统治天下臣民，就必须要有使人信服的力量与威望，其实也就是要有权威。在专制体制中，失去了权威，封建君主就失去了统治天下最起码的条件和基础，但若仅靠着权威和地位去统治臣民，不知道仁义理信，也是很危险的。

《周书》上讲："民，善之则畜也，弗善则仇也。"意思是说，对于人民，善待他们，他们便会拥戴君主，不善待他们，他们便会视君主为仇人。一个君主的权威首先是立在爱民利民之基础上的，失去了这个基础，也就是失去了人心，像周厉王暴虐百姓，百姓便奋而反抗，将他逐下了帝位。历史早就证明，想使拥护自己的百姓增多，唯有善待百姓。一个君主不知道这个道理，乃治国之忌。

始皇嬴政在后期执政过程中就犯了这个大忌。

在统一六国之后起初的几年里，始皇嬴政还比较注意让民休养生息。但由于秦朝国势日益强盛，六国的声色犬马传入秦也越来越多，耳闻目睹了这些享受之物，作为一国权力至圣的嬴政有充足的理由去享受它们。享受声色是最容易堕落一个人心志的，尤其是英雄的意志，更容易被侵蚀。嬴政就是这样被声色享受所淹没了。

过分的享受自然要消耗大量的财力、物力和人力。于是，大秦王朝开始变成了一架高速运转的机器，每个人都生活在紧张的生产状态之中，他们生产粮食、武器、珍玩、金钱乃至于人力，最终发展到按正常的交税制度已远远不能满足嬴政的花费。

在这种状况下，始皇嬴政开始推行横征暴敛的税收制度，并以严刑酷法来加以保障，这使他的统治最终堕落进了暴行统治的泥淖。但这在嬴政眼里，却自以为是用权威在统治着臣民，并未自觉权威已变了味道。

始皇嬴政的暴行统治主要有以下几点：

"横征暴敛，赋敛无度"是其中之一。史学家班固曾指出："至于始皇……收秦半之赋，发闾左之戍。男子力耕，不足粮饷，女子纺织，不足衣服。竭天下之资财以奉其政，犹未足以澹其欲也。海内愁怨，遂而溃畔。"贾谊也说秦始皇"赋敛无度，天下多事，吏弗能纪，百姓穷困而主弗收恤"。由此可知，由于始皇嬴政横收暴敛，结果导致民怨沸腾，国家也因此而趋向覆亡。

"徭役繁重"是其二——班固在《汉书》中写道："秦王贪狠暴虐，残贼天下，穷困万民，以适其欲……始皇帝嬴政以千八百国之民自养，力罢不能胜其役，财尽不能胜其求，一君之身耳，所以自养者驰骋弋猎之娱，天下弗能供也。劳罢者不得休息，饥寒者不得衣食，之罪而死刑者无所告诉，人与人之为怨，家与家之为仇，故天下坏也。""至秦……又加月为更卒，已复为正一岁，屯一岁，力役三十倍于古。"

这样重的徭役是后人闻所未闻的，始皇嬴政这样做的结果也是失尽民心。事实上，一个善于树立权威的君王，本应懂得用仁和义来治理百姓，用爱和利使百姓安定，用忠和信引导百姓，并致力于为民除害，替民造福。五帝三皇之所以威望齐天，就是因为他们把权威建立在仁义、忠信的基础上。可始皇嬴政却以暴虐和殃民来树立权威，注定要有社会问题。

始皇嬴政在役民上从来是不顾及人的本性，不理解人之常情，还频繁地、繁琐地制定各种法令来保证其暴行的实施。他制造了各种人为的灾祸让人民临危赴难，他把常人难以完成的任务加在人民头上，并责罚他们不尽力去做。这样一来，他和人民的关系便只有仇恨了，他的权势在人民眼里便只能成为一种淫威了。

"暴兵露师"是其三——主父偃评论道："昔秦皇帝任战胜之威……暴兵露师十有余年，死者不可胜数。"而关于暴兵露师、穷兵黩武这一点，还有更多的史学家都指控过始皇嬴政。严安评论说："秦贵为天子，富有天下，灭世绝祀者，穷兵之祸也。"还有人说秦始皇"遣蒙恬筑长城东西数千里，暴兵露师，常数十万，死者不可胜数，僵尸千里，流血顷亩，百姓力竭，欲为乱者十家而五。"嬴政的这种用民役兵政策给天下百姓带来了严重的祸殃，确是历史事实。

贾谊是西汉著名的大儒，人称贾生、贾子、贾长沙。贾谊一生虽然短暂，但是，就在这短暂的一生中，他却为中华文化宝库留下了一份珍贵的文化遗产。他是骚体赋的代表作家，代表作是《吊屈原赋》、《鵩鸟赋》。其最为人称道的政论作品是《过秦论》、《治安策》和《论积贮疏》。

李斯

李斯，字通古。楚国上蔡人，秦代著名政治家，在我国历史上声名显赫，功绩卓著。公元前210年，秦始皇死后，李斯为保全自己的既得利益，附和赵高伪造遗诏，立少子胡亥为帝，赵高篡权后又施展阴谋，诬陷李斯"谋反"，将其处以五种酷刑：黥刑（在脸上刺字）、劓刑（割掉鼻子）、断舌、砍趾后腰斩于市，并夷灭三族。

"多忌讳之禁"也是嬴政失败，秦朝灭亡的原因之一。关于此点，西汉贾谊写道："秦俗总讳之禁，忠言还没有说出口就身首异处了。这样就使天下之士，倾耳而听，重足而立，钳口而不言，是以三主失道，忠臣不敢谏，智士不敢谋，天下已乱，奸不上闻，难道不值得悲哀吗?"

嬴政为了消灭天下与己有异的统治学说，而"废先王之道，焚百家之言，以愚黔首。堕名城，杀豪俊，收天下之兵聚之咸阳，铸以为金人十二，以弱黔首之民"。这样做虽然可以暂时地统一思想，但做法实在不足取，结果便是让天下人对他的统治有怨而不敢言，最终导致沉默的民众地火传燃，最终一发而不可收，天下异兵纷起，大秦迅速败亡。

推行"严刑酷法"，"吏治深刻"更是促使大秦王朝灭亡的根本原因之一。本来一个法制清明的世界，将是一个人人向上，人人遵规守矩的社会，可一旦这种法制将社会变成了一个恐怖世界，变成了一个杀人场、行刑场，这个社会的灭亡也就为期不远了。始皇嬴政采用李斯严刑黔法的主张，推行全国，使大秦成了一个"断足盈车"的恐怖世界——很难想象在一个社会中行走着那么多没有脚、没有膝盖、没有鼻子的人，而不产生、酝酿仇怨和愤怒。

有人曾说过："秦法重，足下为范阳令十年矣，杀人之父，孤人之子，断人之足，黥人之首，不可胜数。然而慈父孝子莫敢停刃公之腹中者，畏秦法耳。"贾谊也说："秦之盛也，察法严刑而天下振；乃其衰也，百姓怨望而海内畔矣。"

秦始皇想借助实行这些政策和制度，来树立自己的权威，维护王朝的统治，但是他这样做却适得其反。秦始皇实行苛捐杂税、横征暴敛、穷兵黩武，视百姓为草芥、如刍狗，违背了百姓顺其自然的规律。正是这样，他的胡作妄为激起了人民的反抗之心，大泽乡农民起义彻底地推翻了秦王朝的统治。

第六章　谷神不死

【原文】

谷神①不死②，是③谓玄牝④。玄牝之门⑤，是谓天地根。绵绵若存⑥，用之不勤⑦。

【注释】

①谷神：谷，生养的意思；神，在此不是指有人格的天神，而指"道"这种无形的神奇物。由于"道"能够生养天地万物，但又没有形体、深妙难识，故老子称它为谷神。另据严复在《老子道德经评点》中的说法，"谷神"不是偏正结构，是联合结构。谷，形容"道"虚空博大，象山谷；神，形容"道"变化无穷，很神奇。

②不死：永恒存在而不会消亡。

③是：指示代词，这。

④玄牝：玄，在文章有深远、神秘、微妙难测的意思。牝（pìn），母性生殖器官。玄牝，形容"道"具有不可思议的生殖力——它创造了世间的万物，但它的生殖过程却没有一丝痕迹可以寻找。

⑤玄牝之门：幽微不测的母性之门，即母性的生殖器官，这里代指生育万物的"道"。

⑥绵绵若存：绵绵，即冥冥，形容无形、不可见的样子。

⑦勤：帛书本作"堇"。尽、穷竭。道生万物，其用永无穷尽。

【译文】

生养天地万物的道（谷神）是永恒长存的，这叫做玄妙的母性。玄妙母体的生育之产门，这就是天地的根本。连绵不绝啊！它就是这样不断的永存，作用是无穷无尽的。

【评析】

本章是对第四章所确立的虚无道体的进一步描述。老子把道体与生育母体相等同，借以说明他所确立的理想范式具有孕生一切事业功果的无限"生育"能力。在老子看来，一切具体存在的本源都是混沌，但它们出离混沌的门径的不同（即它们在混沌的展开路径中朝不同的方向、不同的岔道远化分化）则导致它们的纷纭各异。它们与混沌相联系的门径对应于它们的特化旅程，决定了它们作为某一具体性状物而存在的内在规定性。

本章用简洁的文字描写形而上的实存的"道"，即继续阐述第四章"道"在天地之先的思想，用"谷"来象征"道"体的虚状；用"神"来比喻"道"生万物的绵延不绝。进而认为，"道"是在无限的空间支配万物发展变化的力量，是具有一定物质规律性的统一体。它空虚幽深，因应无穷，永远不会枯竭，永远不会停止运行。这种支配万物发展变化的力量，就是对立统一规律。"谷神不死"，体现出"道"的永恒性，即恒"道"。

【故事】

老子的道理既是空虚的，又是实在的，既是"无"，又是"有"。由无产生有，由有产生万物，道是无穷无尽的，它产生了宇宙万物而生生不息。"无中生有"是道顺应万物发展的统一规律。但是老子所说的"无"是道的一种存在形式，并不是唯心主义的不存在的意思。历史上，有人把"无中生有"引申为另一种含义，就是指采用虚虚实实的方法，使对手误入歧途，判断失误，从而使自己获得胜利。"无中生有"后被人应用于兵法，诸葛亮的"空城计"就是对它的灵活运用。后世的许多战争和计谋也有所应用。

东晋元帝太兴三年，陈留地方的豪强地主陈川投降后赵国主石勒，祖逖决定发兵进攻陈川。石勒派兵5万援救，被祖逖打得大败。第二年，后赵的将领桃豹和祖逖的部下韩潜又争夺蓬陂城。

祖逖据守蓬关的东部，由东城出入；桃豹据守蓬关的西部，由南城出入。两军各不相让，僵持了40天之久，相持不下，双方的军粮都发生了困难。

祖逖觉察到在这个关头，有了粮食，士气就会高涨；缺了粮食，士气就会低落，谁能坚持到最后，谁就能取得胜利。于是心生一计，他让人用土将布袋装得满满的，从表面看，就像米袋一样；再派1000多人假装运粮食，把这些装着土的布袋从城外运到东城的高台。同时又让几个人挑着真正装着米的布袋，故意掉队，好像很累的样子，停在路上休息，引诱后赵的部队来抢米。

桃豹手下的人，看到晋军不断地运粮，早已想劫持，苦于晋军成群结队，无法下手。后来瞧见有几个掉队的，就忽地冲了上去。掉队的晋军赶快扔下粮食逃命，让他们把米袋抢走。

赵营里早已断了粮，抢到了一点米，只能够勉强维持几天，但是大家远远看到晋军堆在东城高台上的布袋，以为里面全是粮食，一想晋军粮秣丰盛，再坚持几个月他们都没问题，而自己已经断了粮草，怎么还能打仗呢？因此上上下下情绪都很沮丧，军心就动摇起来了。

为了继续和晋军相持下去，桃豹赶快派人向石勒求救。石勒即派部将刘夜堂率领兵马赶着1000头驴给桃豹的守军运粮。祖逖预料到桃豹以为晋军粮草充足必定会向石勒求援，所以派韩潜、冯铁两位将领带兵在汴水北岸狙击，把刘夜堂的运粮队全部俘获。

桃豹听到运粮队被晋军全部俘获的消息，感到大势已去，再也无法支持，只得连夜逃走。祖逖乘胜追击，向北挺进。后赵的许多据点纷纷归降祖逖，地盘越来越小。

祖逖领导晋兵艰苦斗争，收复了黄河以南的全部领土，后赵的兵士陆续向祖逖投降的也很多。晋元帝即位后，因为祖逖功劳大，封他为镇西将军。

石勒

石勒出身低微，早年饱经忧患。他富于军事才能，政治上也颇有识度，自比在刘邦、刘秀之间，鄙视曹操、司马懿欺负孤儿寡妇以取天下。儒生读《汉书》给他听，读到郦食其劝刘邦立六国后人时，石勒大惊，说这样何以能统一天下。当听到张良劝阻，才连忙说"赖有此耳"。

第七章　天长地久

【原文】

天长地久。天地所以能长且久者①，以其不自生②，故能长生。是以圣人后其身而身先③，外其身而身存④。非以其无私邪？故能成其私⑤。

【注释】

①所以能长且久者：所以能够长久存在的原因。

②以其不自生：以，因为；其，代词，它的，它们的，指天地；自生，经营自己的生存、注重自己的生存。这句话是说天地的运行、存在，不是为了自己的生存。

③后其身而身先：把自己放在后面，结果反而自己却能占先，得到别人的爱戴。

④外其身而身存：把自己置之度外，反而能生存下来。外，与上句的"后"，都是用作动词。

⑤成其私：私，指个人的目的、理想等。成其私，即成就自己的目的。老子认为天地不为自己的存在而运行，圣人不因自己的私欲而行事，唯其如此"无目的"，最后才达到、实现目的，这也就是"无为而无不为"。

【译文】

天长存，地久在。天地之所以能长久存在，是因为它不自益其生，因此能长久存在。所以，圣人把自己摆在众人后面，却反而赢得了众人的拥护，被推为领导；清静无为不求益生，反而能住世久长。不正是由于他不自私吗？所以反而能成就了他。

【评析】

老子的思想，均由对自然而推及人事。本章所论，最为典型。老子指出：流放一己的矍执趋求，顺任于天下之自然，将可以使自身的利益与天下的利益谐和耦合，将会更有助于自身利益的实现。道论作为一个探究如何更有效地达成目的的行为规范论，并不是空言的道德说教。通过利益的谐和耦合来谋求自身利益的实现，是老子推崇的一大准则。天地生存很长久。在这里，老子把天地的生存问题说得一清二楚。在老子看来天地就是如此，天地仅仅是生存很长久，而绝非永存和永恒。天地，从"道"演化而来，之后不断发展变化，才发展到现在这个模样。

老子用朴素辩证法的观点，说明利他（"退其身""外其身"）和利己（"身先"、"身存"）是统一的，利他往往能转化为利己，老子想以此说服人们都来利他，这种谦退无私精神，有它积极的意义。老子赞美天道，同时以天道推及人道，希望人道效法天道。在老子的观念中，所谓人道，既以天道为依归，也就是天道在具体问题上的具体运用。这一点，是老子书中经常发挥的观点，

在本章里，他就表达了这种观点。

【故事】

"圣人后其身而身先，外其身而身存。非以其无私邪？故能成其私。"这里老子指出，圣人应做到谦恭、无私，鞠躬尽瘁，死而后已。这和宋朝政治家范仲淹的"先天下之忧而忧，后天下之乐而乐"有异曲同工之处。历史验证了老子的处世原则，历朝历代的仁人志士，先人后己，舍己忘私，最终赢得了人民的尊敬与爱戴。传说中"神农尝百草"的故事，就是与老子所说的圣人处世原则相合的例子。

上古时候，五谷和杂草长在一起，药物和百花开在一起，哪些粮食可以吃，哪些草药可以治病，谁也分不清。黎民百姓靠打猎过日子，天上的飞禽越打越少，地下的走兽越打越稀，人们就只好饿肚子。谁要生疮害病，无医无药，只有等死。

老百姓的疾苦，神农氏瞧在眼里，疼在心头。神农苦思冥想了三天三夜，终于想出了一个办法。第四天，他带着一批臣民，从家乡随州历山出发，向西北大山走去。他们整整走了七七四十九天，来到一个地方。只见高山一峰接一峰，峡谷一条连一条，山上长满奇花异草，大老远就

范仲淹，字希文。和包拯同朝，为北宋名臣，吴县人，少年时家贫但好学，当秀才时就常以天下为己任，有敢言之名。曾多次上书批评当时的宰相，因而三次被贬。宋仁宗时官至参知政事，相当于副宰相。元昊反，以龙图阁直学士与夏竦经略陕西，号令严明，夏人不敢犯，羌人称为龙图老子，夏人称为小范老子。

神农

神农氏是传说中的农业和医药的发明者。远古人民过着渔猎生活，神农氏发明制作木未、木耜，教民农业生产。因为他发明农耕技术而号神农氏。因以火德王，故称炎帝、赤帝，则又成了与黄帝相争天下的首领。长期以来，对于神农氏是否即炎帝这个问题，一直悬而难决。

闻到了香气。

神农领头进了峡谷，来到一座大山脚下。

这山半截插在云彩里，四面是刀劈崖，崖上挂着瀑布，长着青苔，溜光水滑，看来没有登天的梯子是上不去的。臣民们说这里太险恶，劝神农还是趁早回去。神农摇摇头不答应。忽然他看见几只金丝猴顺着高悬的古藤和横倒在崖腰的朽木爬过来。神农灵机一动，立刻把臣民们喊来，叫他们砍木杆，割藤条，靠着山崖搭成架子，一天搭上一层，整整搭了一年，搭了360层，才搭到山顶。传说，后来人们盖楼房用的脚手架，就是学习神农的办法。

神农带着臣民，攀登木架，上到了山顶。山顶上长满了各种各样的奇花异草。神农喜欢极了，马上亲自采摘花草，放到嘴里尝。为了方便尝百草，神农就叫臣民在山上栽了几排冷杉，当做城墙防野兽，在墙内盖茅屋居住。后来，人们就把神农住的地方叫"木城"。

有一次，他把一棵草放到嘴里一尝，霎时天旋地转，一头栽倒。臣民们慌忙扶他坐起，他明白自己中了毒，可是已经不会说话了，只好用最后一点力气，指着面前一棵红亮亮的灵芝草，又指指自己的嘴巴。臣民们慌忙把那红灵芝放到嘴里嚼嚼，喂到他嘴里。神农吃了灵芝草，毒气解了，头不昏了，会说话了。

就这样，神农一直尝了七七四十九天，踏遍了这里的山山岭岭。他尝出了小麦、稻谷、大豆、高粱，知道这些呈甜味的作物能充饥，就叫臣民把种子带回去，让黎民百姓种植，这就是后来的五谷。他尝出了365种草药，写成《神农本草》，叫臣民带回去，为天下百姓治病。

第八章　不争无尤

【原文】

上善若水①。水善利②万物而不争，处众人之所恶③，故几于道④。居善地⑤，心善渊⑥，与⑦善仁⑧，言善信⑨，政善治⑩，事善能⑪，动善时⑫。夫唯不争，故无尤⑬。

【注释】

①上善若水：上，最好的意思。上善，最好的善、第一流的善。这里老子以水的形象来说明"圣人"是道的体现者，因为圣人的言行有类于水，而水德是近于道的。

②善利：善于利物，即善于滋润万物。

③处众人之所恶：处，处在，居于。众人之所恶，众人厌恶的地方，指低下的地位。

④几于道：几，近，相似。几于道，（水由于有柔和、利万物而不争等特性，所以）最接近"道"（"道"的特点就是虚静守柔、作而弗有、为而弗恃）。由此可见，老子心目中水的地位是极高的。

⑤居善地：（最高的善人）居住要（像水那样）善于选择（低下的）地方。以下都是老子以水的品性为比譬，劝导人们（尤其是统治者）如何行事的话。

⑥心善渊：渊，深的意思，沉静、深沉，在此形容心境深沉宁静。

⑦与：善仁。与，指与别人相交相接。善仁，指有修养之人。

⑧仁：帛书本作"人"，

⑨信：信实、真诚。

⑩政善治："政"，王弼本作"正"，正与政是相通的，为政的意思。为政要善于治理。

⑪事善能：做事要善于发挥特长。

⑫动善时：行动要善于把握住时机。

⑬夫唯不争，故无尤：尤，过失、错误。正因为（上善之人像水那样）与世无争，所以才没有过失。

【译文】

最崇高的善就像水一样，水善于滋润万物却不与万物相争，它总是处于人们所厌恶的地方，所以最接近"道"。作为善人居住要像水那样选择低下的地方，心胸要保持深沉宁静，交友要真心相爱，说话要诚信可靠，从政要依法治理，干事要利用特长，行动要抓住时机。正因为他像水那样与世无争，才没有过失。

【评析】

本章以水为喻，以水为道之本性的象征。水与物无争，安于卑下，所以近于道。老子在自然界万物中最赞美水，认为水德是近于道的。而理想中的"圣人"是道的体现者，因为他的言行有类于水。老子从水的静中蕴涵的力量，领会了"柔胜于刚"的哲理。老子在这里展开了对圣人的描述：圣人像水一样。因为，水接近于道，处于下位，与世无争，是修道者应该选择的道路。

本章把水作为一个"行为者"或"行为者集群"而进行了一系列拟人化的肯定评述，劝导人们以水为典范。行为体之柔弱似水是指其对"名变"的灵动洒脱，对任何"名状"都能保持若此若彼，若然若不然的柔弱灵动即能在广阔的状态变域中顺任于势稳态之自然而"善下"。所以，用既流动洒脱，又完全顺任于势稳态之自然而善下的水来比拟理想化的行为体是很合适的。水为物，老子对"物之道"一般都是否定的，水是一个例外，它与"朴"、"圣人"、"善为士者"等构成了最高楷模——道体之外的比较现实的辅助楷模。

【故事】

老子认为，上善的圣人要处于卑下的地位，与世无争，并且用水作比喻，水总是保持一种谦卑的态度，滋润万物而不与万物相争。因此老子倡导人们要向水学习，不争名夺利，过着自然、洒脱的生活。东汉的严子陵就是这样的

一个人——他不汲汲于名利，不戚戚于富贵，宁愿过着寄情于山水的生活。严子陵与光武帝刘秀是老同学，但他却不攀附于这个老同学，而是继续过着自己清贫的生活，对名利没有丝毫的向往，俨然一位雅士的风范。

严子陵，有很高的名望。刘秀称帝后，告示天下，令人寻找严子陵。但是光有名字不好找，于是光武帝召集宫廷的一流画家，描绘出严子陵的容貌，直到画得形神毕肖后，便复制了许许多多份，颁发天下，让各地官吏负责寻找严子陵。过了许久仍杳无音信，汉光武帝十分焦虑。

严子陵到底在哪里呢？严子陵看到刘秀打得天下，知道定会封他做官，可他生来厌恶官场，不愿意享受朝廷俸禄。于是，他隐姓埋名，在齐县境内富春山中过起了隐士的生活。一天到晚，垂钓于溪水之中，怡然自得。

有一天，一个农夫上山砍柴，又累又渴，便到河边喝水，看见一人独自坐在河边钓鱼。他越看越觉得这个钓鱼人面熟，回到镇上，看到集市上张贴的画像，农夫才明白，山中的钓鱼人就是刘秀下重金寻找的严子陵。农夫顾不得一天劳累，扔下柴禾，飞一样跑到衙门，把此事报告了县令，农夫也因此得到了一份儿奖赏。

齐县县令上书光武帝："有一个人，身披着羊皮大衣，在富春山溪水边钓鱼，很像严子陵。"刘秀立即命官吏备好车马，装上优厚俸禄，想把严子陵请出富春山，然而官车去了又回，均无多大收获。这天，官吏又一次来到富春山，严子陵说："你们认错人了，我只是普通打渔人。"使者不管他怎么解释，硬是把他推进了官车，送他到了京城。

侯霸与严子陵也是旧时好友。此时的侯霸已今非昔比，他接替伏湛做了汉朝的大司徒。侯霸听说严子陵已到皇宫，就让臣下侯子道给严子陵送去一封书信，表示对严子陵的问候。一见严子陵，侯子道恭恭敬敬地把信递了过去。严子陵接过信，大概一看，便放在了桌子上。侯子道以为严子陵因为侯霸没有亲自看望而不愉快，忙又说："大司徒本想亲自迎接您，因为公事繁忙，一刻也脱不开身，晚上，他一定抽空登门拜访，请严先生写个回信儿，也好让我有

严光

严光，字子陵，生卒年不详。本姓庄，后人避汉明帝刘庄讳改其姓。少有高名，与刘秀同游学。东汉建武元年，刘秀即位为光武帝，严光乃隐名换姓，避至他乡。刘秀思贤念旧，一连请了三次，严子陵实在推诿不过去了，才终于来到了洛阳。然而严子陵终因官场的险恶，悄然离去，隐居于富春山下。

刘秀

刘秀，即汉光武帝，汉高祖刘邦九世孙。东汉开国皇帝。刘秀建立东汉王朝后，为了稳固封建统治，开始整顿吏治，加强专制主义中央集权。与此同时，采取不少措施来安定民生，恢复残破的社会经济，史称"中兴"。

个交代。"

严子陵想了片刻，命仆人拿出笔墨，他说，让侯子道写。信中写道："君房（侯霸字君房）先生，你做了汉朝大司徒，这很好。如果你帮助君王为人民做了好事，大家都高兴，如果你只知道奉承君王，而不顾人民死活，那可千万要不得。"侯子道请他再说些什么，严子陵没有吭气儿，侯子道讨了个没趣回到了侯霸那里。

侯霸听完侯子道的话，面有怒色，觉得严子陵不把他这个大司徒放在眼里。于是把严子陵的一番话，报告了刘秀，谁知刘秀却说："我了解他，就这倔脾气。"

当天，刘秀去看望严子陵。皇帝亲自登门，这可是件大事儿，得远迎才对。可严子陵根本不理，躺在床上养神。刘秀进来后，看到他这副情景，并不恼火，走过去用手轻轻地拍了拍严子陵的肚子，亲切地说："你难道不念旧情，帮我一把吗？"严子陵说："人各有志，你为什么一定要逼我作官呢？"刘秀听后长长地叹了口气失望地走了。

有一晚，刘秀与严子陵叙旧。刘秀问："我比从前怎么样？""嗯，有点儿进步。"严子陵大模大样地回答道。那晚，两人睡在一起，严子陵故意大声打呼噜，并把腿压在刘秀身上，刘秀毫不介意。

第二天早上，太史惊慌地来汇报："皇上，昨晚微臣观察天象，发现有一客星冲犯帝星。"刘秀轻描淡写地说："没啥大不了，昨晚我和严子陵在一起。"

刘秀封严子陵为谏议大夫，他不肯上任，仍旧回到富春山中过他的隐士生活，种种地，钓钓鱼。富春山边有条富春江，江上有个台子，据说是当年严子陵钓鱼的地方，称为"严子陵钓台"。

建武十七年，刘秀又召严子陵入宫，严子陵又拒绝了。

严子陵无意仕途，寄情于山水间，这也是一种人生的乐趣。

第九章　功遂身退

【原文】

持而盈之①，不如其已②。揣而锐之③，不可长保④。金玉满堂，莫之能守。富贵而骄，自遗其咎⑤。功遂身退⑥，天之道⑦也。

【注释】

①持：拿、端等意思；盈，满。此句意为持执盈满，自满自骄。

②已：停止。

③揣而锐之：揣（zhuī），锤打的意思。锐之，使之锐，即使它又尖又利。

④不可长保：不能够长久保持（它的锋利）。

⑤自遗其咎：咎，灾祸。自己留下祸根。遗，若解为赠送（这时当读为wěi），自遗其咎就是自己招灾的意思，皆通。

⑥功遂身退：遂，完成，功成业就，应当退位收敛。身退，可指从现有的职位上退出，亦可指收敛其锋芒。

⑦天之道：道，在这里指一种普遍规律。天之道，即自然的规律。

【译文】

拥有的东西达到满盈时，不如就此罢手。捶锻得越尖利，就越难以维持长久。金玉财富满堂，无人能够保守得住。富贵而骄横，就会给自己招灾惹祸。功成身退，这才符合自然法则。

【评析】

老子在这一章提出了适可而止、功成身退的忠告。一般人的心理是知进不知退，尤其是当名利正盛之时，更是趋之若鹜。老子以一系列生活中的现象作比喻，阐明了知

进不知退、善争而不善让的害处。"功成身退"尤其提得尖锐。他要求人在完成功业之后,不自恃,不据有,不锋芒毕露,不咄咄逼人。他所说的"身退",并非要人做隐士,而是要人不自我膨胀。

"持而盈之"、"揣而锐之"、"富贵而骄"是"生而不有,为而不恃,功成而不居"的"玄德"的反例。老子认为,一切具体的存在都是"刍狗",这也就意味着把拥有一定的名位、名职的自身也看成是"刍狗"。而"刍狗"的自然是"草"(朴),"刍狗"在祭祀过后变回茅草堆是"刍狗"返于自然;一朝为"狗"就认为自己永远是"狗"而跳梁拔扈,那是忘本。所以,老子认为"功成身退"是无为自然之道理应奉行的基本行为准则。

【故事】

贪图禄位、锋芒毕露必然招致祸患;事成之后知道引退,做出成绩而不自恃功高才是聪明人的明智选择。老子懂得这个道理,可是历史上许多人都陷入功名利禄中不能自拔,文种、韩信就是因为不懂得这个道理而招致杀身之祸。相反,春秋时期的范蠡在为越国立下汗马功劳之后,能够全身而退,最后过上了无拘无束的生活。

范蠡是春秋时赵王勾践的辅臣,当勾践败于吴王夫差之后,他竭心尽力,辅佐勾践,教勾践韬晦之术,亲随勾践到吴国作人质。当时吴王夫差曾亲自向他策反说:"我听说聪明的妇人不嫁给破亡的家庭,出色的贤人不出仕灭绝的国家。现在勾践无道,国家即将灭亡,你们君臣都成了我的奴仆,囚禁在石室之中,这不是太鄙贱了点吗?我想要赦免你的罪过,只要你能改过自新,弃越归吴,我一定重用你。脱离忧患而取富贵,你看怎么样?"

当时越王勾践吓得伏地哭泣,惟恐范蠡投靠吴国。范蠡不卑不亢地说:"我也听说,亡国之臣,没有资格谈论政事;战败的将军,也不配再谈什么勇敢。我在越国时,未能辅佐越王多行善事,以致得罪了大王,幸而大王没有加罪,使我君臣性命得以保全,有幸侍奉大王,我已很知

范蠡

范蠡,字少伯,生卒年不详,春秋楚人。与文种同事越王勾践20多年,苦身戮力,卒以灭吴,尊为上将军。在举国欢庆之时,范蠡急流勇退。至陶,在这个居于"天下之中"的最佳经商之地,操计然之术以治产,因成巨富,自号陶朱公。

足了，哪里还敢奢望什么富贵?"

就这样，他一直陪着勾践在吴国做了好几年人质。后来回到越国后，他亲自参与修船造箭，训练士卒。经过10年卧薪尝胆，越国终于强大起来，又是他同勾践一起，出兵击败了吴国，迫使吴王夫差自杀。

范蠡可以说是越国重建的第一大功臣，可胜利之后，他却发现越王有猜忌臣下之意，于是找了个借口对越王说："我听说'主辱臣死'，从前，大王受辱，臣之所以不死，是想忍辱负重，以完成复仇的大业。现在吴国已灭，大王如果肯于原谅我当年忍辱偷生的罪过，请允许我这把老骨头退居江湖。"

越王勾践颇觉出乎意料，立即严词拒绝："我是由于你的辅佐，才得以有今天，我正想报答你，你怎么倒要弃我而去?你如果留下来，我与你共享荣华富贵，你如果走了，我就杀掉你的妻子儿女!"

越王勾践的剑

范蠡说:"处死我倒是罪有应得，我的妻子儿女有什么罪过?不过生死也只有听凭大王了，我也顾不了那么多了!"

当夜便驾了一叶扁舟，涉三江，入五湖，又经五湖入海，来到齐国，隐姓改名曰鸱夷子皮，隐居于陶山，自号陶朱公，做起了贩卖牛羊的生意，不几年便获利千金，成为我国历史上第一位富商大贾。

第十章　明白四达

【原文】

载营魄抱一①，能无离乎？专气②致柔，能如婴儿乎③？涤④除玄鉴⑤，能无疵乎？爱民治国，能无为乎？天门开阖⑥，能为雌乎⑦？明白四达，能无知⑧乎？生之畜之，生而不有，为而不恃，长而不宰，是谓"玄德"⑨。

【注释】

①载：语气助词，相当于"夫"，无实意。营：维护，谋求的意思。魄：形气，这里指精神。抱：守。一：道。抱一：就是抱守自然之道的意思。

②专气：专，集中而不分散。气，精气，指生命的活力。专气，就是集中精气、排除杂念。这是一种宁静柔顺的状态，

③能如婴儿乎：婴儿，这是老子经常使用的一个概念（或形象），指当人心灵处于自然柔顺、平和宁静的状态时，象无欲的婴儿一般真纯。"能如婴儿"，正是老子所追求的自然真朴的境界。

④涤：洗涤。"涤"帛书本作"修"。

⑤玄鉴：指在心灵处以道德的自鉴自察，除去污垢。玄，奥妙深邃。鉴，镜子。

⑥天门：有几解。一说指目、耳、口、鼻这些人的身体上天赋的自然门户。一说指天地间的自然规律。一说指政治上治乱兴废产生的地方。今从第一解，即指人体感官。开阖：关关闭，这里指动静变化。即感官进行视、听、嗅、言、食等生命活动的动作。

⑦能为雌乎：为雌即守雌，直译是像母性生殖器那样保持安静柔弱。

⑧知：王弼本作"为"，河上公本及多种古本皆作

"知"。知同智，心机、心术的意思。

⑨"生之畜之"以下五句与上面的文意不相关联。又重见于五十一章，故疑是错简重出。

【译文】

人的精神和身体合一，抱守单纯自然的境界，能不分离吗？人结聚精气，达到宁静柔和的境界，能像无欲的婴儿吗？人洗清杂念，深入静观，能没有瑕疵吗？人爱民治国，能实施无为之政吗？人使用耳眼鼻喉等自然感官，在进行生命运动时，内心能够像雌性生殖器内一样宁静吗？人本来广知万事，通达事理，能不用心机吗？生万物，养万物，生养了万物而不据为己有，推动了万物发展而不自恃其功绩，使万物生长了而不去主宰它们，这就叫最深远的"德"。

【评析】

本章的主旨，论述了老子学说的六项基本主张的可行性——概括起来就是：抱朴、守中、守柔、无欲、无知、无为。前五条主要是修身方面，最后一条是治国方面。这里的六句问话，似乎是把"道"在运用于修身治国方面所做的几条总结，对一般人和统治者提出了具体的要求。老子从个人修身养性的角度入手，积极提倡勇于退守、自甘淡泊的人生态度；并进而将它推广到政治的领域，要求努力做到甘守其雌，无为而治。

本章的妙处不在作正面的阐述，而是自设问题，解释疑惑，巧为论证。同时，老子运用了六个排比句形，一步一步地阐述了自己的观点。本章每句的后半句似乎是疑问，其实疑问本身就是最好的答案。老子要求人们无论是形体还是精神，无论是主观努力还是客观实际，都不可能是完全一致的。但是人们在现实生活中应该将精神和形体合一而不偏离，即将肉体生活与精神生活和谐。这样就必须做到心境极其静定、洗清杂念、摒除妄见，懂得自然规律，加深自身的道德修养，才能够"爱民治国"。

【故事】

老子主张作为统治者要做到勤政爱民，实行仁政。统

治者要关心百姓的疾苦，倾听百姓的心声。老子用人的生理现象的"天门开阖"、"明白四达"来喻指统治者要广开言路，倾听民间的呼声，体察人民的疾苦。广开言路、善于听取谏言是作为统治者的治国原则。如果统治者不能做到通达，就会遭到人民的反抗，最终招致灾祸。历史上有名的暴君周厉王不仅不听取百姓的呼声，反而以暴政堵塞百姓的言论。可是"防民之口胜于防川"，越是堵塞越是引起它的暴发，最后周厉王落得个身死异地的下场。

西周末年，周厉王当政的时候，法令苛刻，残害百姓，弄得百姓怨声载道苦不堪言，但周厉王不以为然。大臣召公对此忧心忡忡，害怕会引起国家动荡。

有一天上朝的时候，召公就把这种情况告诉了周厉王，并说："百姓们都不能忍受天子您的政令，为了国家的安定，希望天子能够改正！"

周厉王轻松地说："这个好办，我不久就会让国人不再有什么怨言。"

召公还以为周厉王会听取自己的谏言改过自新，谁知周厉王变本加厉，并派卫国的巫者去监视百姓的言论，只要听到谁对周厉王有稍微的不满，抓到以后就杀掉。结果国内再也没有敢讲周厉王不对的人，熟人路上碰见连话也不敢说，只是彼此用眼睛看看而已。

周厉王接到国中再也没有人议论自己的报告后十分高兴，马上把这种情况告诉召公，说："你看，我这不是一下子就消除了人们的怨言吗？"

召公不但没有高兴，反而着急地说："天子您这样做大错特错了！"

"怎么会呢？我看爱卿是太过虑了？"周厉王不以为然地说。

"咳！您这只是堵住了大家的嘴，并没有消除人们的怨言啊！这就像是堵塞洪水呀！洪水被堵住以后，一旦决口，伤人必定很多。老百姓也就好比流水一样。所以，治水的人应该排除堵塞，让水流畅，治理百姓的人也应该像这样引导百姓，让他们尽情地发表意见。因此，天子处理政事

周厉王

周厉王，西周第10位国王，姬姓，名胡。周夷王的儿子，在位37年。在位期间，重用奸佞荣夷公，不听贤臣周公、召公等人劝阻，实行残暴的"专制"政策，奴役百姓，百姓怨声载道、民不聊生，于是开始聚众起义，冲进王宫，试图杀掉厉王，史称"国人暴动"。厉王只好逃出镐京，周共和十四年死。

的时候，让公卿直言劝谏，让平民把意见转达上来，让全国的人都监督自己的施政过失，然后再由自己斟酌决断。这样做了以后，就可以根据下边的谏言来改正自己的错误呀！而如今天子您堵住了天下百姓的嘴，这恐怕会给国家带来祸患！"

"嗨，哪里会有这么危险。您不用多说了，我觉得这样做挺好的！"周厉王不耐烦地挥了挥手，拒绝了召公的意见，依然派人到处监视百姓的言论。

后来，国人不堪周厉王的暴政，终于揭竿而起，捉住了周厉王，把他流放到了彘地，周厉王最后也就死在那儿。

周厉王时期的铜盨拓文

就像老子所说的那样：一个国家就像是一个人的整体一样，如果人的经脉通达，那么身体就会健康；相反，如果经脉闭结，精气不畅，那么就会产生各种病痛恶疾。水如果闭结而不通达，也就会变污浊。同样，国家如有闭结的情况，比如国君的道德不通达，百姓的愿望不能实现，那么灾难就会接踵而至。周厉王弭谤而被流放，正是闭目视听所造成的恶果，如果他听从了召公的谏言，结局也许会截然不同，这就是所谓的闭结现象。而解除闭结的方法就是广开言路，认真听取下面的意见。所以，小到一个集体，大到一个国家，都不可不防止闭结现象的出现。

第十一章　无之为用

【原文】

三十辐，共一毂①，当其无，有车之用②。埏埴以为器③，当其无④，有器之用。凿户牖⑤以为室，当其无，有室之用。故有之以为利，无之以为用⑥。

【注释】

①三十辐，共一毂：辐，车轮上连接轴心和轮圈的木条；毂（gǔ），车轮中心的圆孔，车轴从当中穿过。古代的车轮由三十根辐条所构成。

②当其无，有车之用：无，指车毂中虚空的部分。正因为有了车毂中虚空的部分，车轴才能在里面转动，才使车具有运载作用。

③埏埴以为器：埏（shān），和，揉；埴（zhí），黏土。揉捏黏土作成器皿。

④当其无：无，指器皿中心空的地方。正因为有了器皿中空的地方（才使器皿具有了盛东西的用途）。

⑤户牖（yǒu）：门窗。户：房门，有出入之用。牖：窗户，有通气采光之用。

⑥有之以为利，无之以为用：有，指事物的实体（如车、房屋、器皿等）；无，中空的地方。"有"给人以便利，"无"便发挥出它的作用。

【译文】

三十根辐条汇集到一个毂上，有了毂中间的洞孔，才有了车的作用。揉捏粘土做成器皿，有了器皿中间的虚空，才有了器皿的作用。开凿门窗建造房屋，有了门窗四壁中间的空地方，才有了房屋的作用。所以"有"给人以便利，全靠"无"使它发挥作用。

【评析】

这章是老子辩证思想的具体阐述。老子认为，事物的实体与空体是矛盾对立、相反相成的。只有具有两方面的东西，才能够成为有用的东西。为了证明自己的观点，老子举出了车毂、器皿、房屋三个具体的例子。正是因为有了车毂中空的地方供轴转动，车才得以行驶；正因为器皿中间有很大一块虚空的地方，才得以盛物；而如果房屋没有四壁门窗之间的空间，就无法供人居住。所以这就是"无之以为用"。车、器皿、房屋这些实体都给人带来便利，这就是"有之以为利"。

道是"有"和"无"的辩证统一，现象界的一切也是"有"和"无"的对立统一。老子将"无"放在第一位，把"有"作为第二位的存在，虽然有本末倒置之嫌，但却显示了老子辩证思维的特点。"有"与"无"即实在之物与空虚部分之间的相互关系。"有"和"无"是相互依存的、相互为用的；无形的东西能产生很大的作用，只是不容易被一般人所觉察。他特别把"无"的作用向人们显现出来。第一章所说的"有"和"无"，是用以描述"道"由形而上状态向下落实而产生天地万物的过程，是超现象界，就本体界而言的；本章所说的"有"和"无"则是指现象界的实物，它们是两个内涵不同的概念。

【故事】

有与无，是道学中一对十分重要的概念，老子提出有无相依，有无相生，有无相成。我们常人都喜欢有，不喜欢无。但是，无是有的起始，无是有始终。如你放弃了某样东西，却可以拥有另一种东西。你得到了某件东西，却又失去了原本的属于你的东西。所以老子提出不要太重视有，而忽略无，淡看世间的有和无。要知道有时放弃是为了拥有。

唐代的顺宗在做太子时，亦好作壮语，慨然天下为己任。太子有能名，服人心，自然也是使自己顺利当上皇帝的一个先决条件。但太子能过父皇，又往往有逼父退位的举动，所以又会常遭父皇的猜忌而废黜。聪明的太子因此

唐德宗

唐德宗李适，是
肃宗的长孙、代宗的
长子。他的整个少年
时代，正是大唐帝国
昌盛繁华的辉煌岁月。
但好景不长，他14岁
那年爆发了安史之乱，
德宗饱尝了战乱之痛，
也亲身经历了战火的
洗礼和考验。德宗在
位整整26年，唐朝皇
帝中，比他在位时间
长的只有高宗和玄宗。

必须不能表现出太强的才干，造成太响的名气。

顺宗作太子时，曾对东宫僚属说：我要竭尽全力，向
父皇进言革除弊政的计划！他的幕僚王叔文于是告诫他：
"作为太子，首先要尽孝道，多向父皇请安、问起居饮食冷
暖之事，不宜多言国事，况且改革一事又属当前敏感问题，
你若过分热心，别人会以为你邀名邀利，招揽人心，如果
陛下因此而疑忌于你，你将何以自明？"太子听得如雷贯
耳，于是立刻闭嘴黜言。

德宗晚年荒淫而又专制，太子始终不声不响，直至熬
到继位，方有了唐后期著名的顺宗改革。而隋炀帝的太子
杨睐就没那么好的涵养了，一次父子同猎，炀帝一无所获
而太子满载而归，炀帝本来就感到太子对自己不够尊重，
这一下被儿子比得抬不起头来，于是"求罪失"，把杨的太
子名号给废了。

在名利问题上，最能体现"全生葆真"精神的历史人
物大概应推范蠡了。范蠡在助越王勾践灭吴之后，"以为
大名之下，难以久居，且勾践为人可与同患，难以处安"，
就急流勇退，放弃了上将军之大名和"分国而有之"的大
利，退隐于齐，改名换姓，耕于海畔，手足胼胝，父子共
力，后居然"致产十万"，受齐人之尊，"以为相"。范蠡
虽居相安荣，但又以为"久受尊名，不祥"，乃归相印，尽
散其财，"闲行以去，止于陶"，从事耕畜，经营商贾，又
致赀累钜万，直至老死于陶。这就是历史上有名的"范蠡
三徙"。

范蠡之所以辞官退隐，就是考虑到不要让尊名大利给
自己带来身家性命之忧。事实上他的考虑是有道理的。与
他共扶勾践的文种就因不听范蠡的规劝接受了越国的尊荣
大名，结果果然死在勾践手下。

说到底，像顺宗、范蠡这样的处理名位的方式，都是
为了在形式上的放弃之后，更永久地拥有它。

第十二章 去彼取此

【原文】

五色①令人目盲②；五音③令人耳聋④；五味⑤令人口爽⑥；驰骋畋猎⑦，令人心发狂⑧；难得之货，令人行妨⑨。是以圣人为腹不为目⑩，故去彼取此⑪。

【注释】

①五色：指青、赤、黄、白、黑，此指缤纷的色彩。五，虚指，指十分多，下同。

②目盲：眼瞎，比喻眼花缭乱。

③五音：古代音乐的五个基本音阶，即宫、商、角、徵、羽。这里代指纷繁的音乐。

④耳聋：比喻听觉不灵敏。

⑤五味：酸、苦、甜、辣、咸。这里代指丰美的食物。

⑥口爽：爽，伤。口爽，一种口病，这里比喻味觉差失。

⑦驰骋：马奔跑；畋（tián）猎：即围猎。此句即纵情玩乐，放纵性情。

⑧心发狂：身心疯狂，放荡不羁，迷失自我。这句话指使人内心放荡而不可抑止。

⑨行妨：妨，害，伤。行妨，破坏人的操行。

⑩为腹不为目：为"腹"，即建立内在的宁静恬淡的生活。为"目"，即追逐外在的贪欲的生活。

⑪去彼取此：摈弃物欲的诱惑，吸取有利于身心自由的东西。

【译文】

缤纷的色彩使人眼花缭乱；纷繁的音乐使人听觉不灵敏；丰美的饮食使人味觉迟钝；纵情围猎使人身心放荡；稀有的物品使人操行变坏，做出偷盗这类罪行。因为圣人只求安稳温饱而不追逐声色之娱，所以能够摈弃物欲的诱惑而吸收有利于身心自由的东西。

【评析】

本章老子指出贪图享乐的害处，希望满足于基本的温饱平淡生活。因此，他提出了中心主张："为腹而不为目。"老子理想的生活是要求人们返朴归真，只求肚子吃饱、生活宁静恬淡，强调内心的心性修养。老子认为，要是纵情于声色之娱，沉溺于五色、五音、五味、驰骋田野等，必然会带来恶果。这是老子的正确之处。但是，有些学者认为老子的主张过于偏激，五色、五味、五音全盘的否定是不对的。他主张人们要摒弃物质享乐，抵御物质贪欲的诱惑，愿望是好的；但事实上，这是一种消极逃避的行为，根本不能够化解矛盾，是老子对日益发展、日趋文明而又问题重重的社会所持的一种无可奈何的消极保守态度。他只看到了社会弊端，没有看到社会的发展进步。

但也有一些人认为，老子的观点并不是要把精神文明与物质文明对立起来，并不是否定发展文化，他希望人们能够丰衣足食，建立内在宁静恬淡的生活方式，而不是外在贪欲的生活。

【故事】

老子的道家思想是崇高清静无为、质朴简约的，所以老子十分痛恨贵族贪欲奢侈、纵情声色的生活。他认为统治者对于物质诱惑的无尽欲望，最终会导致灾祸。所以他主张"去彼取此"，摈弃物欲的诱惑而过着恬静质朴的生活。但是，有的人却抵不住诱惑，西晋的石崇就是因为贪欲，纵情声色犬马的生活而最终招致灭门的惨祸。

石崇，字季伦，西晋渤海南皮人。西晋开国功臣石苞之子。

据《晋书·石崇传》，石苞临死时将其财产分于诸子，唯独不给石崇。其妻为石崇求情，石苞说："此儿虽小，后自能得。"此话果然言中了：石崇长大后，不但"自能得"，而且获得了无数的钱财！不过，他敛钱的手段却十分卑恶；除了公开抢劫，便是垄断商业经营。

石崇在做荆州刺史期间，经常派兵掠取往来商人的货物，包括外国客商的财物。有时候，外国派使节来中原进贡，他得知后，竟派人装扮成盗贼模样，也将他们所带的贡品劫夺归己。

在西晋，经商本是时人瞧不起的职业。当时的法令还明文规定：商人都须戴头巾，头巾上写明自己的姓名和所卖物品的名称；还要一只脚穿白鞋，一只脚穿黑鞋。石崇不管这一套，他凭借自己的权势，将劫夺的不少财物分门别类，拿到市上去卖；有时见某某商品走俏，又欺行霸市，进行垄断。

石崇还拥有水碓30多处。周围百姓要想把糙米春成白米，必须使用他家的水碓；而每用一次，他就要扣下许多白米，作为"春税"。

正由于这一系列的巧取豪夺，石崇"财产丰积，室宇宏丽"，珍宝、金钱无数，还占有奴隶800多名。

时为骁骑将军的山都县公王恺，听说石崇十分富有，自恃晋武帝是其外甥，自己又有1800户的封地，便决心同他斗一斗，看谁究竟更阔气。于是，令家中用麦糖去洗锅，并以此向石崇吹嘘。石崇听罢，遂命家奴用白蜡当柴烧，从而压倒了王恺。王恺为了显威风，出门前先让人用紫丝布在道路两旁做成挡风墙，全长40里，用布近万匹。石崇得知后，也让人在他出门时预先做道挡风墙，不用丝布而用锦缎，长度不是40里而是50里！

王恺和石崇斗富的事传到晋武帝耳中，晋武帝不但不制止，竟随着凑热闹：他特赐王恺一株二尺多高的珊瑚树，希望王恺能以此将石崇斗败。王恺自鸣得意，故意请石崇到家中来观赏。万万没有想到的是，石崇看了一眼珊瑚树，哼了一声，便随手拿起铁如意将它打了个稀巴烂。王恺见状，先是大惊，继而大怒，一把揪住石崇，要他赔偿这一无价之宝。石崇却漫不经心地表示：可以马上赔他。说着，即令随从回家搬取他所收藏的珊瑚树。其中，高达三四尺的就有六七株，株株鲜艳夺目；像王恺那样二尺多高的，则更多。他让人把这些珊瑚树一字排开，任凭

石崇

石崇，字季伦，西晋文学家。石苞幼子，祖籍渤海南皮，生于青州，故小名齐奴。石崇年少敏慧，勇而有谋。元康初年，石崇出任南中郎将、荆州刺史。在荆州劫掠客商，遂致巨富，生活奢豪。最经典的故事是与晋武帝的舅舅王恺斗富大获全胜，可谓"富可敌国"也毫不夸张。盖因不懂"外不露富"的古训，终为一才妓绿珠破财，最后连命也搭上。

王恺挑选。王恺早已目瞪口呆，好半天说不出一句话。

石崇除有成群的妻妾，还蓄有众多的美女。她们各司其职，而职责又五花八门。

有一次，右光禄大夫刘实应邀去石崇家做客。当他去厕所时，发现那儿不仅用甲煎粉、沉香汁等香料喷洒过，还有10来位花枝招展的婢女侍立于旁。再往里走，又见一顶绛蚊帐，床上摆着华美的被褥，并有两个婢女手持香囊。刘实猛地一怔，随即慌慌张张地退了出来，连忙向石崇道歉说：一实在对不起，我一不留神，竟走进了您的内室!石崇却哈哈大笑，告诉他：那不是内室，是厕所!

石崇请客人到自己府上去饮酒，还总让美女在一旁吹笛。如果稍有失韵走调，便命人将她们拉出去杀掉。他还令美女劝客饮酒，如果客人不乐意喝或者喝得不多，也命人将她们拉出去砍头。有一次，石崇请驸马都尉王敦来饮酒。王敦为了看一看劝酒的美女惨死的景观，故意视杯而不饮。结果，三个美女当场惨死在屠刀之下!

石崇在洛阳金谷涧建有一座别墅，称之金谷园。在金谷园诸多歌伎中，有一位名叫绿珠的少女最娇艳，又能歌舞，更擅吹笛。所以，备受石崇宠爱。

晋惠帝司马衷永康元年，司马懿最小的儿子、赵王司马伦专擅朝政，威福自用。他听说石崇的歌伎绿珠举世无双，便命部将孙秀去索取。石崇情知惹不起司马伦，但又无意交出绿珠，只好唤出园中的数十名婢妾，请孙秀从中选择。孙秀认为自己受了欺侮，一气之下，伪造皇帝诏书，率兵逮捕了石崇，并将他押至东市去处斩。

石崇临死之前，仰天长叹："这些小人图的是我的家财啊!"负责行刑的官吏说："你既然知道因财被害，为什么不早散之?"石崇瞠目结舌，无言以对。接着，他与他全家老少共15人，同时命丧黄泉!

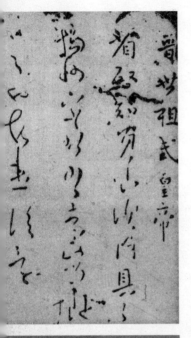

晋武帝省启帖

第十三章　宠辱不惊

【原文】

宠辱若惊，贵大患若身①。何谓宠辱若惊？宠为下②，得之若惊，失之若惊，是谓宠辱若惊。何谓贵大患若身？吾所以有大患者，为吾有身③，及吾无身，吾有何患？故贵以身为天下，若可寄天下④；爱以身为天下，若可托天下⑤。

【注释】

①若，相当于乃，副词，于是的意思。贵，以……为贵，重视；大患，大的祸患。

②宠为下：得宠是卑下的。

③吾所以有大患者，为吾有身：我之所以有大患，是因为我有身体存在。

④若：如此；寄：寄托，交付。

⑤爱以身为天下，若可托天下：以爱身的态度对待天下事，才可以把天下托付给他。

【译文】

人们为了求得荣耀、远离屈辱而使自己陷于惊恐不安的境地，这就等于把大祸患看得像生命一样贵重。什么叫得宠和受辱都感到惊恐呢？得宠是卑下的，得到宠爱感到惊恐不安，失去宠爱也感到惊恐不安，这就叫得宠和受辱都感到惊恐。什么叫重视大祸患像重视生命一样？我所以有大祸患，是因为我有这个身体，如果没有这个身体，我还会有什么祸患呢？所以，能够看重自己的生命远胜于天下的人，才可以把天下交付给他；只有那种能够爱惜自己的生命远胜于天下的人，并以这种态度去处理事情的人，才可以把天下托付给他。

【评析】

本章是老子的政治论。论证了荣辱、贵贱、上下、得

失的辨证关系，说明贵吾、爱吾的人有惊恐之灾，丧身之祸；贵民、爱民的人得天下之贵、天下之爱。这充分体现了老子的贵民、爱民思想。治国之道也是治身之道，二者同一道理。以贵身的态度对待天下事，才可以把天下交托给他。老子认为，贵身的人即"为腹"而下"为目"，只求生活的安适恬静，而不追求声色娱乐，这样的人才可能不因为荣辱毁誉而使自身受到损害，因而才可以担当天下的大任。老子一向强调贵身，并没有劝人弃身、轻身或忘身。但老子这里的意思，古往今来普遍被误解为劝人轻身、弃身。

本章的主旨是：人民应该把治理国家、天下的重任交给那些超然荣辱之外，并认为生命远远贵于名利荣宠的"圣人"。同时，它又体现了老子对于当时的贪暴的统治者的严正批判，又是老子对于自己心目中的理想国君的生动写照。

【故事】

本章体现了老子的宠辱观，即"宠辱不惊"，摈弃虚华浮名，不为物所累，只有那些超然荣辱，认为生命远远贵于名利荣宠的人才能担当重任。

对待宠辱有两种态度：一种是"宠辱若惊"，一种是"宠辱不惊"。两种态度，可以导致两种不同结果。一个人受宠的时候惊恐，受辱的时候也惊恐，这就叫做宠辱若惊。如果自身缺乏修养，一遇到"宠幸"和"污辱"就惊恐，那就要大祸临身了，因而，宠辱若惊是失败的一个因素。"宠辱不惊"其意与"宠辱若惊"相反。人们把不计较宠辱叫做宠辱不惊，这是成功的一个因素，是老子所提倡的，也是后世所称颂的一种美德。

在西汉第五代皇帝武帝手下当将军，曾七度奉命讨伐匈奴，享尽了"名将"盛誉的卫青，是少数对荣誉具有警惕的真正名将。他不仅能征善战，而且不计个人的荣辱，真正做到了宠辱不惊。

卫青是一个命运多舛之子。卫子夫和卫青姐弟的生母卫媪，是武帝的姐姐平阳公主的奴婢，她和一位武帝的下级吏员郑季私通，生下了卫子夫姐弟。

姐姐卫子夫长大后，成为平阳公主的歌姬。武帝一向

卫青

卫青，字仲卿，河东平阳人。少时为平阳侯家奴，善骑射，有勇力。因其姐卫子夫受汉武帝宠爱，被召入朝，这是卫青命运的一大转折点。公元前129年，匈奴兴兵南下，汉武帝任命卫青为车骑将军，迎击匈奴。从此，卫青开始了他的戎马生涯。卫青率军与匈奴作战，屡立战功。虽然战功显赫，权倾朝野，但卫青从不结党干预政事。

苦于陈皇后的凶悍，见到卫子夫后，立刻被她的温柔貌美所吸引，恳求姐姐把这名歌姬给她，带回后宫作为侧室。

然而与姐姐的命运不同的是，卫青走的是一条坎坷的路。他小时候虽然被生父郑季收留在家，但正妻所出的孩子们却不把卫青当兄弟，叫他看羊，把他当奴隶使唤。

就在那时候，有人替卫青看相说："你有贵人相，将来也许会封侯。"卫青却平静地回答："不要说将来，就是现在不挨打受骂，也就满足了。"姐姐卫子夫成了皇帝的宠姬后，卫青好不容易脱离了困苦的境遇，应召入宫，当上了一名下级吏员。但陈皇后嫉恨卫子夫，想在卫青身上泄恨，毫无正当理由便把卫青逮捕，监禁在娘家的馆陶长公主家里。这时卫青的一位朋友——后来和卫青一同经历过多次战争的公孙敖率领一队壮士赶来，将他救出。

也算是因祸得福吧，因为这次事件，卫青的名字传到了武帝那里，武帝把他提拔为王宫的警卫队长。武帝因为北伐作战的新构想而想到他时，他已升任为太中大夫，但也只是一位平凡不惹眼的官吏而已。

武帝看出卫青是个锐气内敛的青年，就像一层薄绢包着的利刃。从小赶羊群放牧的苦差，使他在不自觉中自我培育出智慧和毅力。牧羊者不能对任何一头羊具有特别的爱惜心理，为了把多数的羊赶到一个目的地，必须经常注意羊群的动向；如有饿狼来吃羊，必须牺牲数只羊来救出羊群；如有逃出羊群外的，要施以无情的鞭打。这不正是指挥野战机动大军团应具备的条件吗？而武帝最欣赏他的一点是，卫青从不表现自己。

公元前129年秋天，武帝发兵征伐匈奴。李广出雁门，卫青出上谷，公叔敖出伐郡，公孙贺出云中，各率一万骠骑兵开始出击匈奴。

放着那么多有名望的将军不用，为什么把这样的大任交给自己呢？卫青一个人静静地思考这个问题。他想到武帝只起用那些他相信能领会自己意图的臣下，对其余的人常常不屑一顾。这就是结论。

李广

李广，陇西成纪人，西汉著名军事将领。李广的祖先是秦朝将军李信，曾率军战败燕太子丹。李广接受世传弓法，射得一手好箭。李广历事文帝、景帝、武帝三朝，以勇力才气知名于时，号称天下无双，然而一生与匈奴大小七十余战，竟未有封侯之赏，最后以军行失道获罪，愤而自杀。

· 51 ·

李广等人争先冲入匈奴军阵的中央，遭受到强烈的反击，立即陷入混战中。李广、公孙敖、公孙贺他们没有一个人把握住组织作战的本质，他们只是用勇力来取得胜利。

卫青的想法做法不一样，他对有机会建立辉煌军功的白刃肉搏战并不留意，而是一直指向敌人的后方根据地，他率领轻骑兵军团以最快的速度向目的地进击。在途中遭遇匈奴军，也只分出一小队去应付，主力部队则避开敌人迅速深入腹地。匈奴军队的将军，各自率领手下驰骋战场，争功好胜，无法掌握卫青军团的真正目标，只是一批又一批地派出支援部队，想捉住疾驱中的卫青。

派往前线的兵力愈多，后方的大本营就愈空虚，卫青的目标就是后方大本营。龙城是匈奴军重要的大本营之一。龙城的匈奴军对卫青军团的快速推进和长驱突入毫无警惕，一遭突击便完全瓦解。卫青部队捕获数万敌军，获得汉朝开基以来的最大战果。

这样，卫青把武帝构想的机动作战完全实现了。

其余的三个军团结果都很悲惨。公孙敖军失去了7000骑，毫无战果。至于李广，负伤成了匈奴军的俘虏，不过他到底是一代豪杰，躺在担架上被送到军臣单于本部途中，伺机夺马逃走，还凭一张弓把追击的数百匈奴兵挡住，终于回到友军阵营。

回军后，李广被交付审判，罪状是失去了多数部将，自身亦受囚虏之辱。被判死罪后李广缴赎金获免，被贬为平民，隐遁于山中。只有卫青受到武帝的重赏，封赐为关内侯。

至此，卫青一跃而为大汉帝国军队的新王牌，而且，年年以匈奴征讨军统帅的身份指挥作战。至公元前124年发动的总攻击为止，共有四次远征，把全部鄂尔多斯地区纳入了汉帝国的统治下，在对匈奴军事状态上取得了优势。武帝当初的愿望可以说大致实现了。

"马踏匈奴"石雕

第十四章　执古之道

【原文】

视之不见，名曰"夷"；听之不闻，名曰"希"；搏之不得，名曰"微"①。此三者不可致诘②，故混而为一。其上不皦③，其下不昧④，绳绳兮不可名⑤，复归于无物⑥。是谓无状之状，无物之象，是谓惚恍⑦。迎之不见其首，随之不见其后。执古之道⑧，以御⑨今之有⑩。能知古始⑪，是谓道纪⑫。

【注释】

①夷：灭，无象；希：无声；搏：击、拍打；微：无的意思。夷、希、微，三者实同意。

②致诘：究诘，追究。

③皦（jiǎo）：明亮、清晰。不皦：无光。

④昧：阴暗、不清楚。不昧：无影。

⑤绳绳（mín）：渺茫、幽深、不可知。名：名状，描绘。

⑥复归于无物：指"道"复归于它无形无象、混沌不分的状态。

⑦惚恍：若有若无，闪烁不定。

⑧执古之道：执，依据、根据；古之道，古来就存在的"道"。

⑨御：驾驭。在此当支配、主宰解。

⑩今之有：眼前的具体事物。这里的"有"是指一般意义的上现实世界的存在物，不同于第一章的"有"。

⑪古始：宇宙的开端、"道"的起始。

⑫道纪：纪，纲纪，规律。道纪，"道"的纲纪，道的规律。

【译文】

视而不见，称它为"夷"；听而不闻，称它为"希"；摸之不着，称它为"微"。这三者不可分，原本混然一体。它上面不显得光明，下面也不显得昏暗，渺茫幽远不可名状，一切的运动都会回归到无形的状态。这就叫做没有形状的形状，不见物体的形象，这就叫做"恍惚"。迎着它，看不见它的前头：跟着它，看不见它的背后。把握着早已存在的"道"，来驾驭现实存在的具体事物。能认识、了解宇宙的初始，这就叫做认识"道"的规律。

【评析】

本章以抽象的理解，来描述"道"的性质，并讲到运用"道"的规律。本章所讲的"一"（即"道"）包含有以上所讲"道"的两方面内涵。老子描述了"道"的虚无飘渺，不可感知，看不见，听不到，摸不着，然而又是确实存在的，是所谓"无状之状，无物之象"。"道"有其自身的变化运动规律，掌握这种规律，便是了解具体事物的根本。

老子是与"道"相合的圣人，对"道"的了解与把握，是全面而深刻的，也是没有遗漏的，这也正是老子与众不同之所在。在这里，老子以诗人的笔触，对"道"进行了形象而生动的描述，最后提出了把握现今的"道"的重要性，赞扬了"道"的伟大作用。老子从看、听、摸三个方面，对"道"作了具体的描摹。上半句站在常人的角度来描述的，下半句则是站在圣人的高度来描述的。正因为如此，老子的话常常被世人所不理解乃至误解、曲解，这就是老子之书的难点。老子如此描述，似乎给人的感觉有些自相矛盾，其实不然，理解了老子所站的角度，矛盾就迎刃而解了。

【故事】

道是虚无飘渺的，"无状之状，无物不象"。但是道都有其自身变化的规律，掌握了其规律，便了解了事物的根本。我们从老子的阐述中可以扩展为：凡事只要掌握其规律，认识其本质，问题就会迎刃而解。

庖丁是中国历史上有名的厨师，他杀牛又快又轻，当时梁惠王听说庖丁杀牛有一手，就命人请他来给梁惠王亲自表演一下。有人为庖丁牵来一头十分强壮的牛，只见庖丁围着这头牛看了看，然后迅速提刀，眨眼功夫就把牛杀了，刚才还是活蹦乱跳的一头牛，霎时间就成了一堆肉。在场的所有人都瞪大了眼睛，他们还没看清楚庖丁怎么动刀，牛已经杀完了，不禁大吃一惊，不住的叫好。庖丁杀完牛很悠然地站在一旁，丝毫没有疲倦的意思。

梁惠王更是对庖丁熟练的技术大加赞赏，问他说："哎呀，太棒了，简直太神奇了。为什么你的技术能够达到如此纯熟的地步呢？"庖丁放下手中的刀，说："大王，我干杀牛这个行当已经快30年了，每天都干这种活。时间长了，干得多了，自然熟能生巧啊。现在我老了，动作还慢了不少呢！"

梁惠王点头表示同意，又继续问道："为什么那么多宰牛的人，他们中也有不少像你一样干了一辈子，却没有你这么高深的技艺呢？"庖丁说："大王，我所爱好的是道，已经远远超出了解牛的技术了。当初，我刚刚学习宰牛的时候，我眼中所看到的是一头完整的牛。3年以后，我所见到的就不是完整的一头牛了。如今我用我的精神去感知，而不是用眼睛去看，感官的活动已经停止，只有心神的活动在进行。"

战国青灯人俑

梁惠王和旁观的人不甚明了，庖丁继续说："宰牛宰多了，就了解了牛全身的结构，我按照牛全身的结构，从牛骨头缝隙大的地方进刀，再顺着骨节的缝隙运刀，不曾碰到筋脉经络相连的地方，也不曾碰到附着在骨头上的肉及筋肉聚结的地方，更何况大骨头呢？"梁惠王和大臣们恍然大悟，原来这里面还有这么多深奥的道理啊。

梁惠王又问："你干了这么久，刀子一定用坏了不少吧？"庖丁说："不，您看我这把刀用了19年了，还和刚磨的一样锋利。"梁惠王不解地问："这是怎么回事啊？"庖丁说："好厨师一年换一把刀，因为他们用刀割肉；一般的厨师，一个月换一把刀，因为他们用刀断骨头。而我的刀已经用了19年，杀牛无数，依旧像新的一样。这是因为牛的骨节有间隙之处，而刀刃几乎没有什么厚度；把几乎没有厚度的刀刃插入有间隙的骨节间，显得很宽绰，还有充分的余地。我宰牛的时候就是把刀刃插到骨节间，因而我的刀能用19年依旧如新。即使如此，每遇到筋骨交接处，我还是觉得难以下刀，就格外小心，目光集中，行动稳妥，这样，刀只轻轻一动，整个牛就骨肉相离了。"

庖丁之所以能够杀起牛来得心应手，是因他熟悉了牛的生理结构，摸清了牛的规律。无论我们做任何工作，都必须先摸清事情的规律，掌握了这个规律就可以驾御任何的事情。

战国龙形玉饰

第十五章　微妙玄通

【原文】

古之善为士①者，微妙玄通，深不可识。夫唯不可识，故强为之容②：豫兮③若冬涉川④；犹兮⑤若畏四邻⑥；俨兮⑦其若客；涣兮⑧其若凌释⑨；敦兮其若朴；旷兮⑩其若谷；混兮其若浊；孰能浊以静之徐清，孰能安以动之徐生。保此道者，不欲盈⑪。夫唯不盈，故能蔽不新成⑫。

【注释】

①"士"，也就是指懂得"道"的人。

②强，勉强；容，描绘、形容。

③豫兮：豫，野兽名，性好疑，形容迟疑慎重的样子。

④涉川：赤脚过河。

⑤犹兮：警惕戒备的样子。

⑥四邻：指周围邻国。若畏四邻，形容不敢妄为。

⑦俨兮：形容庄重严肃的样子。

⑧涣兮：形容融散和疏脱的样子。

⑨凌释：凌，冰。指冰的融化。

⑩旷兮：形容胸怀旷达的样子。

⑪不欲盈：盈，满。不要求圆满。

⑫蔽不新成：蔽，通"敝"。不，"而"字的误字。此句意思是去故更新。

【译文】

古时候，那善于修道的人，精微、奥妙、玄远、通达，深涵于道，难以了知。正因为他深涵于道，难以了知，只能勉强地为他做一番描述形容。他迟疑审慎像是冬天涉过河川上的薄冰一般；他犹疑拘谨好像是畏惧四邻的窥伺一般；他庄敬恭谨好像是宾客一般；他除去执着好像冰雪消融一般；他敦厚朴实好像未经刨开的原木一般；他胸怀宽广好像幽深的山谷一般；他混沌不分看起来像是混浊的水一般。谁能让那混浊动荡的水，逐渐归于宁静，慢慢变得清澈；谁能让它安归于静，再慢慢激活、徐徐生长。保持此道的人懂得不自满，正因为他能够不自满，他才能够去旧更新。

【评析】

这一章紧接前章，对体道之士做了描写。老子称赞得"道"之人的"微妙玄通，深不可识"，他们掌握了事物发展的普遍规律，懂得运用普遍规律来处理现实存在的具体事物。也可以说这是教一般人怎样掌握和运用"道"。

"善为士者"，很显然就是指那种大智若愚之人，因此才会具有如此特征。在这种大智若愚的前提下，处事总是使得事情具有客观必然性；"浊而静之余清，女以重之余生"，同时不走极端；"葆此道者不欲盈"，这就是使自己立于不败之地的客观保证和奥妙之处，确实值得我们在实践中借鉴和效仿。老子如此告诫和要求人们，的确是独具慧眼，高人一等。

按孔子的解释，"士"是"推十合一"（《许慎·说文解字》）的样子，而"推十合一"就是建立八卦体系，是把宇宙模型配上数字。宇宙模型"天网"甚至在完成后不久就损毁了，其成果后来大致是以所创制的文字和以口头依靠"圣人"将宇宙学的成果流传下来。"聖"（圣的繁体字）字的构字为"耳、口、壬"：表示"圣人"是用耳去听，用口去传；而"壬"是在"士"字上加一撇，表示怀有关于"士"的任务。在老子的时代，圣人所传的宇宙学也式微了，所以老子才专门以此章来描述圣人的风范。

【故事】

本章描绘了圣人的样子，"微妙玄通，深不可识"。由此，老子通过一系列比喻、排比，描绘了圣人的具体形象。但是要保持这种圣人形象的原则就是"不欲盈"。自满、自大、自视过高是一个人的致命弱点，一个人要想成就一番功业，就必须懂得不自满的道理。

孔子

孔子，春秋末期思想家、教育家，儒学学派的创始人。因父母曾为生子而祷于尼丘山，故名丘，字仲尼。鲁国陬邑（今山东曲阜东南）人。曾修《诗》、《书》，定《礼》、《乐》，序《周易》，作《春秋》。孔子的思想及学说对后世产生了极其深远的影响。

自视过高，自然会对外界事物的判断产生错误。萧惠是辽国的老将，身经百战，为辽国立下过汗马功劳，他曾因轻敌自傲而败给了西夏。生性骄矜的他，这一次不仅是兵败，连儿子的命也赔了进去。

辽重熙十七年正月，西夏王赵元昊亡故，辽主派使者前往祭奠。使者回来报告说，元昊死后，其子谅祚年幼，军政大权由王太后及其族亲执掌，诸将不和。辽主耶律宗真听了，以为这是进攻西夏的大好时机，迅速调动兵马准备攻伐西夏。

辽上京遗址

辽重熙十八年六七月，辽军兵分三路：韩田王萧惠率南路军、行军都统耶律达和克率北路军，辽主亲率中路军，以北院大王耶律仁先为前锋，相继向西夏进发。萧惠率领的南路大军，战舰、粮船绵亘百里，浩浩荡荡，十分显赫。萧惠是辽国的老将，身经百战，为辽国立下许多汗马功劳。5年前，曾因轻敌，深入敌境，为西夏所败。这次，他分析了敌情，认为小王谅祚还不足两岁，大权均在一个女人手中，辽国大军压境，西夏必定投降。

辽军进入西夏境内，一路上，未见有西夏兵的踪影。萧惠心生疑惑，派出小股部队往前侦察。侦察人员还未回来，萧惠心急，又命令部队出发。此时，辽军战马都用于运载粮草、铠甲，骑兵步行前进，毫无作战准备。部下见此情形，对萧惠说："我军路远迢迢到此，不知西夏布防情况，不应深入。我军应扎营布防，以防意外。"萧惠一听，哈哈大笑道："你们也太多虑了!我大军压境，谅祚小王必亲自迎接辽主车驾，岂有时间顾及我!无缘无故设防，岂非白白使自己疲敝。"说罢，命大军继续推进。

这时，西夏执政者早已获得辽军入侵的消息，指派各路兵马在贺兰山要道列阵以待，做好充分的御敌准备。

辽主耶律宗真率中路军主力渡河后，未遇敌而还师。萧惠却毫不知情，依然挥师前进。一日，萧惠军刚扎营，或棚还没来得及立，突然，派出的侦骑气喘吁吁地回来报告："前方有西夏大军……"萧惠不信，怒斥看见侦骑虚报军情，要将他推出斩首。这时，西夏军前锋逼近辽军，已能听到他们进攻的鼓声和呐喊。不一会，西夏骑兵像猛虎那样从山坡上冲下，旌旗高扬，战鼓雷动，辽军只得仓促应战。萧惠和部分将士还来不及穿上盔甲，慌忙跃上战马，寻路而逃。西夏骑兵见辽兵逃散，遂用弓箭射击，一时箭如飞蝗，辽兵大批倒地，萧惠在几名勇士护卫下得以脱围，才未当俘虏。萧惠脱围后，检点残兵，已不足半数。他未能吸取当年惨败的教育，自恃兵多势大，轻敌冒进；判断敌情又欠准确，以致再次大败，连自己的儿子也死于战场。

第十六章 致虚守静

【原文】

至虚极，守静笃①。万物并作，吾以观复②。夫物芸芸③，各复归其根④。归根曰静，静曰复命⑤。复命曰常⑥，知常曰明⑦，不知常，妄作凶⑧。知常容⑨，容乃公⑩，公乃王，王乃天，天乃道，道乃久，没身不殆⑪。

【注释】

①致虚、守静：使心境空明宁静，不为任何杂念所乱，不为外物所惑。笃，与"极"相近，指极度、顶点。

②作：生长、变化、发展。复：循环往复。

③芸芸：纷繁茂盛的样子。常形容草木繁茂。

④根：根本，指事物本来具有的性质。复归其根，回归本原，即返回自然的本性。

⑤复命：复归本性，这里指回到虚静的本性。

⑥常：指事物运动变化中不变的规律，也就是永恒的法则。

⑦明：明白、了解、高明。

⑧凶：凶险，灾殃。

⑨容：包容、宽容。

⑩公：公平。

⑪王：即称王、天下归顺的意思。天：代指自然。没身，指死亡。殆，危险。

【译文】

尽量使心灵达到一种虚寂状态，牢牢地保持这种宁静。万物都在蓬勃生长，我由此观察到了循环往复的规律。万物纷繁茂盛，最终各自又会返回到它的本原。归回到本原，这叫做"平静"，即无欲无知、不争不乱。平静就叫做万物返回到上天赋予的本性。回复到上天赋予的本性，才是永

恒的自然法则。懂得了永恒的自然法则，就是高明。不懂得它，就会轻举妄动，招致灾祸。如果懂得这永恒的自然法则，就会包容一切，包容一切就公正无私。公正无私就能够天下归顺；天下归顺才能符合自然法则；符合自然，才能符合"道"的规律；符合"道"的规律，才能长久，终生都不会遭受危险。

【评析】

本章是老子关于"自然"与"人生"关系问题的哲学思辨。宇宙万物各归其根，然而归根必须复命。守静则元神动，守虚则元气实，元气充沛则元神旺畅，元气是元神的物质基础。这如同精神，精是神的存在基础，有精则有神，无精则神灭。反过来说，精须神守，有神守护的生命才会充满活力。

老子认为，"道"的本质是虚静的，天地万物（包括人类）是由"道"这个根本所产生的，因此它们回归本原便是回到虚静的状态。老子的"复命"思想，对后世哲学思想的发展影响很大，宋代"复性"思想，便可从老子这里找到根源。老子的复归思想，一方面说明了人性本是虚静淡泊的，因后天的种种欲望使心灵被扰乱；另一方面又体现了老子对世界的认识——事物是循环往复地运动变化着的。但是，老子只看到了事物循环往复的表象，没有看到事物本质上的发展变化，这是老子认识的局限。

老子哲学不仅仅满足于对道亦即是对万物生成变化规律的认识和说明，而且还要从中确立人生和政治的行为准则。圣人最显著的品格，就是对自然万物与人类社会基本规律的掌握与运用，将自己的行为与天地万物的运行变化规律融为一体。能明白这永恒的客观法则，对事物就会淳厚宽容；对事物淳厚宽容，方能坦然大公；坦然大公，方能全面周到；全面周到，方能符合自然法则；符合自然法则，方是符合道；符合道，方能平安久长，终身没有危险。

【故事】

"夫物芸芸，各复归其根。"天地万物都是由道产生的，经过运动变化，最终又回归到它的本原。事物有着循环往复的运动变化，但是这种运动变化必然遵循着一定的自然规律，它的变化永远脱离不了自己的本原，即万变不离其宗。无论事物如何的运动变化，只有抓住了其本原，掌握了其规律，以不变应万变，所有的问题都会顺利解决。

张辽，字文远，是三国时期魏国曹操的心腹和爱将。当年曹操爱惜刘备义弟关羽之才，曾经强留关羽在其帐下，在此期间，关羽结交下两个生死朋友，一个是徐晃徐公明，另一个就是张辽张文远。在曹操挟天子以令诸侯的统治时期，张辽一直为曹操镇守东南方，引兵抗拒东吴的随时侵犯，于是有过张辽八百破十万的传奇战役。

有一天，曹操命令张辽屯兵长社，张辽立刻准备率领部下前往长社驻扎，正在这时，军队里有人谋反，半夜里在军营四处放火作乱，全军上下无不惶恐不安，军心大乱，眼看就要分崩离析。

身为主帅的张辽此刻并没有丝毫的慌乱，他在细心听取了军士对情况的汇报后，对左右的文臣武将仔细分析道："大家不要轻举妄动，以免中了敌人的诡计。这不是全军叛乱，从目前的情况来看，一定是有个别人肆意制造混乱，想趁机扰乱军心，假如我们一慌乱，兵士们肯定跟着慌，整个军营就会立刻乱作一团，敌人必定乘虚而人，那样我们将死无葬身之地！如果我们冷静地观察是哪所军营哪个将领在故意散播谣言或者指挥军士作乱，我们就可以找到叛乱的真正凶手，这样敌人的阴谋诡计就会被我们识破了，到时候他就是想跑都来不及了。"

大家纷纷点头称赞，并将自己手下的士兵召集到张辽的中军帐下。等全体军队都到齐之后，张辽才慢吞吞地出现在大伙面前，然后十分镇定而严厉地命令军中士卒说："我知道大家是受到了蒙蔽，没有人想要造反叛乱，临行前曹丞相给我们下发了足够的粮食给养和酒肉，我们的粮草充足，兵器也十分的完好，我们一定能够完成丞相的命令，不负丞相的重托。现在有人想趁机制造混乱，他的小伎俩是不会得逞的！不想造反的人就安静地坐在军营中别动，否则以叛乱论处！谁要是敢违抗命令轻举妄动，谁就是叛乱者

关羽

关羽，字云长，本字长生，约生于东汉桓帝年间，河东解县人。三国时期蜀汉著名将领。死后受民间推崇，又经历代朝廷褒封，被人奉为关圣帝君，佛教称为伽蓝菩萨。被后来的统治者崇为"武圣"，与号为"文圣"的孔子齐名。

或是叛乱者的同党，被抓住后一律格杀勿论!大家都回到自己的营帐中去吧!"

然后，张辽率领手下的心腹将领和几十名亲兵卫士站在军阵中。士兵们一看骚乱停止了，就乖乖地回到自己的营帐中坐下来安心待命，而叛乱的首领则显得心慌意乱，他手下的兵士吓得体似筛糠，有几个甚至主动走出来承认错误，并揭发了叛乱的首领。

只见张辽微微一笑，命令士兵将叛乱者带上来，然后重新召集全体士兵，当着大伙的面将叛乱的首领就地正法了，这样一来，再也没有人敢煽动士兵叛乱了，这场骚乱的结果，不但没有造成严重后果，反而被足智多谋的张辽趁机稳定了军心，极大地提升了队伍的战斗力。

张辽虽然是一个武将，但却深谙"以不变应万变"的道理，在有人想借机制造混乱的时候，反而被张辽利用，不但被揪出来了，而且还丢掉了自己的性命。

事情变化得再突然，也有其规律和根源，我们处理问题时，要以智取胜，静观变化的规律，找出事情的发展方向，再果断行动，以不变应万变，最后必然大获全胜。

张辽

第十七章　功成身遂

【原文】

太上，下①知有之；其次亲而誉②之；其次畏③之；其次侮之。信不足焉，有不信焉。悠兮④，其贵言⑤。功成事遂，百姓皆谓："我自然⑥。"

【注释】

①太上：最好的、至上的、第一流的。指最好的统治者。下：指百姓，人民。

②亲：亲近。誉：称赞，赞美。

③畏：害怕，恐惧。

④悠兮：悠闲的样子。

⑤贵言：以言为贵。意思是不轻易发号施令。

⑥自然：然，……的样子。自然，本来的样子。

【译文】

最好的统治者，是循道无为润物无声，虽然能普济众生，但其功德不显，所以人民只知道有其人。其次一等的，是主观尚为立善施德，所以人民爱戴而且赞誉他。再次一等的，是专权擅威，以致严刑峻法、律令苛刻、摇手触禁，所以人民畏惧他。更次一等的，是昏庸无能，以致文恬武嬉、纲纪废弛、世扰俗乱，所以人民轻侮他。因社会上人性游移，淳朴散败，以至诚信不足，故而有诚信也使人不信任。（最好的统治者）悠然啊，他不主观施为！事情成功了，百姓都说："我们本来就该是这样的。"

【评析】

老子在全书中第一次描画了他的理想国政治蓝图。老子在本章中从自己的社会政治观念出发，为当时的统治者设计了理想的统治模式，这就是顺乎自然，清静无为。老子认为统治者以贵言、无为、诚实守信为最佳，这样人们

曾国藩

曾国藩是中国历史上最有影响的人物之一。1811年出生于湖南省双峰的一个地主家庭。他以一介书生入京赴考，中进士留京师后十年七迁，连升十级，37岁任礼部侍郎，官至二品。紧接着创立了一支特别的民团湘军，历尽艰辛为清王朝平定了天下，被封为一等勇毅侯，成为清代以文人而封武侯的第一人，后历任两江总督、直隶总督，官居一品，谥号"文正"。

就能安居乐业，按照自身的特点自由发展。老子把这种理想的政治情境，与儒家主张实行的"德治"、法家主张实行的"法治"相对比，将其等而下之。实行"德治"，老百姓觉得统治者可以亲信，而且称赞他，这当不错，但还是次于"无为而治"者。实行"法治"的统治者，用严刑峻法来镇压人民，实行残暴扰民政策，这就是统治者诚信不足的表现，人民只是逃避他，畏惧他。老子强烈反对这种"法治"政策，而对于"德治"，老子认为这已经是多事的征兆了。最美好的政治，莫过于统治者"贵言"，从不轻易发号施令，人民和政治相安无事，以至于人民根本不知道统治者是谁。当然，这种美治在当时并不存在，只是老子的"乌托邦"式幻想。表现了老子对于当时动荡社会现实的不满和对自由宁静生活的向往。但是，老子没有看到社会变革带来的进步，认为积极有为不如消极无为，因此采取了这种保守的态度。

【故事】

老子理想中的统治者以贵言、无为、诚实为最佳，统治者不轻易发号施令，人民和政治相安无事。不仅仅是统治者要以"贵言"为准则，任何人都应该遵守这一准则。俗话说："言多必失，祸从口出。"随意的逞口舌之快，不知道适可而止很容易招致祸端。曾国藩是一个对于黄老之学有很深研究和领悟的人，他就十分推崇老子的"贵言"原则。

曾国藩在现实生活中得到了经验教训，力劝自己不可多言，要小心谨慎，宁愿装聋作哑，被人视为笨拙，也不可以强出头引来祸端。

言多必失，祸从口出。人在现实中要想生存，就必须和人交往，那言语自然是避免不了的。但一个夸夸其谈的人，给人的印象总是轻狂、浮躁，不足以成大事。

曾国藩在修行上要求自己"静坐净心"，认为急躁、轻浮是做人、立道、求学的大忌。而身临高位，功高美盖世，如言语太多、锋芒太露，就会引来朝廷的猜疑，认为自己有不匡之心。况且在封建社会中，君权高于一切，不懂得韬光养晦，一味激进，更会招致皇帝不悦，那样便有生命之忧了。对下，如果讲话太多，难免有失误，则会让手下人嘲笑，认为自己无德无力，不能服众，久而久之，威德并失，便不能操纵手下了。

曾国藩早年就写下了"谨言箴"。他认为用花言巧语取悦于人，最终只能给自身带来灾祸；闲言碎语，也会搅乱你的心神。理解的人不夸耀，夸耀的人不理解。那些道听途说的东西，让智者笑话，让愚者惊骇。笑话你的人会鄙视你，即使你很直率也会怀疑你。惊骇的人弄清原委以后，会说你欺骗他。

曾国藩年轻时言语刻薄，因此很容易得罪人。有好几次，他在席上取笑别人，反而遭到别人的讥讽，使他很是尴尬。有一次上朝，他不经意说了几句话，顿时引起同僚的猜忌。虽然他并非有意，但听者有心，搞得他很孤立，也很狼狈。

道光二十二年，他决定从谨言着手，加强修养，并说："除谨言静坐，无下手处。"但时隔不久到陈源兖家为其母拜寿，席间曾国藩又犯了多言的毛病。据他自己说："席间一语，使人不能答，知其不能无怨。言之不慎，尤悔丛集，可不戒哉！"事后他愤恨不已，在日记中写道：

凡往日游戏随和之处，不能遽立崖岸，唯当往还渐稀，相见必敬，渐改征逐之习；平日辩论夸诞之人，不能遽变聋哑，唯当谈话渐低卑，开口必诚，力去狂妄之习。此二习痼弊于吾心已深。前日云，除谨言静坐，无下手处，今忘之耶？以后戒多言如戒吃烟。如再妄语，明神殛之！并求不弃我者，时时以此相责。

自从立下这个誓言后，曾国藩多言的毛病确实改掉了。

曾国藩

曾国藩是清末著名的理学大师，学术造诣极深。他说："盖真能读书者，良亦贵乎强有力也"，要有"旧雨三年精化碧，孤灯五夜眼常青"的精神。写字或阳刚之美，"着力而取险劲之势"；或阴柔之美，"着力而得自然之味"。文章写作，需在气势上下功夫，"气能挟理以行，而后虽言理而不灰"。

第十八章 大仁大义

【原文】

大道废，有仁义①；智慧出，有大伪②；六亲③不和，有孝慈；国家昏乱，有忠臣④。

【注释】

①大道废，有仁义：道，在此指一种准则。社会的公德、公正等被废弃，才有所谓的"仁义"产生。

②伪：虚伪，诡诈，不守信义。

③六亲：指父、子、兄、弟、夫、妻，这里指家庭关系。

④忠臣：帛书本作"贞臣"。

【译文】

大道废弛，才会提倡那些仁义礼教；奸诈巧伪之智技产生了，才会存在严重的伪诈现象；父子、兄弟、夫妇六亲不和，才会需要孝慈；国乱君昏，才会出现忠臣。

【评析】

这一章充分阐述了老子的辩证思想：当整个社会大道兴盛时，人们的行为准则自然而然是仁义这些东西，故没有倡导仁义的必要。某种道德行为的倡导、表彰，原因正是这个社会缺乏它，否则，人人都这样，就不需加以特别赞扬和崇尚了。

老子揭示某些被正面肯定的社会现象恰是某些社会问题的抗病反应，就像漫天飞舞的和平呼声往往显示战争风云的压城欲摧，声贯朝野的稳定祈祷恰是反证朝野对大厦将倾的共同焦虑一样，这种抗病反应是社会病态的变相表露。它们与社会病态虽相反却相成，它们的强化以社会问题的加剧为条件，社会问题的消除也就撤走了它们的立身根基。虽然除了指出"有大伪"所导致的"智慧出"又导致"有大伪"之外，老子并没有明确说明其他几对相反相成是否都是双向可逆而走向愈演愈烈的正反馈，但他显然是在暗示：并不能通过不断强化这些正面反应的方式来根除社会病态。这就为下章的思想主张预作了铺垫。

【故事】

老子提出了"大道废，有仁义"的主张，是从正面肯定了"仁义"的意义，揭示了当时政治混乱、道德伦理观念丧失的社会现实。老子认为，在和平年代，国家比较稳定，无所谓忠与不忠。但是，国家混乱，出现危机时，才能显示出忠臣的作用。历史上涌现的无数英雄，在国家危机、民族灾难来临时，表现出的忠贞、志气，是一个国家、一个民族不可缺的精神支柱。文天祥奔波抗元、视死如归就是一个典型的事例。

忽必烈取得了汗位，稳定了蒙古内部，于宋咸淳七年改国号为大元。咸淳十一年六月，忽必烈下诏要对南宋兴师"问罪"，再次大举进军南宋。

20万元军分东西两路，沿汉水运河南攻长江。十二月，西路元军攻克鄂州，南宋军情紧急。当月二十日，南宋主政的太皇太后发出《哀痛诏》，号召各地迅速组织勤王之师抵抗蒙古军队的进攻。

德祐元年正月，文天祥接到了《哀痛诏》以及朝廷令他"疾速起发勤王义士"的专旨，文天祥捧诏涕泣，首倡勤王，为组建勤王军呕心沥血。接诏后，他发布文告，在江西全省征集义士粮饷。他把家中老母送往惠州交弟弟奉养，并捐出全部家产充作义军费用。在师友百姓的支持努力下，江西一带各路英雄豪杰，少数民族纷纷来归。到了四月，1万多名义师已经集中在吉安整装待发。当时有友人劝阻说："如今元军分三路进攻，破京郊，夺取内地，你以乌合之众1万余人赶去，无异驱羊群与猛虎搏斗。"文天祥答道："我也知道这样。但国家养育臣民300余年，一旦有难，征召天下兵勤王，竟没有一人一骑而响应，我深以此为憾。所以不自量力，而以身许国，天下忠臣义士也许会闻风而动，如能做到这一点，则社稷还有保住的希望。"

忽必烈

忽必烈（1215－1294年），成吉思汗之孙，蒙哥汗弟。名字全称孛儿只斤忽必烈，蒙古族，拖雷正妻唆鲁禾帖尼的第二子。元朝的创始皇帝，庙号世祖，谥号圣德神功文武皇帝，蒙古语尊称薛禅皇帝。他也是第五代的蒙古大汗。1260-1294年在位。

文天祥

文天祥，吉州庐陵人，原名云孙，字履善，又字宋瑞，自号文山，民族英雄。选中贡士后，他以天祥为名，宝佑四年中状元，历任签书宁海军节度判官厅公事、刑部郎官、江西提刑、尚书左司郎官、湖南提刑、知赣州、右丞相兼枢密使等职。后被元世祖处死。

文天祥率领军队到达平江时，元军已由建康兵分三路向前进攻临安。正当中路元军攻陷常州、平江危在旦夕之际，朝廷突然下命令让文天祥移师西线，保卫临安西北的独松关而当文天祥的部队还在移军途中时，独松关、平江就都已相继失守。文天祥只得退回临安，元军也随即兵临城下。这时，以太皇太后为首的南宋皇室已决定投降。他们先后向元军提出称侄纳币、奉表称臣、乞存小国等投降方式，力图保存宋室宗庙。在对方的强硬态度下，最后只好奉送传国玉玺，派大员正式议降。

景炎元年正月二十日，文天祥受命怀着极其复杂的心情出使元营，他向元军统帅伯颜提出先撤军后议和的权宜之计。伯颜以死相威胁，逼文天祥代表南宋投降。文天祥毫不畏惧地说："我身为大宋状元宰相，至今只欠一死以报国，我誓与大宋共存亡，即便刀锯在前，鼎镬在后，也绝不皱一眉头。"元军扣留了文天祥。

当月，文天祥被元军沿途押送前往元大都，路上在百姓帮助下脱身。随后文天祥又辗转各地抗元。

景炎三年十二月，文天祥从俘虏的元军口中得知元军重兵将由闽南进攻粤东督府军元水军将由秀州、明州南下，进攻南宋行朝。文天祥一面飞报行朝，一面率领都府军撤往南岭山脉。十二月二十日，元军在当地奸盗陈懿引导下，对正在海丰五坡岭吃饭的督府军进行了突袭。文天祥兵败被俘，他决心以身殉国，当场吞下了早已准备好的二两冰片，但因药力失效而没能成功。他随军的母亲、长子、三女、四女先后死于病乱之中。文天祥的军事失败，使元军最终摧毁了这支撑着南宋残局的东南一柱。

祥兴二年四月，文天祥由广州被押送大都。途中他曾经八天不进饮食，求死未果。八月船过长江时，他深情地写下了"从今别却江南路，化作啼鹃带血归"，表达了他对家乡的留念和视死如归的英雄气概。

当年十月，文天祥抵达大都。元人最初把他安置在会同馆最好的房间，送上锦衣佳肴，以图感化文天祥。但文天祥不寐其床，不穿其衣，不食其粟。昼夜穿着宋朝的旧衣面南而坐，只吃友人送来的食物。以后元人又驱使南宋降相、废帝先后来说降，又曾示之骨肉亲人以图感化，最后又由元朝宰相亲自出马劝降，但文天祥的信念丝毫没有动摇。劝降不成，元人就给文天祥披带木枷链，迁入污秽不堪的牢房。那里的环境虽是"地狱何须问，人间见夜叉"，但文天祥反觉"朝夕淡薄神还爽，夜睡崎岖梦自安"。

文天祥忠贞不屈的精神使元统治者大为叹服。在如何处置文天祥的问题上他们犹豫不决：释放文天祥有放虎归山的危险，处死文天祥会大损自己名声，只有劝降并使其服务于元朝是上策。因此，至元十九年十二月八日，世祖忽必烈亲自出面劝降文天祥，刚一见面，文天祥就首先表明："宋朝已亡，我希望快些死去，不愿久生。"忽必烈示意要请他出任元朝宰相，文天祥正色道："天祥身受宋朝厚恩，担任宰相，怎能奉事二姓，赐我一死于愿已足。"当忽必烈问文天祥有何心愿时，文天祥干脆地回答："但愿一死足矣。"他的言行使元朝统治者最终打消了劝降的念头，决定处死他。

当年十二月九日，47岁的文天祥被绑赴大都柴市处死。临刑前，他从容地对人说："我文天祥走完了该走的路。"朝南深情跪拜后英勇就义。死后，其妻欧阳氏收尸时，在其衣带中发现一篇早已写好的赞言："孔曰成仁，孟曰取义，唯其义尽，所以仁至。读圣贤书，所学何事?而今而后，庶几无愧。宋丞相文天祥绝笔。"第二年文天祥的灵柩归葬吉州庐陵。

文天祥

文天祥被俘之后，次年正月被移上海船，经珠江口零丁洋时，写下了著名的《过零丁洋》："人生自古谁无死，留取丹心照汗青"，以明不屈之志，为千古绝唱。元将张弘范命人劝文天祥写信招降张世杰，他录此诗作为答复。

第十九章　少私寡欲

【原文】

绝圣弃智①，民利②百倍；绝仁弃义，民复③孝慈；绝巧弃利，盗贼无有。此三者以为文不足④。故令有所属⑤：见素抱朴⑥，少私寡欲⑦，绝学无忧⑧。

【注释】

①绝圣弃智：绝，断绝、抛弃。圣、智，聪明的意思。

②利：这里是指获得利益的意思。

③复：恢复。

④此三者以为文不足：帛书本作"此三言也，以为文未足"。三者，指"圣智"、"仁义"、"巧利"这三种东西。文：文饰，巧饰。不足：没有用处，于事无补。

⑤令：命令人民。属：遵从、遵循。

⑥素：没有杂色的丝，白色，引申为单纯；朴：未经雕刻的木材，引申为质朴。见：显现、显示；抱：抱持。

⑦少私寡欲：减少私心、减少欲望。

⑧绝学：弃绝圣智之学。

【译文】

抛弃聪明和智慧，人民才可以得到百倍的好处；抛弃仁和义，人民才能回归孝慈的天性；抛弃伪诈和财利，盗贼就会自然消失。圣智、仁义、巧利这三样东西全是巧饰的东西，作为治理社会病态的法则是不够的。所以，要明确指出，使人的认识有所归属：即保持外表单纯、内心质朴、减少私欲，抛弃所谓圣智礼法的学问，达到没有忧虑的境地。

【评析】

在本章，老子是针对上一章提出的社会病态反常现象的问题所开出的药方。他立足于否定新生事物的保守立场，鼓吹回归到原始的状态。这是老子的一个基本社会主张。他认为人的本性应是真纯质朴、清静淡泊的，是文化在赋予人类知识和智慧的同时，腐蚀了人类的天性，从而产生出诸如追名逐利、尔虞我诈的恶习。尤其是当时作为文化与文明最高体现的仁义礼智这些东西，更是违背人性、产生虚伪的根源，高举仁义之大旗而谋求自己私利的大有人在。老子认为，不如抛弃这些"文明"垃圾，使人民恢复到无知无欲、宁静不争的自然状态，而孝慈、善良这些品德自然会在人类谆厚质朴的人性中得到复苏。

老子的这种希望整治社会风气的愿望是好的，但是他幻想开历史的倒车，企图否定文化的发展、历史的进步，这是一种消极的、不现实的、错误的思想，违反了社会发展的自然规律。

【故事】

内心质朴、少私寡欲是老子理想中的社会风气状态。老子认为圣智、仁义、巧利是社会的病态现象，他认为人的本性应该是真纯质朴、清静淡泊的。但是，实际社会中很少有人不为自己谋私利，他们追名逐利、尔虞我诈、暴敛财物、奢侈豪华。所以老子提倡"见素抱朴"、"少私寡欲"。清初的封疆大吏于成龙，虽官至总督、巡抚，但是却为官清廉，为国为民，无欲无私，得到百姓爱戴。

清初封疆大吏之中，有两个人姓名皆同，都叫于成龙，而且也都政绩卓著，彪炳史册。一位字振甲，汉军镶红旗人，由知县、知府直做到总督，在治理黄河、运河、永定河的工作中做出了突出的贡献；另一位字北溟，号于山，山西永宁人，亦由知县、知府而至总督，有"天下第一廉吏"之称。

清顺治十八年的一天清晨，鸡叫头遍，四周还一片宁静，但山西永宁的于家门里门外已是哭声一片。四十五岁的于成龙骑着一匹老马，带着几个仆人，赴任广西罗城知县，就要离家启程了。亲人们都知道，罗城在广西九万大山之下，需要跋涉几千里、历时几个月才能到达。大乱之后沿途人烟稀少，强盗、猛兽出没，实在危险；加之北方

于成龙

于成龙，字北溟，号于山，山西永宁人。明崇祯十二年举副员，清顺治十八年出仕，历任知县、知州、知府、道员、按察使、布政使、巡抚和总督、加兵部尚书、大学士等职。在20余年的宦海生涯中，三次被举"卓异"，以卓著的政绩和廉洁刻苦的一生，深得百姓爱戴和康熙帝赞誉，以"天下第一廉吏"蜚声朝野。

人不习南方水土，旅途劳顿常常生病，又得不到很好的医治，轻易就会死去，因此视南方为瘴疠之乡。此时一别，不知能否再见。行前，于成龙把家产文券交给了长子，说："我从此顾不上管你们了，你好好治家，也别尽惦念着我。"说完内心一阵酸楚。清初，官员薪俸极低，但于成龙不是为了发财才去做官的。他有句名言："埋头做去，不患不到圣贤地位。"

初到罗城，于成龙所见所闻皆触目惊心。罗城历时二十多年的兵火之乱刚刚结束，阶级矛盾和民族矛盾交织在一起。遍地榛莽，百姓鸠形鹄面，如惊弓之鸟。所谓县城，只有居民六家，没有城墙；所谓县衙，既无围墙也无大门，只有茅草屋数间，四周荒草没膝。于成龙堆土石为几案，在门前埋锅造饭，开始办公。由于此地民族矛盾仍很紧张，加之猛兽出没，他晚上睡觉都枕着一把刀。

百废待兴，于成龙首先抓两件事：安定地方社会秩序，恢复经济。他决定减缓人民的赋役，建学宫，设养济院，使人民休养生息，让人民安居乐业，并申明保甲，严禁携带兵器。一旦发生杀盗案件，他都秉公执法，从严惩办。对长期威胁罗城地区安定的少数民族山寨势力，临之以兵，晓之以理，结之以义，从而与他们建立了和睦的关系，罗城地区的社会秩序很快安定下来。于成龙又鼓励人民发展生产，认为这才是使罗城得以稳定、富裕的长久之计。每逢耕种时节，他都深入民间，四处察看。看到努力耕作者，就一再问候、鼓励；看到懒惰者，就严厉地批评；看到耕作不得法者，他就耐心教导。人民一看到他来了，就欢呼着从田野上跑来，围在他身边，向他施礼，问长问短。在不长的时间内，罗城就富裕起来了。他又发动人民扩建罗城，招民来居，使这个破败的边陲小城出现了一派兴旺的景象。

于成龙在罗城六年，政绩卓著，升任四川合州(今合州)知州。康熙六年的一天，天未亮，于成龙穿着洗得发白的官服，一个随从为他背着简单的行李，悄然离开了罗城。清晨，罗城人民闻讯奔走呼号，追出几十里，当看到那衣衫褴褛的身影消失在万山之中时，都不禁哭了起来。

　　康熙十九年，于成龙升任直隶巡抚，不久，又升任江南、江西总督。清代初期的吏治比较清明，康熙帝更是一代贤明的君主，因此，于成龙按步升迁，20年间从七品知县升至封疆大吏，但他始终是一个深受人民爱戴的清官。

　　清代前期官员的俸禄极低，虽贵为总督、巡抚，每年俸银也只有不到10两，这对于那些挥金如土的大官僚来说，尚不够一衣一餐之用，即使节俭使用，不搞排场，也只能维持中下等的生活。但对大多数官员来说，并不在乎俸银的高低，因为他们另有生财之道，这就是通过"火耗"来贪污。每年，官吏要把从民间征收来的大小不一、成色各异的赋税银子重新熔铸，使其成色、大小一致。在熔铸中必然要有损耗，于是，官吏便在法定赋税之外再征收一定比例的银子，来弥补这一损耗。对此，国家是默许的。"三年清知府，十万雪花银"就是这样来的。于成龙只靠俸禄生活，此外一钱不贪，因此，他生活清苦并非故作姿态，而是不得不如此。康熙二十年，康熙帝特地下诏，表彰他"廉明著闻"、"一介不取"，并念其家计薄凉，赏银1000两、马1匹，以示鼓励。

　　于成龙除早年任罗城知县外，其余都是在富庶地区担任要职，发财很容易，但他十分清廉，为官多年从不带家属随任，随身财物也仅是一个竹箱、两只锅、书籍文卷数十束，此外便身无藏物了。

　　于成龙初任直隶巡抚，立刻下令严禁各级官吏分贪火耗，并罢免了几个违反规定的州县官吏，震动了官场。直隶地近北京，历来为朝廷重视，八旗军民势力较大。他们仗着统治民族的特殊身份，常做些为害地方、欺压百姓的事，于成龙对此做了很多工作。他编保甲，严连坐，锄豪强，还经常亲自或派人深入民间访察，凡有犯法者严惩不贷。他还注意民间疾苦，每有灾荒他都力请赈济，妥善安排。康熙帝称他为"天下第一清官"，并希望他能始终守节。

　　于成龙多年为官，没能奉养母亲，这一直是个憾事。

清圣祖康熙

清圣祖康熙，名爱新觉罗·玄烨，佟妃之子。康熙继位时只有8岁，是顺治的第三子。康熙的称谓来自其年号。康熙终年69岁。在位61年，是中国历史上在位时间最长的皇帝。

他在就任江南、江西总督之前，母亲去世，他回乡葬母，然后赴任。按照清代制度，沿途地方对他有接待之责，但他自雇一辆骡车，从不打扰地方，悄然无声地到达任所。他任江南、江西总督期间，革除积弊，安定地方。为了了解民风世俗，他经常微服出访，一时在民间传为美谈。那些平日鱼肉百姓的恶霸每遇白发伟躯的老人便胆战心惊。为了提倡清廉，他告诫部下："若一味爱钱，只恐子孙纵会做文字，决不出头。更恐神鬼怨恨，生出瞎眼子孙，上长街唱莲花落，要看字也不能够了。莫笑老夫迂谈。"江南风俗多尚侈丽，于成龙却常身穿布衣。见长官如此，一些官吏也不得不收敛。于成龙年事已高，但俭朴如初，他每餐粗茶淡饭，常年以青菜佐餐，很少吃鱼肉，所以江南人民善意地给他起了个绰号——"于青菜"。

康熙二十三年，于成龙卒于任上，终年68岁。临终时，将军、都统和僚属检点遗物时，只在一个竹箱里发现几件衣服，案头摆着一些饮食器皿，几罐盐豉。身为封疆大吏而清寒如此，数千年史册中曾有几人?消息传出，百姓罢市聚哭，家家绘像祭祀。康熙帝赐谥"清端"，很好地概括了于成龙的一生。

封建社会里，在物质盛行的官场，对于官员的诱惑太多了，有的人抵制不住对财、官、色、利的诱惑，于是奢侈、敛财、争名、夺利、吹嘘、拍马之风盛行。于成龙能够在此环境中保持清廉的作风，是因为他能坚持少私寡欲的心态，这一点是值得许多官场中人学习的。

第二十章　独异于人

【原文】

唯之与阿[1]，相去几何？美之与恶，相去若何？人之所畏，不可不畏。荒兮[2]，其未央[3]哉！众人熙熙[4]，如享太牢[5]，如春登台。我独泊[6]兮，其未兆[7]；沌沌兮[8]，如婴儿之未孩[9]；儽儽兮[10]，若无所归。众人皆有馀，而我独若遗。我愚人[11]之心也哉！俗人昭昭[12]，我独昏昏[13]。俗人察察[14]，我独闷闷[15]。澹兮其若海[16]，飂兮若无止[17]。众人皆有以[18]，而我独顽且鄙[19]。我独异于人，而贵食母[20]。

【注释】

①唯之与阿：唯，恭敬地答应，这是晚辈回答长辈的声音；阿，怠慢地答应，这是长辈回答晚辈的声音。唯的声音低，阿的声音高，这是区别尊贵与卑贱的用语。

②荒兮：广漠、遥远的样子。

③未央：无边无际，没有尽头。

④熙熙：用以形容纵情奔欲、兴高采烈的情状。

⑤太牢：古代用牛、羊、猪等牲畜祭祀的盛大典礼。此句为参加丰盛的宴席。

⑥泊：淡泊、恬静。

⑦未兆：没有征兆，形容无动于衷、不炫耀自己。

⑧沌沌兮：混沌无知的样子。

⑨孩：同"咳"，形容婴儿天真烂漫的笑声。

⑩儽儽（lěilěi）兮：疲倦闲散的样子。

⑪愚人：纯朴、直率的人。

⑫昭昭：清楚、精明。

⑬昏昏：暗昧、糊涂的样子。

⑭察察：严厉苛刻的样子。

⑮闷闷：淳朴，宽容的样子。

⑯澹：辽远浩荡的意思。

⑰飂兮若无止：飂（liǎo），疾风，高风。

⑱众人皆有以：以，用。意为作为、本领。

⑲顽且鄙：形容愚笨、鄙陋。

⑳母，指"道"，对"食母"的解释，历来不一。有的说，食为动词，养的意思，食母就是食于母、养于"道"，即用"道"来滋养自己；有的说，食是用的意思，食母，就是使用"道"、利用"道"。

【译文】

应诺与呵斥，相差多少？善良与丑恶，又相差多少？人们所惧怕的，自己就不能不怕。这风气自古以来就是如此呵，不知何时停止！众人都兴高采烈的样子，好像参加盛大的筵席，又好像春天登高远望那样心旷神怡，唯独我恬然淡泊而无动于衷；浑浑沌沌的样子呵，好像一个婴儿还不会发出嬉笑声；疲乏慵散地，好像无家可归。众人都有多余的东西，唯独我却好像什么都不足。我真是个愚人的心肠呵！一般人是那么清醒精明，唯有我如此糊里糊涂。一般人是那么严格苛刻，唯有我如此淳厚质朴。我的心胸辽阔深广呵，像无边无际的大海一样；我的心灵自由奔放呵，像无止境随意吹荡的疾风。众人都有一套本领、有所作为，唯独我却愚笨鄙陋。我偏偏与众人不同，因为我重视用"道"来滋养自己。

【评析】

本章运用对比的手法描绘了得道之人和世俗之人的对立、差异，反映了老子淡泊宁静、与世无争、无为自在、悠闲旷达的理想人生追求。老子对当时的世道人心进行批判，认为风气颓废，泛滥无边。"荒兮其未央哉"一段，多用反语。以"众人有馀，有以，昭昭，察察，"实际上是批判众人荒嬉盲目，自以为是；"我则不足，无用，昏昏，闷闷"，实则表示其大智若愚，大昭若昏。末尾两句正面点明有道之士始终遵守道，重视道，所以才能与世俗人不同。

在老子看来，善恶美丑贵贱是非，都是相对形成的，人们对于价值判断，经常随着时代的不同而变换，随着环境的差异而更改。世俗的价值判断极为混淆，众人所戒忌的，也正是自己不必触犯的。在这里，老子也说了一些牢骚话，使人感到愤世疾俗的意味，其中不乏深入的哲理。他说明自己在价值观上，在生活态度上，不同于那些世俗之人，他们熙熙攘攘，纵情于声色货利，而老子自己则甘愿清贫淡泊，并且显示出自己与众人的疏离和相异之处。本章仍然是老子自甘淡泊、消极无为思想的反映。

【故事】

在本章里，老子将世俗之人的心态与自己的心态，作了对比描述，老子表面上贬低自己，说自己是"愚人"、"昏昏"、"闷闷"，实际上是抬高自己，贬低那些世俗之人。老子不与人同流合污，"众人皆醉我独醒"，甘愿清贫淡泊。

于谦是明末官吏，虽然明末朝廷腐败，官场黑暗，许多人都趋炎附势，巴结权贵，但是于谦却刚直廉正，从不与这些人同流合污。

早在于谦任山西、河南巡抚期间，朝廷大权便落入大宦臣王振之手。王振凭着英宗对他的宠信，在朝中作威作福，贪赃枉法，结党营私，无恶不作。那些趋炎附势的官吏为了献媚争宠，竞相给他送金银，献财宝。据史载，当时的官员想求他见一见，首先须送白银100两；若能到他家吃上一顿饭，须事先送上白银1000两。然而，于谦却不理这一套。他每次进京办事或述职，都不带任何礼物。有些好心的朋友劝他说："你不巴结权贵，当然是对的；但也不要太刻板。地方官进京带点土特产送送人，也在情理之中。至于您，从河南、山西带些线香、蘑菇和包头用的小手帕之类，也可以。"于谦却总是扬起两只宽大的袍袖，风趣地说："我带的是两袖清风啊！"有一次，他还就此写了一首诗。诗曰：

> 乎帕蘑菇及线香，本资民用反为殃。
> 清风两袖朝天去，免得阎闾说短长！

于谦在朝期间，一心为国操劳。尤其是在气壮山河的北京保卫战中，白天指挥战斗，夜晚也带病留宿在指挥之

明英宗朱祁镇

明英宗朱祁镇，1435年即位，年号正统，即位时才9岁，有三杨辅佐（杨士奇、杨荣、杨溥），社会尚算安定。塞外瓦剌南犯，在宦官王振的怂恿下，英宗亲征，用兵不当导致"土木之变"，英宗被俘。英宗被俘之后，北京的明众臣为稳定人心，立英宗之弟朱祁钰为景帝。英宗被瓦剌释放后，被景宗囚禁，后趁景宗病危复僻，并大杀群臣，包括抗瓦剌的名将于谦。

于谦

于谦，字廷益，浙江钱塘人。明代著名军事家、政治家。在年少时，于谦就展露出卓尔不凡的气质。据说于谦7岁时，一个僧人见到他，觉得这个孩童日后必有大的作为，断言他是将来的"救时宰相"。"土木之变"后，于谦拥立朱祁钰为帝，率军民保卫北京城。英宗复辟后以"谋逆罪"于天顺元年将于谦杀害。

所。这一切，不但令百官敬服，而且令代宗由衷地感激。代宗曾特此赏赐他西华门外一处住宅，他却坚决推辞，并表示："国家正值多难的时候，我哪里敢苟且自安呢？"又说："匈奴未灭，何以家为。去病竖子，尚知此意，臣独何人，而敢饕此。"但是，皇帝非要他接受不可。不得已，他只好谢恩。但他并不去住，而是将皇上过去所赐的玺书、袍服、银锭之类，全部封好，写上说明，分门别类地陈设其中，每年都去看一看。

京师保卫战胜利后，于谦"厥功伟矣"，却"口不言功"，功归下级。而他起用的武臣石亨，战功虽远远比不上他，却被朝廷封为袭侯爵。石亨自感内疚，便上疏保奏于谦之子于冕任都督府前卫副千户这一要职。代宗当即准奏，并诏令于冕尽快赴任。于谦得知后，一方面连忙向代宗恳辞，一方面对石亨进行了严厉斥责。他说："国家多事的时候，臣子在道义上不应该顾及个人的恩德。而且石亨身为大将，没有听说他举荐一位将士，提拔一个兵卒，以补益军队国家，却偏偏荐举我的儿子，这能服人吗？对军功，我极力杜绝侥幸，哪敢让儿子再去滥领。"他还表示：倘若自己有意让儿子升官，自然会请皇上恩赐，用不着通过石亨去周旋。言语中，也批评石亨不应该利用职权去拉私系，随随便便地封官许愿。

由于于谦的廉明正直，不肯趋势于人，不向权贵妥协，最终遭人迫害。

景泰八年正月壬午，徐有贞勾结石亨、曹吉祥等人趁代宗重病卧床和于谦出京巡视之机，命人撞开了英宗住宅的大门，扶英宗重新登上了皇位。这就是历史上所说的"夺门之变"。

"夺门之变"后，徐有贞、石亨一伙立即以"意欲"的罪名，将于谦和大学士王文等逮捕入狱，并上疏立斩于谦。英宗颇为犹豫，说："于谦实在是有功的。"徐有贞却进言道："不杀于谦，复辟这件事就成了出师无名。"英宗左思右想，遂下旨将于谦处死并弃尸街头，还抄了他的家，其家人统统发配边疆。

第二十一章　孔德之容

【原文】

孔德之容①，唯道是从②。道之为物，唯恍唯惚。惚兮恍兮，其中有象；恍兮惚兮，其中有物。窈兮冥兮③，其中有精④；其精甚真，其中有信。自今及古，其名不去，以阅众甫⑤。吾何以知众甫之状哉！以此。

【注释】

①孔：甚、大的意思；容，指动作、状貌等，引申为表现、举止。

②唯道是从：唯即唯，只、仅的意思。

③窈兮冥兮：窈（yǎo），深远；冥，暗昧，不清楚。形容"道"的昏昏昧昧、深不可测。

④精：指极细微的物质性实体。精、气等概念，都是中国古代学说中特有的概念，指的是肉眼看不到的、极其微小的原质。

⑤以阅众甫：众甫，帛书本作"众父"，其义相同，指万物的起始。

【译文】

最高的"德"的运作、状态，是随着"道"而变化的。"道"作为一种存在物，是恍恍惚惚、若有若无的。它是那样的恍恍惚惚呵，恍惚之中却有形象；它是那样的恍恍惚惚呵，其中却有实物。它深远模糊中却含有极细微的精气，这精气是非常真实的，并且是非常可靠的。从古到今，它的名字永远不能消失。根据它，才能认识万物的本始。我凭什么知道万物的起始呢？就是根据"道"认识的。

【评析】

本章是对道的境界的描述，表明人的正确思想是来源于道的。大道蕴藏着世界万物发生、发展及其变化的奥秘，

魏文侯

魏文侯，姬姓，名斯。是魏武侯的父亲，魏国百年霸业的开创者。公元前445年，继魏桓子即位。公元前403年，韩、赵、魏被周王与各国正式承认为诸侯，成为封建国家。魏文侯任用李悝、吴起、乐羊、西门豹、子夏等人，富国强兵，抑制赵国，灭掉中山，连败秦、齐、楚诸国，开拓大片疆土，使魏国一跃为中原的霸主。

识破了这些奥秘，就能树立正确的世界观、人生观和价值观。人生觉悟了，也就具备道德了。这是老子的微观认识论。这里，老子对圣人的言行进行了定性与定位，接着对"道"展开了全面的论述。这一段非常重要，重要在可以让世人更加全面地了解"道"，更加深刻地理解"道"。

老子说道："孔德之容，唯道是从。"在老子的眼里，够得上大德的人只有一种，那就是与"道"相合的圣人。因此，这里的意思是说圣人的样子，是说圣人的所作所为。圣人如何行事呢？圣人行事的原则是"唯道是从"。换言之，就是一切都按照"道"的意志、原则、规律来办事。圣人尽管本事通天，但绝不是全能，能与不能并不是取决于圣人自己，而取决于"道"。老子还阐述了"道"与德的关系，"道"是核心，德是由"道"派生的，是"道"显现于人的功能。

【故事】

本章老子论述的是道与德之间的关系，道虽是无形无状，但是体现在社会上就是德，德是随着道来变化的，具有大德的圣人才是符合道的人。老人主张以道治国，以道治人，那么显现在社会上，体现在人身上，也就是以德治国，以德治人。以德治国、以德治人是实现道的前提，也是实行道的具体体现。

众所周知，吴起是春秋战国时期著名的军事家，也曾被法家认为是善于变法的代表人物，但实际上，他更重视以德治国的思想，并卓有建树。只是后来不得志，才来到了楚国，在楚国实行了有名的吴起变法。其实，如果细心地考察吴起的变法实践，就可以看出，他与韩非等法家所提倡的思想是很不相同的，他所希望的是通过抑制贵族的势力，消除国家的腐败，使国家振兴富强。

吴起治国治兵，不以自然条件和已有的社会条件为决定性的因素，他说："山河之固，在德不在险。用兵之道，以治为胜。"

魏武侯接受他的建议，"内修德政，外治武备，治国不以山川之险"，最终称雄一方。

当时，魏文侯因吴起善于用兵，廉洁公正，颇得将士欢心，便拜吴起为西河郡守，把他放在最为重要的地理位置上，以抵御秦国和韩国的进犯。魏文侯死后，吴起便侍奉他的儿子武侯。魏武侯刚刚即位，为了了解国家的形势，便于当年来到西河，乘船顺黄河而下，察看地形。在视察途中，武侯见高山大河，险要奇伟，十分感慨。他回首对吴起道："山河环抱，形势险要，这是一道攻不破的天然防线，阻挡着敌人的入侵，这真是魏国的国宝呀！"

吴起听了，很不同意他的话，觉得武侯不懂定国安邦之策，便摇了摇头，对武侯说："国家的兴盛衰败，在德不在险。"武侯见吴起不同意其观点，便问道："这是为什么呢？"吴起便援引历史上不以德治国，不施恩德于民，尽管国家的山川地势险要，终遭失败的实例，对他说："国家的兴盛衰败，在于是否施德于民，不能只依赖山川的险要。从前，三苗氏所居之地，左有洞庭湖，右有鄱阳湖，所处地势险要，由于疏于国家的治理，没有德行，不讲信义，被夏禹灭亡了。夏朝末代君主桀的所在地，左有黄河、济水，右有泰山、华山，南有龙门山，北有太行山，地势也很险要，由于不施仁政，商汤放逐了他。商朝末代纣王的国都，左有孟门山、右有太行山、北有恒山、南有黄河，同样因政治腐败，不行德政，被周武王杀死。如此看来，治国在于有好的政策法令，给人民以恩德，而不在于地形的险要，如果您不施德政，恐怕连您乘坐的船上的人都会成为您的敌人。"武侯听了他的这一番话，觉得十分有道理，敬佩地说："你说得很对。"

吴起辅佐文侯和武侯，镇守西河27年，西却强秦、北灭中山、南败荆楚，屡建奇功，拓地千里。魏国强大起来，吴起也因此而名扬诸侯。

吴起

吴起，战国初期著名的政治改革家，卓越的军事家、统帅、军事理论家、军事改革家。卫国左氏（今山东省定陶，一说曹县东北）人。后世把他和孙子连称"孙吴"，著有《吴子》，《吴子》与《孙子》又合称《孙吴兵法》，在中国古代军事典籍中占有重要地位。

第二十二章　圣人抱一

【原文】

曲则全，枉则直，洼则盈，敝则新，少则得，多则惑①。是以圣人抱一为天下式②。不自见③，故明；不自是，故彰④；不自伐⑤，故有功；不自矜，故长。夫唯不争，故天下莫能与之争。古之所谓"曲则全"者，岂虚言哉！诚全而归之。

【注释】

①曲：委曲；枉：弯曲；敝：破旧。

②圣人抱一为天下式：一，指"道"，式，即栻，是古代占卜用的一种迷信工具，根据它转动的结果来判断占卜者的凶吉祸福。

③自见：自现，自我显示。

④彰：明显、显著。

⑤伐：夸赞、夸耀。

【译文】

委曲反而能够保全，弯曲反而能够直伸；低洼反而能够充盈，陈旧反而能够更新；少取反而能够获得，贪多反而迷惑人心。所以有道的人坚守这一原则作为天下事理的范式，不自我表现，反能德行更加显明；不自以为是，反能是非彰明；不自己夸耀，反能得有功劳；不自我矜持，所以才能显示长处。正因为不与人争，所以天下没有人与他争。古时所谓"委曲反而能够保全"的话，怎么会是空话呢？它实实在在能够达到。

【评析】

本章开头老子用了六句古代成语，讲述事物由正、反两个方面的变化所包含的辩证法思想，导致对现象世界透彻的认识、对世界本质的认识。由于事物是在关系中产生的，所以老子认为：在"曲"里面存在着"全"的道理，在"枉"里面存在着"直"的道理，只有"洼"才会导致"盈"，只有"敝"才会导致"新"。一般的人只注重"全"、"直"、"盈"、"新"这些（事物正、反两端中）正的一端，而忽略反面的一端，因此，求全求盈、急功近利，引起无数纷争。老子在下面的阐述中指出，"不争"才是求全之道，"不争"在于不自我显示、不自以为是、不自我夸耀、不自我矜持。但是老子的辩证法是不彻底的，他只讲了"不争"，却不讲"争"，不懂得"争"与"不争"也是正、反面的关系，也蕴涵着辩证法的原理。

燕南长城示意图

本章的内容与第二十一、二十三、二十四等章内容密切关联，目的都在论述自然之道而为自己的政治主张服务。这恰好是本书的核心思想之所在，颇为重要，值得注意。文章最后的总结，既点明了本章的主旨，又有力的照应了开篇六句的正确论断。

【故事】

"曲则全，枉则直，洼则盈，敝则新，少则得，多则惑。"是老子外柔守静，以退为进的处世原则的体现。在某种意义上说，失去反而永久拥有；牺牲局部，往往可以赢得全局的胜利。"退一步，为了前进两步"这种做法并不是懦弱，而是一种曲线式的生存方式。这种外柔守静，以退为进的策略，就像弹簧一样，压缩在一起实际上却蕴藏着巨大的力量。战国时，燕王委曲求全，忍辱负重，暗中积蓄力量，最终打败了盛极一时的齐国。这是以退为进的一个很好的实例。

齐国攻打宋国，燕王派张魁作为使臣率领燕国士兵去帮助齐国，齐王却杀死了张魁。燕王听到这个消息，非常气愤，就召来有关官员说："我要立即派军队去攻打齐国，给张魁报仇。"

大臣凡繇听说后谒见燕王，劝谏说："从前认为您是贤德的君主，所以我愿意当您的臣子。现在看来您不是贤德的君主，所以我希望辞官不再当您的臣子。"燕昭王说：

燕国是公元前11世纪周王朝分封的诸侯国之一，建都于蓟（今北京城西南隅）。燕昭王时又建新都于武阳（今河北易县东南），是为下郡。燕国幅员广阔，南与齐国、赵国相接，北与东胡等游牧民族毗邻。据记载，为了防御邻国的进攻，燕国共筑有两道长城，一道是南长城，一道是北长城。

"这是什么原因呢?"凡繇回答说:"松下之乱,我们的先君不得安宁被俘,您对此感到痛苦,但却侍奉齐国,是因为力量不足。如今张魁被杀死,您却要攻打齐国,这是把张魁看得比先君还重。"凡繇请燕王停止出兵,燕王说:"应该怎么办?"凡繇回答说:"请您穿上丧服离开宫室住到郊外,派遣使臣到齐国,以客人的身份去谢罪。说:'这都是我的罪过。大王您是贤德的君主,哪能全部杀死诸侯们的使臣呢?只有燕王的使臣独独被杀死,这是我国选择人不慎重啊。希望能够让我改换使臣以表示请罪。'"

战国国子鼎

燕王接受了凡繇的意见,又派了一个使臣到齐国去。

使臣到了齐国,齐王正在举行盛大宴会,参加宴会的近臣、官员、侍从很多,齐人让燕王派来的使臣进来禀告,使臣说:"燕王非常恐惧,因而派我来请罪。"使臣说完了,齐王又让他重复一遍,以此来向近臣、官员、侍从炫耀。

于是齐王就派出地位低微的使臣去告诉燕王,让燕王返回宫室居住,表示宽恕燕王。

由于燕王委曲求全,为攻打齐国,准备了充分的条件。

燕国地处偏僻,国内缺少人才。不但外面人进不来,就连本国仅有的几个人才也外流到别国中去,昭王为救贤人心急如焚。

大臣郭槐给燕昭王出了个招揽人才的办法。郭槐说:"从前有个国王,用1000两黄金买1匹千里马,但始终没有买到。他手下一个侍从跟国王要500两黄金,说可以买到。国王于是给了那侍从500两黄金,结果那个侍从用500两黄金买了一堆死马骨头回来。国王非常生气。侍从向国王解释说,我国能用500两黄金买花死马骨头,天下人一定认为您会出大价钱买活马,这样,千里马就会自动送上门来。果然不出侍者所说的,不到1年的工夫,这个国家就得到了3000匹千里马。如今大王真想招揽天下有才能的人,就从郭槐我开始吧。我做事平庸，无天才干，就像千里马的骨头。如果您对我很重用尊敬，那么天下比我有才能的贤人就会接踵而来，投奔你的门下，为大王所用。"

　　燕昭王真的照着郭槐的话办了。处处尊敬郭槐，给他很高的奖赏，封他很高的官禄，处处都给予特殊优待。这样不到3年，天下的贤才就从四面八方投奔到燕国。这些士来到燕国以后，为燕昭王讨论国事，实行改革。由于国内人才辈出，时间不长，燕国就变得兵强马壮，国家繁荣昌盛，燕王认为时机已到，于是准备出兵攻打齐国，后来在济水一带燕国打败了齐国。

　　试想，如果当初燕王逞一时之气，在没有充分做好准备的情况下，匆忙攻打齐国，可能早京成为齐国刀俎下的鱼肉了。因咽不下一口气而亡国丧生，岂不抱恨终身！

　　中国有句俗话："大丈夫能屈能伸。"讲的是古时候辅佐汉高祖刘邦称帝的大将韩信忍受胯下之辱的故事。小不忍则乱大谋，这是一句至理警言，一定要牢记在心。一个人处理时一定要小心、谨慎，切忌心高气傲，眼里容不得沙子，否则只会贻害无穷。

第二十三章　希言自然

【原文】

希言自然①。故飘风不终朝，骤雨不终日②。孰为此者？天地。天地尚不能久，而况于人乎？故从事于道者，同于道③；德者，同于德；失者，同于失。同于道者，道亦乐得之；同于德者，德亦乐得之；同于失者，失亦乐得之④。信不足焉，有不信焉⑤。

【注释】

①希言自然：希言，即稀言，少说话。这里指是少施加政令。

②飘风：狂风。飘：狂疾。

③从事于道者，同于道：求"道"的人，就与"道"相同。

④失亦乐得之：失，指失道、失德，也就是指"飘风"、"骤雨"式的暴政。这几句（"同于道者，道亦乐得之；同于失者，失亦乐得之"）的意思是，与真理一致的人，真理也愿意得到他；和错误一致的人，错误也愿意得到他。

⑤信不足焉，有不信焉：这两句已见于第十七章，属衍文。

【译文】

不施加政教法令是合乎于自然的。狂风刮不了一个早晨，暴雨下不了一整天。是谁使它们如此的呢？是天地。天地的狂暴尚且不能长久，更何况是人呢？所以，注重于修道的人，以道为法式就可以趋同于道，以德为趋求就可以得到德，失道失德就会导致失道失德的恶果。同于道的人可以得到道的容纳，趋求于德的人可以得到德的涵养，失道失德则终将以失败告终。

【评析】

本章强调在行为方式上作不同的选择将导致不同的结果，劝导统治者要少发法令规条，要顺任自然，要对立言难以守信的困境保持清醒的认识。老子的"不言、贵言、希言"的主张，一方面是出于对多言扰民难以持久的认识，另一方面也是出于路况知识不堪常恃，信言必将崩溃，因而基于其上的信念取态必不久长的体认。这后一点体认与他的贬低学、智的思想是紧密对应的。老子因此主张不要充当"先知"而要为"杙"来统领天下。

这一章和第十七章都是相对应的。第十七章揭示出严刑峻法的高压政策，徒然使百姓"畏之侮之"。因而希望统治者加以改变。老子用自然界狂风暴雨必不持久的事实作比喻，告诫统治者少以强制性的法令横加干涉，更不要施行暴政，而要行"清静无为"之政，才符合于自然规律，才能使百姓安然畅适。倘若以法令戒律强制人民，用苛捐杂税榨取百姓，那么人民就会以背戾抗拒的行动对待统治者，暴政将不会持久。

【故事】

老子以狂风暴雨不能持久作比喻，说明暴政不会长久，劝诫统治者实行无为之政。天地尚且不能使暴风雨持续一天，更何况人间呢？不单单是统治者的暴政，所有的事物太过，都不会长久。过于追求钱财，最终会一无所有；过于享乐，最终也许会惨淡终了一生；过于贪恋权柄，最终会被权利所害，身首异处。

过于贪恋权柄，集大权于一身不肯轻易松手的人，实际上是很愚蠢的人。他不知道贪权的害处，或是已经知道其害处，仍执迷不悟地疯狂占有权势，败亡之祸也就临头了。南宋时的韩侂胄就是这样的人。

韩侂胄在南海县任县尉时，曾聘用了一个贤明的书生，韩侂胄对他十分信任。韩侂胄升迁后，两人就断了联系。宁宗时，韩侂胄以外戚的身份，任平章秉国政。当他遇到棘手的事情时，常常想起那位书生。

一天，那位书生忽然来到韩府，求见韩侂胄。原来，

宋朝开封铁塔

朱熹

朱熹,字元晦,号晦庵。徽州婺源人。中国南宋思想家。绍兴十八年中进士,历仕高宗、孝宗、光宗、宁宗四朝,庆元六年卒。朱熹早年出入佛、道。31岁正式拜程颐的三传弟子李侗为师,专心儒学,成为程颢、程颐之后儒学的重要人物。他继承二程,又独立发挥,形成了自己的体系,后人称为程朱理学。

他早已中了进士,为官一任后,便赋闲在家。韩侂胄见到他,十分喜欢,要他留下做幕僚,给他丰厚的待遇。这位书生本不想再入宦海,无奈韩侂胄执意不放他走,他只好答应留下一段时日。

韩侂胄视这位书生为心腹,与他几乎无话不谈。不久,书生就提出要走,韩侂胄见他去意甚坚,便答应了,并设宴为他饯行。两人一边喝酒,一边回忆在南海共事的情景,相谈甚欢。到了半夜,韩侂胄屏退左右,把座位移到这位书生的面前,问他:"我现在掌握国政,谋求国家中兴,外面的舆论怎么说?"

这位书生立即皱起了眉头,端起一杯酒,一饮而尽,叹息着说:"平章的家族,面临着覆亡的危险,还有什么好说的呢?"

韩侂胄知道他从不说假话,因而不由得心情沉重起来。他苦着脸问:"真有这么严重吗?这是什么缘故呢?"

这位书生用疑惑的眼光看了韩侂胄一下,摇了摇头,似乎为韩侂胄至今毫无察觉感到奇怪,说:"危险昭然若揭,平章为何视而不见?册立皇后,您没有出力,皇后肯定在怨恨您;确立皇太子,也不是出于您的努力,皇太子怎能不仇恨您;朱熹、彭龟年、赵汝愚等一批理学家被时人称作'贤人君子',而您欲把他们撤职流放,士大夫们肯定对您不满;您积极主张北伐,倒没有不妥之处,但战争中,我军伤亡颇重,三军将士的白骨遗弃在各个战场上,全国到处都能听到阵亡将士亲人的哀哭声,军中将士难免要记恨您;北伐的准备使内地老百姓承受了沉重的军费负担,贫苦人几乎无法生存,所以普天下的老百姓也会归罪于您。平章,您以一己之身怎能担当起这么多的怨气仇恨呢?"

韩侂胄听了大惊失色,汗如雨下,一阵沉默后,又猛灌了几杯酒,才问:"你我名为上下级,实际上我待你亲如手足,你能见死不救吗?您一定要教我一个自救的办法!"

这位书生再三推辞,韩侂胄仗着几分酒意,固执地追问不已。这位书生最后才说:"有一个办法,但我恐怕说了也是白说。"

书生诚恳地说："我亦衷心希望平章您这次能采纳我的建议!当今的皇上倒还洒脱，并不十分贪恋君位，如果您迅速为皇太子设立东宫建制，然后，以昔日尧、舜、禹禅让的故事，劝说皇上及早把大位传给皇太子，那么，皇太子就会由仇视您转变为感激您了。太子一旦即位，皇后就被尊为皇太后，那时，即使她还怨恨您，也无力再报复您了。然后，您趁着辅佐新君的机会，刷新国政。您要追封在流放中死去的贤人君子，抚恤他们的家属，并把活着的人召回朝中，加以重用，这样，您和士大夫们就重归于好了。你还要安靖边疆，不要轻举妄动，并重重犒赏全军将士，厚恤死者。这样，您就能消除与军队间的隔阂。您还要削减政府开支，减轻赋税，尤其要罢除以军费为名加在百姓头上的各种苛捐杂税，使老百姓尝到起死回生的快乐。这样，老百姓就会称颂您。最后，你再选择一位当代的大儒，把平章的职位交给他，自己告老还家。您若做到这些，或许可以转危为安，变祸为福了。"

韩侂胄一来贪恋权位，不肯让贤退位；二来他北伐中原、统一天下的雄心尚未消失，所以，他明知自己处境危险，仍不肯急流勇退。他只是把这个书生强行留在自己身边，以便及时应变。这位书生见韩侂胄不可救药，岂肯受池鱼之殃，没过多久就离去了。

后来，韩侂胄发动"开禧北伐"，遭到惨败。南宋被迫向北方的金国求和，金国则把追究首谋北伐的"罪责"作为议和的条件之一。开禧三年，在朝野中极为孤立的韩侂胄被南宋政府杀害，他的首级被装在匣子里，送给了金国。那位书生的话应验了。

第二十四章　物或恶之

【原文】

企者不立[1]，跨者不行[2]；自见者不明；自是者不彰；自伐者无功；自矜者不长。其在道也，曰：余食赘行[3]，物或恶之，故有道者不处[4]。

【注释】

①企：抬起脚后跟、踮起脚。踮起脚（想站得高点）的，反而站不稳。

②跨者不行：跨，跃，越的意思。跨步行进的人，反而走不快。

③余食：剩饭；赘行：赘瘤。行，即形，赘长出、凸现在外的东西，故称赘形。

④有道者不处：有“道”的人是不这样做的。处，处世行事。

【译文】

踮起脚跟而立的人，反而站不稳；大步跨行的人，反而走不快。固执己见的人，不能全面明察；自以为是的人，反而是非不分；自我夸耀的人，不能成全其功；自高自大的人，反不能有所长进。这些行为，按“道”来讲，叫做残羹赘瘤。这是人们厌恶的东西，所以有道的人不这样做。

【评析】

本章中，老子用“道”的标准衡量世俗社会的诸多现象。老子认为“企者、跨者、自见者、自是者、自伐者、自矜者”等，都从个人主观愿望出发，以个人功利为目的，急躁冒进，自以为是，自我夸耀，自高自大，结果是事与愿违，不但达不到目的，而且往往带来不良后果，这种行为如剩饭、赘瘤，人人厌恶，因此修养达到“道”这个境界的人不会这样做。

由此看来，老子仍是提倡他的谦恭退让、柔弱无为的处世思想。这虽然有保守消极的一面，但是同时也应该看到其中辨证的因素。现实生活中适得其反的例子不胜枚举，懂得了这个道理，时时留心，事事在意，思虑周全，办事稳重，往往能够避免许多麻烦，把事情办得更好。

【故事】

谦虚退让、柔弱无为是老子提倡的处世思想。"自见者、自是者、自伐者、自矜者"等等，这种主观、自满骄傲的人，不仅不会得到人们的尊敬与赏识，反而会落得不好的下场。历史上，自是者必败，自矜者必亡的例子很多，三国时的祢衡被杀就说明了这一点。

汉献帝建安初年，曹操考虑派一个使者到荆州劝说荆州牧刘表投降。谋士贾诩建议说："刘表喜欢与有名的人士交往，最好能物色一位著名的人物前去，才有希望达到目的。"曹操觉得有道理，就问另一个谋士荀攸说："你认为谁可以去？"荀攸回答："当然以孔融去最好！"

孔融是孔子的第二十代孙，担任过北海侯国的相，以能写文章与慷慨好客闻名，是当时文学界著名的"建安七子"之一，当然是比较理想的人选。曹操点头答应，并嘱咐荀攸去给孔融打招呼。

孔融听到荀攸的话，立即接口说："我有一位好友叫祢衡，字正平，他的才学比我高十倍。这个人足以在天子身边工作，做一个使者，更不成问题。"后来孔融并没有把祢衡直接推荐给曹操，而是向汉献帝上了一个表，大大夸耀了祢衡的才能。献帝把表章交给曹操，曹操心中老大不高兴，就随便叫人去把祢衡喊了来。祢衡来后，按例行了礼，曹操却一反以往尊重人才的常态，不给祢衡安排座位。平时颇为自负的祢衡见到这个场面，不觉仰头向天，一声长叹说："天地虽然这样宽阔，为什么跟前连一个像样的人都没有呢？"

曹操自傲地说："我手下有几十位能人，都是当代英雄，凭什么说没有人呢？"

祢衡又笑了一声："那就说给我听听吧！"

曹操不无得意地说："荀攸、郭嘉、程昱见识高远，前

孔融

孔融，东汉文学家，字文举，鲁国人。他是东汉末年一代名儒，继蔡邕为文章宗师，亦擅诗歌。魏文帝曹丕悬赏征募他的文章，誉为"建安七子"之首。

曹操，三国时政治家、军事家、诗人，统一了北方，挟天子以令诸侯，戎马一生。曹操在北方屯田，兴修水利，解决了军粮缺乏的问题，对农业生产的恢复有一定作用；用人唯才，罗致地主阶级中下层人物，抑制豪强，加强集权，所统治的地区社会经济得到恢复和发展。

朝的萧何、陈平，都不如他们。张远、许褚、李典、乐进勇猛无敌，过去的岑彭、马武，也不是对手。吕虔和满宠替我掌管文书，于禁和徐晃担任我的先锋官。夏侯惇是天下的奇才，曹子奇是世上的福将。这怎能说没有人呢？"

祢衡哈哈笑了起来："阁下全讲错了，这些人我都认识，荀攸只是个看坟墓的料子；程昱仅能开开门；郭嘉倒还可以读几句辞赋；张远在战场上只配打打鼓，敲敲锣；许褚也许能放放牛，牧牧马；乐进和李典当当传令兵勉强凑合；吕虔不过能给人家磨磨刀，铸几支剑；满宠是喝酒的能手；于禁是打砖的泥水匠；徐晃只有杀猪、扒狗的本事，夏侯惇是一个仅能保全性命的将军；曹子奇被人称为只知道要钱的太守。其余都是饭袋、酒桶而已！"

祢衡这一顿讽刺、挖苦，激怒了曹操，曹操呵斥起来："你又有什么能耐？"

祢衡毫不客气："我？天文地理门门都能；三教九流样样都知道。辅助天子，可以使他们成为尧、舜；个人道德，可以与孔子、颜渊相比，怎能与这些凡夫俗子相提并论呢？"

这时，张远在旁边，听到祢衡这样狂妄，公开侮辱大家，气得抽出宝剑要砍，曹操止住他说："我目前正缺少一个敲鼓的人，早晚朝贺和宴会，都要有人敲鼓，就让祢衡去做吧！"

老奸巨猾的曹操，企图用这个办法狠狠羞辱一下祢衡，谁知祢衡一点也不拒绝，很快答应这个差事。张远恨恨地问曹操："这个家伙讲话这般放肆，为什么不让我杀他？"

曹操笑笑说："这个人在外面有点虚名，我今天杀了他，人家就会议论我容不得人。他不是自以为很行吗，那就叫他打打鼓，丢丢他的人吧！"

第二天中午，曹操在丞相府大厅上邀请了很多客人赴宴，命令祢衡打鼓助兴。原先打鼓的人叮嘱祢衡打鼓时必须换上新衣，但祢衡却穿着旧衣服进入大厅。祢衡精于音乐，打了一通"渔阳三挝"，音节响亮，格调深沉，发出金石般的声音，座上的客人都被激动得情绪热烈，流下泪来。曹操的侍从们突然挑剔地叫道："打鼓的为什么不换衣服?"谁知祢衡竟当众脱下身上的破旧衣服，赤裸裸地站在那里，客人们惊得一齐掩起面孔。祢衡又慢慢地脱下裤子，一直不动声色。曹操看见这个情景，呵斥起来："在朝廷的厅堂上，为什么这样不懂礼仪?"

祢衡严峻地回答说："目中没有君主，才是不懂礼仪。我不过是暴露父母给我的身体，以显示我的清白罢了!"

曹操抓着祢衡的话，逼问说："你说你清白，那么谁又是污浊的?"

祢衡直指曹操说："你不识人才，是眼浊；不读诗书，是口浊；不听忠言，是耳浊；不通晓古今的知识，是头脑污浊；不能容纳诸侯，是胸襟污浊；经常打着篡夺皇位的念头，是心地污浊。我是社会上知名的人，你强迫我打鼓，这不过如同当年奸臣阳虎轻视孔子，小人臧仓毁谤孟子一样。你要想成就称王称霸的事，这样侮辱人行吗?"

祢衡这样犀利地当面抨击曹操，使大家都非常吃惊。当时孔融也在座，生怕曹操一气之下会杀害祢衡，便巧妙地为祢衡开脱说："大臣像服劳役的囚徒一样，他的话不足以让英明的王公计较。"曹操听出孔融在帮祢衡讲话，事实上他也不想在这宾客满座的场合承担残害人才的恶名。只见他装作肚量极大的样子，用手指着祢衡说："我现在派你到荆州出使。如果说得刘表来归降，我就重用你担任高官。"祢衡知道刘表是不会归附曹操的，派去的人也会凶多吉少，这分明是曹操在使借刀杀人的伎俩，不肯答应。曹操立即传令侍从，要他们备下三匹马，由两人挟持祢衡去荆州，一面还通知自己手下的文武官员，都到东门外摆酒送行，真是既毒辣又狡猾!

祢衡大胆地痛斥曹操，在当时有一定的正义性。但由于他恃才傲物，往往出语伤人，也不讨刘表喜欢。刘表察觉到曹操有心把祢衡送来，好让自己杀他，既解了曹操的恨，又把杀害贤人的罪责推到自己头上，便也使了一个与曹操同样的圈套，把祢衡转派到生性残暴的江夏太守黄祖那里。果然，祢衡在宴席上讽刺黄祖，说黄祖好像是庙里的菩萨，只受香火，可惜并不灵验，最后被黄祖所杀。就这样一位才高八斗的文人因为自傲、自矜而身首异处。

祢衡

祢衡，字正平。汉末辞赋家。性格刚毅傲慢，好侮慢权贵。因拒绝曹操召见，操怀忿，因其有才名，不欲杀之，罚作鼓史，祢衡则当众裸身击鼓，反辱曹操。曹操怒，欲借人手杀之，因遣送与荆州牧刘表。仍不合，又被刘表转送与江夏太守黄祖。后因冒犯黄祖，终被杀。

第二十五章　道法自然

【原文】

有物混成，先天地生。寂兮寥兮①，独立而不改②，周行而不殆③，可以为天地母。吾不知其名，强字之曰"道"，强为之名曰"大"④。大曰逝⑤，逝曰远，远曰反⑥。故道大，天大，地大，人亦大。域中有四大，而人居其一焉。人法地，地法天，天法道，道法自然⑦。

【注释】

①寂兮寥兮：寂，没有声音；寥，空虚、无形。"道"是这样地无声又无形，故老子认为它是难以描述、不可捉摸的。

②独立而不改：形容"道"的绝对性、永存性。"道"与我们能够观察和体验的一切具体事物不同，具体的事物总是存在于关系中，在相互矛盾、相互依存中运动。"道"则是一个绝对体，它靠外在的力量，是独一无二的存在。

③周行：循环运行。不殆：不息，不停的意思。

④强为之名曰"大"：勉强再给它取一个名字叫做"大"。大，形容"道"是没有边际、无所不包的，它既指"道"幅度的辽阔，又指"道"的高于一切（万物之母）。

⑤逝，指"道"的运行，周流不息。

⑥反：同"返"，指"道"循环运行后返回到原点、返回到原状。

⑦道法自然：自然，指"道"的自然状态。"道"以它自己的样子为法则，纯任自然。

【译文】

有一个混沌一体的东西，它先于天地而存在。既没有任何声音，又不露具体的形体。它独立存在，从不改变；循环运转，永不休止，可以作为天地万物的根源。我不知道它的名字，就把它叫做"道"，又勉强为它取名为"大"。它无所不容又周游不息，周流不息而又广阔辽远，广阔辽远而又反转还原。所以说"道"大，天大，地大，人也大。宇宙间有四大，而人占了其中之一。人取法于大地，大地取法于苍天，苍天取法于"道"，"道"纯任自然。

【评析】

本章是对"道体"以及其运动特征、作用等的集中描述，是该书至关重要的一章。老子认为："道"并不是不同分子或各部分组合而成的，它是一个圆满自足的浑朴状态的和谐体。对于现象界的杂、多而言，它是无限的完满、无限的整一。它是生产现象界一切事物的根本，是在天地产生之前便已经存在了的。人为万物之灵，道、天、地、人，成为宇宙中四个伟大的存在。人被提高为宇宙中四个伟大存在之一，唯独没有"神"的存在。老子的哲学产生于两千多年之前，"神"在老子的哲学中没有地位，表明了老子哲学的可贵。

而老子这里所说的"物"，指的是宇宙的初始态。老子便将这初始态称之为"道"。"道"的不断发展被称之为"大"，"大"的继续发展被称之为"逝"，"逝"的继续发展被称之为"远"，"远"的继续发展被称之为"反"。"大、逝、远、反"的动态是由"我"的位置而被反映出来的。老子这里是用"大"作为宇宙整体的代称，而道、天、地、人都处于"大"的领域之中，成为不同层次上的现象。

【故事】

老子在揭示其"道"的宇宙观之后，又提出其方法论："人法地，地法天，天法道，道法自然，"这是人、地、天、道，自然合一的观点，超出儒家三才论（天地人）的思想，形成了中国最早的系统论。

制定策略必须从全局的角度出发，不仅要考虑到人的因素，还要兼顾地理、环境、文化等因素，即考虑到事情的天时、地利、人和。决策实施之前首先看清形势，是否符合有利于自我发展的规律，是否符合社会发展进程。刘备占据徐州，就从人、地、天、道的综合考虑，认清当时

刘备

刘备，字玄德，
涿郡人。三国时期蜀
汉的建国者。相传是
汉景帝之子中山靖王
刘胜的后代。黄巾起
义时，刘备组织义兵
剿除黄巾，有功而任
县尉，不久因鞭打督
邮弃官。后诸侯割据，
刘备势力弱小，经常
寄人篱下，先后投靠
过公孙瓒、曹操、袁
绍、刘表等人，几经
波折，却仍无自己的
地盘。赤壁之战之际，
刘备联吴抗曹，取得
胜利，从东吴处"借"
到荆州，迅速崛起，
吞并益州，占领汉中，
建立蜀汉政权。

的形势，三辞徐州，避免成为众矢之的。

汉献帝初平四年，割据兖州的曹操派遣泰山太守应劭往琅琊迎其父曹嵩及家人百余口到兖州。途经徐州时，徐州牧陶谦为交好曹操特派都尉张闿护送曹嵩一行。不料张闿杀死曹嵩及其家人，席卷财物而去。于是曹操便把账记在陶谦身上，以为父报仇为名，发兵攻打徐州。陶谦面对兵临徐州城下的曹操大军，自知难以抵敌，便采纳别驾从事糜竺的建议，请北海相孔融、青州刺史田楷前来相救。孔融请刘备同去救陶谦。刘备遂欣然带领关羽、张飞、赵云和数千人马奔赴徐州。刘备率军在徐州城下与曹军于禁所部小试锋芒，初战告捷，使久被曹军围困的徐州暂时缓解了危机。于是陶谦急令将刘备迎入城内，盛宴款待。

陶谦席间便主动提出将徐州让给刘备，说："当今天下大乱，国将不国；公乃汉室宗亲，正当为国出力。老夫年迈无能，情愿将徐州相让。公勿推辞。我当自写表文，申奏朝廷。"

刘备闻言愕然，急忙推辞说："我虽是汉室苗裔，但功德不足称道，任平原相犹恐不称职。我本是为了义气前来相助。您这样说，莫非怀疑我有吞并之心？"

陶谦表白说："这是老夫推心置腹之言，决非虚情假意。"但刘备只是推辞，终不肯接受。糜竺见二人再三辞让，便说："现在兵临城下，且当商议退敌之策。待事平之后，再议相让不迟。"

于是刘备写信给曹操，希望曹操以国家大义为重，撤走围困徐州之兵。恰好这时吕布攻破兖州，进占濮阳，威胁曹操后方。因而曹操便顺水推舟，卖个人情，接受刘备建议，退兵而去。陶谦见曹军撤走，徐州转危为安，便差人请刘备、孔融、田楷等入城聚会，庆祝解围。饮宴既毕，陶谦再向刘备让徐州。

刘备说："我应孔融之约救援徐州，是为义而来。现在若无端据有徐州，天下将以为我是不义之人。"糜竺、孔融及关羽、张飞等皆纷纷劝刘备接替陶谦治理徐州。

刘备苦苦推辞说："诸位欲陷我于不义耶？"陶谦推让

再三，见刘备终不肯受，便说："如您必不肯受，那就请暂驻军近邑小沛，以保徐州，何如？"众人也皆劝刘备留驻小沛，刘备方始同意。不久，陶谦染病，日渐沉重，便派人以商议军务为名，把刘备从小沛请来徐州。

陶谦躺在病榻上对刘备说："今番请您前来，不为别事，只因老夫病已垂危，朝夕难保；万望您以汉家城池为重，接受徐州牌印，老夫死亦瞑目矣！"

刘备说："可让您的二位公子接班。"

陶谦说："其才皆不能胜任。老夫死后，还望您多加教诲，千万不能让他们掌握州中大权。"

刘备还是辞让，陶谦便以手指心而死。举哀毕，徐州军民极力表示拥戴刘备执掌州权，关羽、张飞也再三相劝。至此，刘备才同意接受徐州大权，担任徐州牧。刘备"三辞徐州"，一方面体现了刘备博取仁义忠厚之名、收买民心的良苦用心；一方面当是出于刘备对当时情势的清醒认识。当时的徐州正处于四战之地，野心勃勃的曹操正虎视眈眈、兵锋相向，自不待言。此外，邻近的军阀如袁术、吕布、袁绍之辈都在觊觎着具有重要战略意义的徐州，怀有兼并野心。这些都是潜在的危险。

张飞

张飞，字益德，涿郡人，三国时期蜀汉的重要将领。张飞为人勇猛，曾率20名骑兵于长坂坡吓退曹军。但他脾气暴躁，对士兵非常严厉。刘备时常劝张飞"此取祸之道也"，但张飞不听，果然死在其部下之手。

由此可见，当时的徐州并不是一颗好吃的果子，弄不好就会有惹火烧身的危险。即使徐州牧陶谦真心相让，其部下能否心悦诚服？这些都是很现实、很严重、很迫切的问题，不容刘备不顾虑！

实际确实如此，历史上刘备占有徐州不久，即先后受到过曹操、吕布、袁术的进攻，陶谦部下曹豹也反叛刘备而助吕布。以致刘备在徐州难以立足，最终被逐出徐州，先后依附袁绍和刘表。

当然，具有重要战略地位的徐州，对于刘备来说，毕竟具有巨大的诱惑力。因而陶谦一死，在外有北海相孔融的支持、内有糜竺及徐州军民的广泛拥戴的情况下，刘备便不失时机地同意接替陶谦任徐州牧，将徐州据为己有。诱惑终于战胜了顾虑。

第二十六章　宜戒轻躁

【原文】

重为轻根，静为躁君①。是以君子终日行，不离辎重②。虽有荣观③，燕处④超然⑤。奈何万乘之主，而以身轻⑥天下？轻则失根，躁则失君。

【注释】

①根，根本、基础。君，元，这里也有根本的意思。

②辎重，军队运载器械粮食的车。

③荣观：贵族游玩享乐的地方，这里代指华丽的生活。

④燕处：贵族日常生活享受。

⑤超然：超脱没有忧虑。

⑥轻：认为……轻。

【译文】

重是轻的根基，静乃躁的克星。因此君子出行，整天不离作为根基的辎重。虽然有华丽的生活，却不沉溺在里面。为什么身为大国的君主，却以轻率躁动的行为来治理天下呢？轻率就失去了根基，躁动就必然丧失主宰。

【评析】

这一章里，老子又举出两对矛盾的现象：轻与重、动与静，而且进一步认为，矛盾中一方是根本的。在重轻关系中，重是根本，轻是其次，只注重轻而忽略重，则会失去根本；在动与静的关系中，静是根本，动是其次，只重视动则会失去根本。在本章里，老子所讲的辩证法是为其政治观点服务的，他的矛头指向是"万乘之主"，即大国的国王，认为他们奢侈轻淫，纵欲自残，即用轻率的举动来治理天下。在老子看来，一国的统治者，应当静、重，而不应轻、躁，如此，才可以有效地治理自己的国家。但是动与静的矛盾，应当把动看做是绝对的，起决定作用的，

是矛盾的主要方面。老子虽然也接触到动静的关系，但他把矛盾的主要方面弄颠倒了，也就是把事物性质弄颠倒了。因此，他把静看做起主要作用的方面。所以老子的辩证法是消极的，是不彻底的，有形而上学因素。这种宇宙观和他所代表的没落阶级的立场完全相适应。

【故事】

在这句名言开头讲"重为轻根，静为躁君"，正面提出论点，结尾处从反面讲"轻则失根，躁则失君"，又归结到这个论点。

这是老子朴素辩证法的可贵方面。他在这里论述的是万乘之国的国主怎样才能巩固和保持自己统治地位的问题。他说静、重，评轻、躁，认为这种轻躁的作风就像断了线的风筝一般，立身行事，草率盲动。历史上汉武帝就是因为偏听偏信，草率行事，而错杀太子。

汉武帝刘彻

刘彻，即汉武帝，汉景帝刘启的第10个儿子，刘邦的曾孙，其母是王娡，皇后为卫子夫。在位54年，创立了前无古人的巨大功业。

汉武帝到了中年，军事上取得了极大的成功，但他仍不满足，继续穷兵黩武，在边境四处用兵。渐渐地，对汉武帝文治武功的赞美声少了，大臣们讲话也吞吞吐吐起来。汉武帝看在眼里，心里越来越不高兴，国事家事都觉得不顺心。这天，他正午休，忽然觉得一个人拿着刀向自己冲来，转眼又突然不见了，他一声惊叫，吓出了一身冷汗。

经过这次惊吓，汉武帝变得神经过敏起来，处心积虑要搞清楚谁想谋害他。他组织了一个以江充为首的特务机构，号称"绣衣使者"，分散到全国，收集各地官员和百姓的情报。这些"绣衣使者"权力极大，到处敲诈勒索，加害无辜，在全国制造了很多冤案。偏偏汉武帝谁也不信，就相信能言善辩的江充，对江充言听计从。江充得寸进尺，黑手又伸向后宫，他扬言在后宫搜到了皇后诅咒皇上的符咒，逼得皇后含冤自尽。他接着去搜太子宫，太子刘据知道大祸临头，便在宫中埋伏了刀斧手，杀了江充。

汉武帝知道江充被杀，暴跳如雷，认定太子是谋逆篡位、扰乱天下的主犯，命令御林军捉拿太子刘据。刘据为了保命，亲率卫队与御林军在京城决战。经过一天一夜的厮杀，刘据兵败，带着儿子连夜逃出京城，隐藏在民间。

汉武帝茂陵

汉武帝一面在全国展开大网搜捕太子，一面开始了大清洗。凡是与太子刘据有牵连的人，不分贵贱，一概诛杀。举国上下陷入了一片恐怖之中。此时又遇上灾年，百业凋敝，百姓流离失所，痛苦不堪，全然不见当年的繁盛。

老百姓和许多大臣都知道太子是冤枉的。太子平时勤政爱民，在百姓中极有声望，百姓都冒着危险收留他。无奈，汉武帝发布诏令，谁提供线索或是抓住太子，封万户侯。天下还真有见利忘义的小人，有两个与县令差不多的小官探知太子躲在一个名叫鸠居里的山村，便派兵围住了村子，要抓刘据回京。在大兵重围中，刘据出逃无望，与儿子一起悬梁自尽。这两个小官果然被汉武帝封了万户侯。

转眼十多年过去了，不知不觉，汉武帝已是年迈之人。在空寥冷清的宫中，汉武帝深深地陷入了不可名状的寂寞中。自己老了，年轻有为的太子和聪明伶俐的皇孙却死了，他觉得自己做错了，可自己是代天行命的皇帝啊，怎么可以错呢？他随便找了个理由，杀了那两个出卖太子的万户侯。

被寂寞和矛盾困扰着的汉武帝走出深宫，想在自己统治的国土上散散心。一路上，荒芜的田园、凋敝的村落强烈地刺激着他。早些年，那是一个多么欣欣向荣的国家啊！田园青青，炊烟袅袅，帝王的车辇过来，老百姓箪食壶浆，跪迎路边，心中的热爱和虔敬洋溢在脸上。现在老百姓都躲得远远的，是害怕帝王的威严还是当地官员怕自己看见百姓脸上的菜色？不行，一定得公开认错，才能得到天下百姓的谅解，他们才会拥戴自己带领他们重开太平盛世。汉武帝回到宫中，马上在叫做"轮台"的宫殿内写了《罪己诏》，公开承认自己任用奸人为害百姓的错误，为太子刘据平反，并表示要爱护百姓，予民休息，蓄养国力，让大汉重新强大起来。

第二十七章　常善救人

【原文】

善行无辙迹^①，善言无瑕谪^②；善数不用筹策^③；善闭无关楗^④而不可开；善结无绳约^⑤而不可解。是以圣人常善救人，故无弃人；常善救物，故无弃物。是谓袭明^⑥。故善人者，不善人之师；不善人者，善人之资。不贵其师，不爱其资，虽智大迷，是谓要妙^⑦。

【注释】

①辙，车轮压出的痕迹；迹，脚步、马蹄等留在地上的痕迹。

②瑕谪（zhé）：瑕、谪都是玉上面的疵病，此引申为过失。

③数：计算。筹策：古代计算时所使用的一种竹制筹码。

④关楗：关锁门户所用的栓销，用金属或木制成。横曰关，竖曰楗。

⑤绳约：约，绳、索的意思。绳约，就是指绳索。

⑥袭明：因顺自然之道。袭，保持、含藏的意思。

⑦要妙：精要玄妙。

【译文】

善于走路，不留痕迹；善于说话，不会有过失；善于计算，不用筹码；善于关闭，不用门闩使人难开；善于捆绑的，不用绳索却使人不能解。因此，圣人总是善于救人，没有被遗弃的人；总是善于救助万物，没有被遗弃的物。这就叫做内藏着的聪明智慧。所以善人是恶人的老师；恶人是善人的借鉴。不尊重他的老师，不爱惜他的借鉴，虽然自以为明智，其实是大糊涂。这就是精深奥妙的道理。

【评析】

这一章老子又一次阐明"自然"、"无为"思想。他用具体贴切的比喻说明以自然为准则，不用有形的作为，而贵无形的力量。有"道"的"圣人"就善于用含而不露的智慧，去观照人与物，从而做到人尽其才、物尽其用。

本章可以化为两个方面的内容。其中前一部分阐述了"自然无为"以治天下的基本特色和显著特点，以比喻高明的统治权术。老子用"善行"、"善言"、"善数"、"善闭"、"善结"作比喻，说明人的言行作为，只要符合自然，不用费多大力气，就会取得很好的效果，并无懈可击。"圣人"懂得这番道理，因此善于待人接物，凭借自己的聪明才智，做到人尽其才，物尽其用；后半部分讲辨证观察问题，善于借鉴的重要意义。这就考虑到事物所包含的对立的两个方面，不要只从一个方面看。浮皮潦草、粗枝大叶；或只知其一，不知其二，便沾沾自喜。自以为无所不通、无所不精，恃才傲气，都是不可取的。

【故事】

老子认为真正的"善"不是人为的，而是自然本色，不留任何精雕细凿的痕迹。善于走路的人，不会留下任何痕迹；善于说话的人，不会留下任何过失。这就说明了人的言行作为，只要符合自然的规律，不用费力就会取得很大的效果。

触龙在劝说赵太后用长安君做人质以求国家安全时，就首先顺着赵太后的意愿说，把握太后心理，逐步阐释其中道理，不留痕迹地说服了赵太后接受自己的意见。真可谓是"善言无瑕谪"。

公元前265年，秦国猛烈进攻赵国，赵国向齐国求救。齐国却要求赵国用长安君作为人质，他们才能出兵。这时赵国由赵太后掌权，她坚决不同意，大臣们极力劝谏，太后十分恼怒，明确告诉左右："有谁再说让长安君做人质的，我老婆子一定朝他的脸吐唾沫。"

赵国的左师触龙说他希望谒见太后。太后猜想他肯定也是为人质之事而来，于是怒容满面地等待他。触龙一进屋，慢步走向太后，到了跟前连忙请罪说："老臣脚有病，已经丧失了快跑的能力，好久没能来谒见了，心里很是过意不去，一直怕太后玉体偶有欠安，所以很想来看看太后。"太后说："我老婆子行动全靠手推车。"

触龙又说："太后每天的饮食还好吧？"太后回答道："就靠喝点粥罢了。"触龙又说："老臣现在胃口很不好，就自己坚持着步行，每天走三四里，稍为增进一点食欲，对身体也能有所调剂。"太后说："我老婆子可做不到。"说着说着，脸色渐渐和缓了起来。

触龙接着说："老臣的劣子舒祺，年纪最小，是个不肖之子。臣老了，偏偏又很爱怜他，希望能派他到侍卫队里凑个数，来保卫王宫。所以冒着死罪来禀告您。"太后说："没问题。年纪多大了？"触龙回答说："15岁了。虽然还小，但希望在老臣没死的时候先拜托给太后。"

战国青铜牛

太后说："做父亲的也爱怜他的小儿子吗？"触龙答道："比作母亲爱的更深。"太后笑道："妇道人家才特别喜爱小儿子。"谁知触龙却说："依老臣个人的看法，老太后爱女儿燕后，要胜过长安君。"太后连忙说："您错了，对女儿的爱比不上对长安君爱得深。"触龙说："父母爱子女，就要为他们考虑得深远一点。老太后送燕后出嫁的时候，抱着她的脚为她哭泣，是想到可怜她要远去，也是够伤心的了。送走以后，并不是不想念她，每逢祭祀一定为她祈祷，总是说：'一定别让她回来啊！'难道不是从长远考虑，希望她有了子孙可以代代相继在燕国为王吗？"太后点点头，说："确实如此。"

触龙又说："从现在往上数三世，到赵氏建立赵国的时候，赵国君主的子孙凡被封侯的，他们的后代还有能继承爵位的吗？"太后说："没有。"触龙说："不只是赵国，其他诸侯国的子孙有吗？"太后说："我老婆子没听说过。"触龙说："这是因为他们近的灾祸及于自身，远的及于他们的子孙。难道是君王的子孙就一定不好吗？地位高人一等却没什么功绩，俸禄特别优厚却未尝有所操劳，而金玉珠宝却拥有很多。这才是真正的不好。现在老太后授给长安君以高位，把富裕肥沃的地方封给他，又赐予他大量珍宝，却不曾想到目前让他对国家做出功绩。有朝一日太后百年了，长安君在赵国凭什么使自己安身立足呢？老臣认为老太后为长安君考虑得太短浅了，所以我以为你爱他不如爱燕后。"

太后恍然大悟，马上让人套马备车100乘，让长安君到齐国去做人质，长安明太后的做法，看似"计长"实为"计短"，终于让太后心悦诚服，同意长安君出使齐国。

善于说话的人，不用激昂言词，不用雄辩，就可以使别人听从他的意见。劝说要想取得成功，不能直奔主题，这样容易引起对方的反感，而应把握对方的心理，于句句闲语、步步闲情中分析形势，摆明利害，从而让对方欣然接受自己的观点。

战国建鼓座

第二十八章　常德乃足

【原文】

知其雄，守其雌①，为天下谿②。为天下谿，常德不离，复归于婴儿③。知其白，守其黑，为天下式。为天下式，常德不忒④，复归于无极。知其荣，守其辱，为天下谷⑤。为天下谷，常德乃足。复归于朴。朴散则为器，圣人用之，则为官长⑥，故大制不割⑦。

【注释】

①雄：属阳，比喻刚劲、躁进、强大。守：关注、重视。雌：属阴，比喻柔静、软弱、谦下。

②谿（xī）：同"溪"。在此象征谦卑。

③婴儿：象征纯真质朴。

④忒：差错、过错。

⑤谷：川谷。象征宽容谦卑。

⑥官长：指百官的首长，即君主。

⑦大制不割：制，制作器物，引申为政治；割，割裂。完善的政治制度是自然天成、不能随意割裂的。

【译文】

虽深知什么是雄强，却安守于雌柔姿态而处事，甘作天下的沟溪。甘作天下的沟溪，永恒的德性就不会离失，复归于婴儿般的随和状态。虽深知什么是清白豁亮，却安守于暗昧的地位，甘作天下的模范。甘作天下的模范，永恒的德行就不会有偏差，复归于到混沌原始的境界。虽深知什么是荣华显耀，却安守于平常的谦卑的地位，甘作天下的川谷。甘作天下的川谷，永恒的德行才趋于的充盈，复归于纯真朴质的"道"。纯真朴质的"道"分散融解后，就变成具体的万物。圣人驾御这一切而成为天下的统治者。所以，完善的政治制度是自然天成、不能随意割裂的。

【评析】

　　本章是老子的法治思想。法律的意义在于保护弱者，战胜邪恶，驱逐黑暗，人人享有平等自由的权利，这是确保国泰民安的强大武器；朴的意义同样在于保护弱者，战胜邪气，使每一个细胞都能得到真气的呵护，这是确保身体健康长寿的法宝。

　　老子在本章提出了一个为人处世的品德标准和目标，就是要做到知雄守雌、知荣守辱、知白守黑，或换言之，就是要在更高一级的层次上实现否定之否定，回归纯真质朴，虚空若谷，无形无象，大智若愚，从而能够在心理上返老还童，复归于原始之朴和无极限之最高境界，并把这一点作为通行天下的定式来看待。这种品德标准以及追求否定之否定、返朴归真的处世之道，确实是为人处世的最高境界。基于这种品德标准和认识，老子认为朴只能笃守、回归，而不能散割，圣人不能被用为官长，否则就有了界限而失去了原始自然，失去了纯真质朴、无形无象。所以，在他看来，理想的社会制度就是保持自然、原始："大制无割"，显示了老子对于纯朴的原始公有制社会制度的向往和憧憬，也是他得出"小邦寡民"的认识和结论的思想根源。

【故事】

　　知雄守雌、退让谦卑是老子思想的核心内容。在此基础上老子提出了一系列化解矛盾、消除冲突的主张，即甘守下流，自居柔弱，勇于退守，从而达到自己的目的。

　　老子的这些人生态度与行为方式对于后世有十分重要的影响。当时势对自己不利时，不妨甘守柔弱，向对方示弱，退一步而为之。暂时的退让、示弱可以保留自己的力量。越王勾践卧薪尝胆、甘愿自卑的故事就是一例。

　　公元前496年，越王勾践听说吴王夫差日夜练兵，将要攻打越国，便想先发制人，攻打吴国。这时，他的大臣范蠡劝阻道："战争是十分残酷的事情，无端斗杀更是违背德信，这是上天所忌讳的，对于出战者没有好处而且非常不利，应该慎之又慎，万万不可轻举妄动。"

这时的勾践，血气方刚，不懂得隐忍之道，更不懂得"不为而为"的妙用，只是强硬地说："我已经决定了，您就不要再说了。"

于是，勾践调动了全国精兵3万人，北上攻吴，与吴兵战于夫椒。结果，勾践大败，仅剩5000名残兵，退守会稽山，又被吴军团团围住。

到了这时，勾践才明白范蠡的高明，凄然对范蠡说："我不听先生之言，故有此患。眼下如何收拾危局?"

范蠡冷静进谏说："持满而不溢，则与天同道，上天是会保佑的；地能万物，人应该节用，这样才会受地之赐；扶危定倾，谦卑事之，则与人同道，人可动之。为今之计，只有卑辞厚礼，贿赂吴国君臣；倘若不许，可屈身以事吴王，徐图转机，这是危难之时不得已之计。"

勾践无奈，只好派大夫文种前往吴军大营请求议和。

文种初次赴吴营，受到吴王夫差的大臣伍子胥的极力阻挠，说："上天以越国赐给吴国，机不可失，千万不要答应。"文种无奈，只得回来。

勾践闻报，痛不欲生，又忘了隐藏自己的真实想法，想要杀妻毁室，然后与吴王决一死战。还是冷静的范蠡和文种劝阻了他，并且出主意说："吴国权臣太宰伯嚭贪财，这是门路。"于是，越国先用美女、宝器买通伯嚭。使之转献吴王夫差，然后再派文种前去乞和。

文种深知如何才能让吴王看不出勾践的志向，在见到吴王之后他说道："大王如能赦免勾践，越国情愿尽献珍宝，举国上下降为臣民。倘若不许，勾践将尽杀妻子，毁尽宝器。然后率领五千名士兵和大王决一死战。真的厮杀起来难免使大王蒙受损失。杀掉一个勾践，怎能比得上获得整个越国呢?望大王三思。"

谗臣伯嚭也在一旁帮腔说："越国已经降服为臣民，若能赦免越王，的确对吴国有大利。"

吴王夫差心有所动，便要许和。吴国并不是没有明白人，大臣伍子胥就深知越王不过是想委屈求会，以保存自己的实力，徐图东山再起罢了。于是谏阻说："树德行善，

伍子胥

伍子胥，名员，字子胥，楚国人。封于申地，故又称申胥。春秋末期吴国大夫，军事谋略家。春秋末期吴国兴亡，伍子胥举足轻重。其治国用兵，以务实为旨，远见卓识，谋略不凡。

莫如使之滋蔓；祛病除害，务必断根绝源。现今勾践为贤君，文种、范蠡为良臣，君臣同心，施德惠民，一旦返国，必为吴国大患。吴越两国水土相连，今已结成世仇，兴亡成败不可不虑。如今既克越国，倘若使他复存，实在是违背天意，养寇留患。"可是，有伯嚭在旁边进谗言，吴王也沾沾自喜，于是不听伍子胥的话，终于与越国讲和，罢兵而去。

大约在公元前494年，勾践君臣数人到达吴都见到夫差，当即进献美女宝物，并低声下气地极力奉承献媚；再经伯嚭一旁帮腔，勉强取得夫差的谅解。

勾践夫妇和范蠡到了吴国首都姑苏，吴王夫差就让他们住在阖闾坟墓旁边的一间石头屋子里，为吴王养马。夫差把勾践留在都城，是为了考验他是否真心臣服于他。夫差每次坐车出去，他都让勾践给他拉马。勾践在吴国所受屈辱，是可想而知的。

勾践夫妇在吴国住了3年。在这3年中，勾践把自己的复仇之心深深埋藏。为了取得夫差的信任，让自己早日回到越国，他很小心地伺候夫差，做到百依百顺，显得比夫差的其他仆人还要驯服。与此同时，文种还经常派人给伯嚭送礼，伯嚭也老在夫差跟前替勾践说情。

有一次，勾践听说夫差病了，就托伯嚭给夫差带话，说要去看望。夫差听说勾践这样惦记自己，就答应了他。伯嚭带领勾践进了夫差的卧房，正赶上夫差要大便，勾践就赶过去搀扶他。夫差叫勾践出去，勾践说："父亲有病，做儿子的应当服侍，大王有病，做臣下的也应当服侍。再说我还有点小经验，只要尝尝大王的粪便，就能知道大王的病是重是轻。"夫差心里很高兴，就不再拒绝了。夫差拉完屎，觉得舒服多了。勾践扶着夫差上床躺好，又去掀开马桶盖看了看，取粪尝味，然后向夫差磕头说："恭喜大王! 大王的病已经没有什么危险了，再过几天，就会全好了!"夫差问他："你怎么知道的?"勾践说："刚才我尝了大王的粪便，知道肚里的毒气已经散发出来了，病还不快好了吗?"夫差看到勾践服侍自己这样周到，倒有些过意不

范蠡

范蠡，字少伯，春秋战国末期的政治家、军事家和经济学家。楚国宛人，我国长达五千余年的封建传统，均以"士、农、工、商"为列，士为首，商为末，直至宋朝，尚有商人穿鞋必须着一黑一白之劣规，故范蠡一生虽有辉煌业绩，然终因弃官经商的经历使他无缘与历史名人共同载入史册。

去了，就对勾践说："你待我不错。等我病好了，就放你回去。"

由于勾践处处小心服侍夫差，再加上伯嚭不断向夫差报告越国十分平静，一点也没有反叛吴王的迹象，夫差就以为越王勾践真的完全臣服自己，越国对吴国已经没有什么威胁了。于是，公元前491年，夫差亲自送勾践夫妇上车，放他们回了越国。

在吴拘役了3年之后，勾践终于回到越国。这时，越国百废待兴，勾践向范蠡请教振兴越国之道，范蠡最后说："但愿大王时时勿忘石室之苦，则越国可兴，而吴仇可报矣！"

勾践听了，连连称善。他立刻命文种主持国政，范蠡治理军旅。勾践也苦身劳心，发愤图强，不用床褥，积薪而卧。又在坐卧的上方悬挂了一个苦胆，无论是饮食起居，都要先尝尝苦胆，激励自己不能忘记过去的苦难生活。每到夜里，勾践常常暗自流泪，恨恨地自言自语道："勾践，你忘了会稽之耻吗！"同时，他尊贤礼士，敬老恤贫，以求得百姓拥护。他还奖励生育，积聚财物，演练士卒，修甲兵，始终不敢怠懈。

但是，对待吴国，勾践始终谦卑有加，一丝野心也不露出来。

勾践从此以后，精于治国，奋发图强，使越国国富民强，日益强大，最终一雪前耻，消灭了吴国。

夫差

夫差，春秋时期吴国君主，阖闾次子。为遵从败于越王勾践的父王阖闾的遗训，即位当年就以伯嚭为太宰，与老将伍子胥操演军队，以图复仇。公元前494年，吴王夫差攻破越都，勾践被迫屈膝投降，并随夫差至吴国，臣事吴王。

第二十九章　去奢去泰

【原文】

将欲取天下而为之，吾见其不得已①。天下神器②，不可为也，不可执也③。为者败之，执者失之。是以圣人无为故无败，无执故无失。故物或行或随，或歔或吹④，或强或羸⑤，或挫或隳⑥。是以圣人去甚⑦，去奢，去泰⑧。

【注释】

①取：治理的意思；为：施为；不得已：已为语气助词，达不到，得不到成功。

②天下神器：器，器物、东西。

③为、执：都有掌握，控制的意思。

④歔：温暖、温热的意思。吹：急出气使凉。

⑤羸：瘦弱。

⑥挫：王弼本作"挫"，河上公本作"载"。意思是安坐在车上。隳（huī）：即堕、坠。与挫（或载）相对，即坠下车去。

⑦甚：极端的。

⑧奢：奢侈的。泰：即太，过度的、过分的。

【译文】

有人想要夺取天下并且治理天下，我预知他是不会取得成功的。天下是神圣的存在，是不可以勉强治理的。谁强行治理天下就会把它毁坏，谁把持它就会把它失掉。因此，圣人不妄为，所以不会失败；不强行控制，所以不会失去。世间的事物，有的前行，有的后随；有的嘘暖，有的吹凉；有的强健，有的羸弱；有的安定，有的危殆。因此圣人要戒除那些极端的、奢侈的、过分的行为。

【评析】

本章以治身之道印证治国之道，以不道统治烘托圣人之治。统治者无道，故有甚、奢、泰的不道行为；圣人明道，故"去甚、去奢、去泰"。中心思想还是以道为本。老子论"无为"之治，对于"有为"之政所提出的警告，即"有为"必然招致失败，"有为"就是以自己的主观意志去做违背客观规律的事，或者把天下据为己有。事实上，老子所讲的"无为"，并不是无所作为，也不是在客观现实面前无能为力。他在这里说，如果以强力而有所作为或以暴力统治人民，都将是自取灭亡，世间无论人或物，都有各自的秉性，其间的差异性和特殊性是客观存在的，不要以自己的主张意志强加于人，而采取某些强制措施。理想的统治者往往能够顺任自然、不强制、不苛求，因势利导，遵循客观规律。老子尊重客观、尊重规律，主张和允许个性存在、发展的思想，还是有一定的积极意义的。

【故事】

老子"去奢"的思想在当今仍有重要意义。"历览前贤国与家，成由勤俭败由奢"，这是唐代诗人李商隐对历史经验教训的概括。我国历史上曾涌现出晏子、杨震、于成龙等尚俭去奢的廉吏，为后人所称道。奢侈是最危险的东西，虽然它没有牙齿，却可以吃掉你的理想；它没有双脚，却可以引导你走向歧途；它没有烟味，却可以熏黑你的灵魂；它没有砒霜，却可以毒害你的情操、意志和人格……奢侈犹如醋酸，能腐蚀灵魂，会使人坠入深渊。因此，去奢的名言至今仍重如千钧。

吴隐之，字处默，濮阳郡鄄城县人。年轻时就孤高独立、操守清廉。他入仕几十年，诸多将相公卿仿佛走马灯一般起落浮沉，来去匆匆，连皇帝也换了好几个。"一朝天子一朝臣"，上上下下乱纷纷，而他则一直身居要职，并且步步高升。许多人都认为他是吉星高照，官运亨通，其实他除勤政爱民之外，还戒除贪欲，恪守操行。

在晋隆安之年，朝廷选任吴隐之为龙骧将军、广州刺史。魏晋时代的广州，治所在番禺，辖境相当于现在两广的绝大部分地区，北有五岭，南临大海，山清水秀，佳果终年不绝，所产南珠等各种珍宝更是驰名中外。

伯夷

伯夷，商末孤竹
君长子。初孤竹君欲
以次子叔齐为继承人。
孤竹君死后，叔齐让
位，伯夷不接受，后
兄弟二人俱不肯为君
而逃亡至周。到周后
反对武王伐纣，曾扣
马而谏。武王灭商后，
他们又以食周粟为耻，
又逃亡首阳山饿死。

吴隐之携家小、部属，赴广州上任，一路跋山涉水，风餐露宿，这一日抵达离广州20里的石门。石门下激石远处有一泓泉水，据说凡是饮过此泉水的人，无不陡起贪念，故名之曰"贪泉"。贪泉臭名昭著，无人不知，当地居民又添油加醋，说是只要口沾一滴贪泉水，就会立即燃起万丈贪欲之火，连六根清净的世外高僧，不食人间烟火的仙道也概莫能外。路人传言，神乎其神，自命清高的过客避之犹恐不及，生怕玷污了自己的清名；利欲熏心之徒也假装正人君子，一提起贪泉便掩耳捂鼻；一般人都认为岭南贪污成风，"风"源便是贪泉。吴隐之不信邪，对亲人说："不见可欲，使心不乱。岭南官吏丧失清操其真正原因，我已经明白了。"于是，他走到贪泉旁边，俯身舀起一杯泉水，"咕嘟咕嘟"喝下肚去，仿佛酌饮美酒一样。喝完咂咂嘴，除了甘甜可口之外，也没有什么异样的感觉。隐之微微一笑，当即赋诗曰：

古人云此水，一歃怀千金。

试使夷齐饮，终当不易心。

"歃"意为用嘴吸饮，"夷"齐指商朝末年以互相让国、饿死不改清操的伯夷、叔齐兄弟。全诗大意是：古人说这泉水，只要一口沾唇也会顿生贪念，要得千金。假如伯夷叔齐来到这里，不管怎样大饮特饮，他们那清廉之心，也绝不会改变一毫一分！吴隐之一语道破了他酌饮贪泉，不渝清操的真谛：人贪与不贪，不在于喝过或没喝过"贪泉"水，而在于自己的思想品质和道德情操。

果然，他在广州任职期间一尘不染，更加清廉。虽然广州物产丰富，可他平常吃的不过是些蔬菜和干鱼，帷帐、用具、衣服等都十分朴素。当时有些人还以为他是故意装装样子，以显示自己的俭朴。不过时间一长，才知道他真是个清官，不是故作姿态。

由于他以身作则，广州地区的贪污陋习也大为改观。朝廷嘉奖吴隐之的廉洁克己、改变风气，进号为前将军。吴隐之不仅自己廉洁奉公，而且严格要求妻儿亦要节俭清廉，其感人事迹不胜枚举，只说一件便可见一斑。

那还是在孝武帝时期，曾在淝水之战中立下大功的谢石任卫将军，慕名奏请吴隐之做将军府的主簿。有一天，听人说吴隐之的女儿即将出嫁，谢石料想吴隐之一向清廉俭朴，嫁女必然简单了事，更不会置办多少嫁妆，于是立即派人为助婚使者，并让人将自家厨具等搬去相助。使者走到吴家门口，恰巧碰见一个小丫头牵着一条狗往外跑，院子里什么动静也没有。他心里直纳闷，以为走错了门，便喊住小丫头打听："这是主簿吴公府上吗?"小丫头回答："是呀!""贵府小姐要出嫁了吗?""是呀!"使者又朝门里扫视一周，大惑不解，自言自语："怎么如此萧然?"小丫头没有听明白他说什么，便向他摆摆手说："对不起，我要卖狗去了!"使者急忙喊道："别跑，卖狗干什么?"小丫头冲他笑笑说："不是告诉您老了吗? 我家小姐要结婚，等钱用呀!"说完就跑了，使者大吃一惊，根本不相信自己的耳朵，愣一会，转身跑回将军府，向谢石和大小官僚们报告这桩"特大新闻"。

晋代兵阵图

吴隐之告老还乡，直至逝世，屡屡受到朝廷的褒奖和赏赐，并赐予显要的官职，廉洁的士大夫无不以此为荣。吴隐之更用自己的廉洁奉公换来了世人的尊敬。

第三十章 不以兵强

【原文】

以道佐①人主者，不以兵强天下②。其事好还③。师④之所处，荆棘生焉。大军之后，必有凶年⑤。善有果而已，不敢以取强⑥，果⑦而勿矜，果而勿伐，果而勿骄，果而不得已，果而勿强。物壮则老，是谓不道，不道早已⑧。

【注释】

①佐：辅佐。

②以兵强：恃武力来逞强。

③好还：经常遭到报应。还，还报，报应。

④师：指军队。意谓征战。

⑤凶年：荒年。

⑥果：果：结果、目的。取强：逞强。

⑦果：以后几个"果"都是达到目的意思。

⑧早已：早死。

【译文】

用道来辅佐君主者，不恃武力来逞强天下，恃武逞强这样的事经常遭到报应。征战之地，荆棘丛生。大军战争之后，必然会出现大灾荒年。善用兵者，只求达到目的就算了，不敢用兵来逞强。达到了目的不要自高自大，达到了目的不要夸耀，达到了目的不要骄傲；追求这目的是因为迫不得已，达到了目的勿要逞强。事物强盛过头则将老衰，这叫做不合乎道，不合乎道者，会很快消亡。

【评析】

本章反映老子的战争观。老子反对战争，反对"以兵强天下"。如果迫不得已进行战争，也只限于解除危难；反复强调，不要逞强。老子告诫统治者：谁凭借武力横行霸道，谁就会自食其果，自取灭亡。尽管春秋战国时期的兼并战争是符合历史的发展要求的，是大势所趋，我们也应该看到老子的这种反战思想，客观上表达了广大人民希望社会安宁、稳定、平静的美好愿望，是替广大人民发出的和平呼声。

事实上，老子也并非没有认识到战争的不可避免性。因此，他退一步强调：不到万不得已不用战争解决问题；除了战争没有解决的良好途径的话，要认为发动战争是出于不得已，战争只要达到目的就可以，切不可凭借战争逞强斗胜，自我夸耀。

【故事】

"师之所处，荆棘生焉"，"大军之后，必有凶年"，是讲战争过后给社会、人民所带来的灾难。春秋战国时候，社会动荡不安，大小战争不断，给国家带来严重的破坏，给百姓的生活造成灾难。老子认识到了战争的残酷性，所以他的思想中有着强烈的反战思想。老子还认为如果战争避免不了，那么只要达到目的就可以，不可以逞强斗胜，否则不会得到好下场。从历史上看，战争不管是正义还是非正义，对于国家、人民的危害都是巨大的。所以，我们期待和平、反对战争。

开元后期，由于安定繁荣的日子已久，唐玄宗逐渐丧失了以前那种励精图治的精神。改元天宝后，他纵情享乐，宠爱杨贵妃，信任宦官高力士，把朝政全交给宰相李林甫处理。李林甫对玄宗事事逢迎，私下却利用职权，专横独断。林甫死后，杨贵妃的堂兄杨国忠继任宰相，更是排斥异己，贪污受贿，使政治日益败坏。加上当时土地兼并剧烈，贫富悬殊严重，政治、经济、社会渐呈衰败之象。

身兼范阳、河东、平卢三镇的节度使安禄山，是营州柳城人，他为人狡诈，善逢迎，因请求做杨贵妃养子，很得玄宗的欢心，并取得信任，官运亨通，是势力最大的军阀。他看到唐玄宗荒淫昏乱，内地防卫力量薄弱，"取而代之"的野心膨胀起来。在表面上，他经常到都城长安，装得对朝廷极其恭顺，骗得唐玄宗的宠信，而在背后却暗自在河北老巢积蓄力量。在范阳城北建筑雄武城，广招兵

李隆基

唐玄宗李隆基，善骑射，通音律、历象之学，擅长八分书，多才多艺。玄宗早年英明果断，在他统治下，社会升平殷富。但在后期，其生活开始腐化，政治上受到野心家的蒙蔽，酿成了安史之乱。

安禄山

安禄山，本名阿荦山，即战斗的意思。营州人。父亲是胡人，母亲是突厥人。叛军占领洛阳后，安禄山在洛阳称帝，国号燕。公元757年，安禄山在寝宫被其子安庆绪杀死，后安庆绪被部将史思明杀死。史思明自立为帝，又被其子史朝义杀死。叛军的内讧大大削弱了叛军的力量，公元763年，唐王朝平息了这场长达八年之久的叛乱。

马；又利用民族矛盾，大搞分裂活动。经过10年左右的准备，公元755年，安禄山串通部将史思明，以讨伐杨国忠为名率15万兵南下反唐，"安史之乱"爆发。

安禄山叛兵由范阳南下，一路攻陷藁城、陈留、荥阳，直逼洛阳。唐朝命荣王李琬为元帅，右金吾大将军高仙芝为副元帅，讨伐叛军。叛军田承嗣、安守忠进攻洛阳，守将封常清军队被叛军骑兵冲杀，大败溃逃，叛军攻占洛阳，封常清逃走。叛军追击高仙芝军队，唐军大乱，人马践踏，死者不可胜数。后唐军退守潼关，才阻住叛兵西进。在河北，平原太守颜真卿、常山太守颜杲卿兄弟相约阻击叛军。史思明率兵攻打常山，颜杲卿昼夜拒战，终因粮尽无援，常山失守，颜杲卿及一家30余人被害。常山之战虽然失败，但却牵制了叛军攻打潼关的兵力，减轻了关中的压力。

天宝十五年正月，安禄山在洛阳称大燕皇帝，准备西进夺取长安。唐玄宗任命河西陇右节度使哥舒翰为兵马副元帅，扼守潼关。哥舒翰采用以逸待劳战术阻击叛军，等待决战时机成熟。但玄宗屡次催促他出战，哥舒翰不得已出关与叛军决战，结果唐军大败，哥舒翰力战被俘，投降了安禄山。潼关既破，长安已无险可守，玄宗仓皇逃往四川。安禄山兵进长安，纵兵劫掠，搜捕百官、宫女、宦官押赴洛阳。

当叛军攻下长安时，玄宗之子李亨逃到灵武，即位称帝，是为肃宗。肃宗整军经武，准备收复两京，中兴唐朝。唐将郭子仪率兵5万赴灵武，李光弼赴太原抗敌，肃宗政权始能立足。然而李亨任用志大才疏的房绾谋划军国大事，命他率兵收复两京。房绾于是分兵三路，向长安进发。他迂腐地效用古代车战之法，用2000辆牛车，两翼由步兵和骑兵掩护，与叛军安守忠在咸阳附近作战，敌军乘风纵火，拉车的老牛吓得四处乱窜，唐军死伤4万余人，部将杨希文、刘贵哲投降叛军，房绾只带数千人逃归灵武。

在抗击安史叛军的战斗中，影响最大的是太原之战和睢阳之战。至德二年正月，安禄山为其子安庆绪所杀。这年，史思明、蔡希德率兵10万两路围攻太原，准备攻下太原，长驱朔方，消灭肃宗政权。唐将李光弼率领军民于城外掘壕沟，在城内修堡垒，凭险固守太原。史思明率骁骑兵攻城，命令军队攻东城西城接应，攻南城北城接应，百般设计，又造云梯、土山攻城，双方相持月余。李光弼募人挖地道通到城外，把叛军攻城的人马云梯陷入地道中，又制造大炮，毙伤叛兵2万余人，史思明才率军稍稍后退。李光弼派偏将诈降，亲自率军挖好地洞，严阵以待，史思明正在准备受降，突然一声天崩地裂，叛军千余人陷入地洞，顿时大乱，唐军乘势出去，杀伤1万余人。史思明留下蔡希德攻城，自己逃回范阳。李光弼选敢死士兵出攻，杀敌7万，蔡希德败逃，唐军取得了太原保卫战的胜利。

与此同时，安庆绪命尹子奇率兵13万攻打睢阳，唐守将许远向守卫雍丘、宁陵的张巡求援，张巡自宁陵率兵进入睢阳城，与许远共同坚守。二人齐心协力，张巡指挥战斗，许远调集军粮，修造战具，唐军只有6000余人，但却士气百倍，昼夜苦战，有时一天作战20次，杀敌2万余人，尹子奇率军回撤。三、四月间，尹子奇再度围攻睢阳。张巡杀牛犒军，士卒感奋，全部出战。叛军见唐军人少，麻痹轻敌，张巡率军直冲敌阵，杀叛将30余人，士兵3000人，追杀数十里，大获全胜。此后双方相持于睢阳，张巡命令士兵夜间在城上列队击鼓，作出要交战的样子，叛军一夜不敢休息，唐军则在白天息鼓休整。如此数日，尹子奇不复防备，张巡率领勇将南霁云、雷万春十余次突袭敌营，直冲到尹子奇大帐，杀敌将50余人，叛兵5000人，南霁云一箭射中尹子奇左眼，险些把他活捉，尹子奇率兵撤围。七月，尹子奇第三次围攻睢阳，唐军因伤亡无法补充，又无援兵，城中粮食也用完，张巡只好固守拒敌。叛军用云梯、木驴、土囊攻城，张巡随机应变，千方百计破敌，迫使尹子奇做长期围困的计划。由于数月苦战，唐军只剩600人，孤立无援。张巡命南霁云赴临淮向贺兰进明求援，但贺兰进明忌妒张巡成功，拒不发兵。叛兵见援兵不到，城中鼠雀都被网罗以尽，攻城更急，唐军将士力竭不能出战，城遂失陷，张巡、南霁云、雷万春等将领被害，许远押赴

李光弼

李光弼，契丹族，唐朝名将。曾任河西节度使、朔方节度副使等。平安史之乱，与郭子仪齐名。

洛阳。

太原和睢阳保卫战，牵制了叛军大量兵力，对扭转战局起了重要作用。与此同时，唐将郭子仪率兵攻取凤翔，平定河东，肃宗由灵武进至凤翔，会集陇右、安西和西域之兵，又借回纥兵，收复两京。至德二年九月，唐军进攻长安，李嗣业率前军，郭子仪率中军，王恩礼率后军，与叛军李归仁交战。唐军初战不利，为叛军所败。李嗣业袒胸持刀，身先士卒，唐军手执长刀，排阵推进，所向披靡。唐将王难得被敌箭射中，肉皮下翻遮住了眼，他连箭带肉拔去，血流满面，战斗不止。叛军伏兵又被仆固怀恩和回纥兵击败，士气沮丧。叛军大败，被斩首6万，践踏而死者不计其数，唐军乘胜收复长安。广平王与回纥王叶护、唐将郭子仪等率军兵进洛阳，安庆绪杀所获唐将哥舒翰、许远等逃回河北，唐军收复洛阳。

上元二年三月，史朝义杀史思明，自立为帝。

史朝义率兵攻宋州，为唐将田神功所败。宝应元年，唐代宗即位，命雍王李适为天下兵马元帅，仆固怀恩为副元帅，协同李光弼讨伐史朝义。唐军在洛阳北郊大败叛兵，杀获甚众，史朝义败归河北，唐将仆固炀又在贝州取胜。宝应二年，史朝义败走范阳，穷困自杀，延续八年的安史之乱被平定。

安史之乱是中唐社会矛盾的产物。由于唐朝社会长期歌舞升平，不识战斗，所以叛兵很快攻下洛阳和长安。然而叛军每破一城，都大肆劫掠妇女、财货，男子壮者荷担，老弱则被杀死，渐失民心。"安史之乱"是唐王朝由盛到衰的转折点。在战争中，人民群众特别是黄河中下游人民遭到了空前的浩劫，北方经济受到很大破坏。"洛阳四面数百里州县，皆为丘墟"，"汝、郑等州，比屋荡尽，人悉以纸为衣"，出现了千里萧条、人烟断绝的惨景。

郭子仪

郭子仪，华州郑县人，祖籍山西汾阳。唐代著名的军事家。武举出身。官至中书令，封汾阳郡王。郭子仪戎马一生，屡建奇功，以84岁的高龄才告别沙场。他"权倾天下而朝不忌，功盖一代而主不疑"，举国上下，享有崇高的威望和声誉。

第三十一章　恬淡为上

【原文】

夫唯兵者^①，不祥之器，物或恶之^②，故有道者不处^③。君子居则贵左，用兵则贵右^④。兵者不详之器，非君子之器，不得已而用之，恬淡^⑤为上，胜而不美，而美之者，是乐杀人。夫乐杀人者，则不可得志于天下矣。吉事尚左，凶事尚右。偏将军居左，上将军居右。言以丧礼处之。杀人之众，以悲哀莅^⑥之，战胜以丧礼处之。

【注释】

①兵者，指兵器、含有武力、战争的意思。夫，作为发语词。

②物或恶之：物，指人。意为人所厌恶、憎恶的东西。

③不处：即"不与之处"，意为不接近它。

④贵左：古人以左为阳以右为阴。阳生而阴杀。尚左、尚右、居左、居右都是古人的礼仪。

⑤恬淡：安静、沉着。

⑥莅：到达、到场。

【译文】

兵器是不祥的东西，人们都厌恶它，所以有"道"的人不接近它。君子平时就以左边为上，而出兵打仗时就以右边为上。兵器这个不祥的东西，不是君子所使用的东西，万不得已而使用它，最好淡然处之，胜利了也不要自鸣得意，如果自以为了不起，那就会把杀人当作快乐。凡是喜欢杀人的人，就不可能得志于天下。吉庆的事情以左边为上，凶丧的事情以右方为上，副将军居于左边，上将军居于右边，这就是说要以丧礼仪式来处理用兵打仗的事情。战争中杀人众多，要用哀痛的心情参加，打了胜仗，也要以丧礼的仪式去对待。

【评析】

本章承袭了上一章的反战思想。老子在其中比较系统地阐述了自己否定、反对战争的基本立场与态度。它是老子反战思想的一次集中体现。老子的反战思想，是从人道立场出发的，正如在第三十章他指出的，"师之所处，荆棘生焉"，"大军之后，必有凶年"。但老子又并非一个完全愤世嫉俗、脱离现实的理想主义者，他对现实、政治的深切关注，使他不能对战争进行全盘否定，只得以"不得已而用之"进行自我安慰，从而提出以"恬淡为上"、"胜而不美"、"以丧礼处之"等折中办法，以解决人性与政治的矛盾和冲突。

文章中老子把兵战之事与社会通常的礼仪习俗相比照，揭示了社会礼仪习俗中潜含的贬兵反战的情感取向，以及由此宣发的行事仪轨。他主张把这些行事仪轨充分地贯彻于不得已而为之的战争之中。这说明了老子对这些礼仪习俗的尊重，对这些礼仪所潜含的思想感情的认同，以及对礼仪所具有的教化功能的肯定。

【故事】

老子认为战争是不祥的东西，最好抱有恬淡之心。这也是老子守柔、虚弱、淡泊思想的一种体现。从战争方面可以扩展到为人处世、治家治国，都必须有一种"淡泊明志，宁静致远"的心态。

古人曾经说过："淡泊以明志，宁静以致远。"这话听起来是十分诱人的，但如果真的实行起来恐怕就只能自己"明志"给自己看，无法"致远"了。尤其是危机四伏、处处充满嫉妒和阴谋的皇宫里，恐怕就更难以做到了。然而，汉和帝的皇后邓绥却是一个别例，她的确创造了一个奇迹。

邓绥是东汉和帝刘肇的皇后，她成为皇后，似乎与别的皇后有所不同，靠的是她的谦让的美德。她自幼性格柔顺，非常善于忍让，甘愿委屈自己，以宽慰他人。她5岁的时候，有一次，祖母为她剪发，由于老眼昏花，不小心将

东汉牛形灯

邓绥的前额碰破。邓绥强忍疼痛，一声不吭。别人感到十分不理解，问她："你这样像没有事一样，难道不知疼痛吗?"邓绥却说："我不是不知疼痛。我的祖母疼爱我，为我剪发，我若喊痛，就会伤她老人家的心，所以我忍住了。"一个5岁的孩子能说出这样的话来，实是异乎常人。这件事反映出邓绥的品格。

东汉永元七年，邓绥被选入宫，成为和帝的贵人。第二年，另一个贵人阴氏因身为贵戚，靠着后台的势力被立为皇后，从此，邓绥格外谦卑小心，一举一动皆遵法度。对待与自己同等身份的人，邓绥常常克己事之，即使是宫人隶役，邓绥也不摆主人的架子。有一次，邓绥得了病，按照当时的规定，外人不能轻易进宫探视。和帝特别恩准邓绥的母亲兄弟进宫照顾，并且不做时间上的限制，这在当时看来，是特殊的恩德。邓绥知道后，便对和帝说："宫廷禁地，对外人限制极严，而让妾亲久留宫内很不合适。人家会说陛下私爱臣妾而不顾宫禁，也会说我受陛下恩宠而不知足，我受别人的议论倒是小事，损害了陛下的威德我实在担当不起。这对陛下和臣妾都没好处，我真的不愿您这样做。"和帝听后，觉得她是个识大体的人，非常感动，说："别的贵人都以家人多次进宫为荣，只有邓贵人以此为忧，这种委屈自己的做法是别人比不了的。"从此对邓绥更加宠爱了。

邓绥虽然得到和帝的宠爱，但一点也没有显出骄傲的样子，反而更加谦卑。她知道皇后的脾气，也隐隐约约感到因为皇帝过于宠爱自己而使阴氏对她有所忌恨，所以对阴氏更加谦恭，皇后也不好过于找她的麻烦。每次皇帝举行宴会，别的嫔妃贵人都竞相打扮，服装非常艳丽，以此来炫耀自己。只有邓绥独穿素服，丝毫没有装饰。她非常细心，每当发现自己所穿衣服的颜色有时与阴氏相同时或相似时，就立即进行更换。若与阴氏同时进见，她从不敢正坐。和帝每次提问，邓绥总是让阴氏先说，从不抢她的话头。

邓绥不是故作姿态，而是发自内心的谦恭，她的这种

汉和帝刘肇

汉和帝刘肇，东汉第四位皇帝。他即位时，只有10岁，由母后窦太后执政，从此汉朝由稳转乱，进入外戚、宦官相继掌权的时期。窦太后排斥异己，让弟弟窦宪掌权，窦家人一犯法，窦太后就再三庇护，窦氏的专横跋扈，引起汉和帝的不满。永元四年，汉和帝联合宦官将窦氏一网打尽，但是也由此进入宦官专权时期。

品德进一步赢得了和帝的好感，皇后阴氏的傲横和嫉妒倒很使皇帝讨厌。后来，皇后逐渐感觉到邓绥对她的威胁，就采取阴险刻毒的手段来对付她。永元十四年，阴氏与人制造巫蛊之术，企图置邓绥于死地。不料阴谋败露，阴氏被幽禁，后忧愤而死。

阴氏死后，和帝很想立邓绥为皇后。邓绥知道后，觉得不合适，自称有病，躲藏起来，以示辞让。这反而激发了和帝立后的决心，他说："皇后之尊，与朕同体，上承宗庙，下为天下之母，只有邓贵人这样的有德之人才可承当。"永元十四年冬，邓绥终于被立为皇后。

第三十二章　知止不殆

【原文】

道常无名。朴虽小①，天下莫能臣②。侯王若能守之，万物将自宾③。天地相合，以降甘露，民莫之令而自均④。始制有名，名亦既有，夫亦将知止⑤，知止可以不殆⑥。譬道之在天下，犹川谷之于江海。

【注释】

①朴：质朴。这是用来指称"道"的。常：本来。

②臣：名词作动词用，"使……为臣"、"使……服从"的意思。

③宾：宾服、服从。

④自均：自然均匀，形容以道驭民，其民自化。

⑤止：止境、限度。

⑥殆：危险、危害。

【译文】

"道"本来是没有名字的。它虽然幽微不可见，天下却没有人能支配它。侯王如果能保有它，万物将会自动地服从。天地之间阴阳之气相合，就降下甘露，人民没有令它均匀，它却自然均匀。万物兴作，就产生了各种名称，各种名称已经产生，就要知道适可而止；知道适可而止，就可以避免危险。"道"为天下所归，正如江海为一切小河流所归一样。

【评析】

老子在本章指出，自然的"道"是一种确确实实的存在，而且这种存在是不以人的意志为转移的。相反，人只有"守道"，也就是按照"道"的规律行事，才能得到最大的益处。老子的所谓"道"，只是由思维形式表述的一些东西，并不直接适用于对待客观现实的事物和现象。但是从

另一方面看，"道"又是具有最大共性的"无名、朴"，并且还适用于新旧转化的客观规律，在整个"大、逝、远、反"的进程中，它的存在是具有本质和现象、形式和内容、可能和现实，以及动静、因果等等关系性的辩证范畴。

老子的"无为"政治思想又在本章得以论述，他认为侯王若能依照"道"的法则治天下，顺应自然，那样，百姓们将会自动地服从于他。老子用"朴"来形容"道"的原始"无名"的状态，这种原始质朴的"道"，向下落实使万物兴作，于是各种名称就产生了。立制度、定名分、设官职，不可过分，要适可而止，这样就不会纷扰多事。老子认为，"名"是人类社会引争端的重要根源。

【故事】

老子对于万物与"道"的关系的论述，对于我们今天有着十分重要的启示作用。道虽然小，但是人们必须遵循它的规律，对于万物的使用要有一定的节制性，知道适可而止，否则就会受到惩罚，陷入危险的境地。可是，有许多人并不知道"知止不殆"的思想，杨国忠就是因为恣意弄权，不能节制，最后被人斩首示众。

杨国忠，原名钊，山西蒲城永乐人。他本是无赖出身，学识浅薄，才能平庸，仅因族妹杨玉环得宠于玄宗，才得以重用，由金吾兵曹参军跃居右相。

杨国忠生活腐败，黩武贪功，专横跋扈。他得势之后，一些寡廉鲜耻、趋鹜奔竞之徒纷纷投靠他，以图分得一杯羹。但也有一些明智之士对这个暴发户的前途看得十分清楚，陕州进士张象就是一个。

张象学问广，名气也很大，有人劝他何不去找杨国忠，谋取荣华富贵。张象说："你们以为他稳如泰山，在我看来，他只不过是一座冰山罢了，一旦太阳出来，这座冰山就会融化，还能做你们的靠山吗？"目睹时局的纷乱后，他便隐居到嵩山去了。

杨国忠当上宰相后，为了培植自己的势力，即就官员

杨贵妃墓

杨贵妃，名玉环，陕西华阴人，通晓音乐，能歌善舞，有倾国之貌。原为唐玄宗之子李瑁的王妃，后被唐玄宗召入宫中，天宝四年封为贵妃。安史之乱中，唐玄宗逃至马嵬坡时，以右彪武军大将军陈玄礼为首的随从将士杀死宰相杨国忠，并胁迫唐玄宗将杨贵妃缢死，时年38岁。杨贵妃墓其实只是杨贵妃的衣冠冢。

铨叙问题向吏部作出指示："文部（吏部）选人无问贤与不肖，选深者留之，依资据阙注官。"就是说，不管贤才、庸人，升级一律按资排辈。这样一来，那些候补多年、不能升级的人，一个个得到了满意的官职。杨国忠这样做，既廉价收买了人心，又挑选出一辈庸庸碌碌、俯首听命的奴才，可谓一举两得。为满足奢侈、豪华已极的生活，杨国忠还利用职权大肆贪污，聚敛财物。在他家中，光是缣这种丝织品就积存了3000万匹。

杨国忠曾对人说："我本来出身清寒，是靠了后宫的关系才到了今天这样的地位，以后也不会有什么好名声，倒不如生前尽情享乐。"杨国忠这番话道出了这个无赖出身的政治暴发户内心世界的丑恶。杨国忠所干坏事较之前任李林甫犹有过之。由于他的窃朝乱政，致使玄宗后期政治更加黑暗，阶级矛盾、民族矛盾日益尖锐，从而导致了"安史之乱"的爆发。

唐代骑兵铜像

当时潼关陷落，长安指日可下，形势万火危急。玄宗依杨国忠的建议放弃了长安逃往蜀中。在前行的途中，随从护驾的禁军将士经过一天多的紧张行军，已无比饥渴劳困，不愿再走。龙武将军陈玄礼对杨国忠早有不满，这时他对将士说："今天下分崩离析，皇上蒙此大难，都是由于杨国忠的胡作非为一手造成的。如不诛之以谢天下，怎能平息四海的怨愤？"众军士回答："我们早就有这个打算了，除掉了这个奸臣，即使我等身获死罪，也不后悔！"

这时，有20多位吐蕃使者因得不到食物，饥饿难忍，围住杨国忠的坐骑在诉苦。禁军士兵突然大呼："杨国忠与吐蕃人在谋反！"有人发箭射中了杨国忠的马鞍，杨国忠翻身下马，逃到马嵬驿的西门内。众军士将西门团团包围，一齐追上，将杨国忠斩首。为雪心中愤怒，并将其尸体肢解，用枪挑着他的脑袋挂在西门外示众。

世上没有长久不变的事情，今日你可能享尽荣华富贵，明天却又沦为阶下囚，世事无常啊！为人处世，不要过于贪婪，要知道节制，适可而止。

第三十三章　自知者明

【原文】

知人者智，自知者明①。胜人者有力，自胜者强②。知足者富。强行③者有志。不失其所者久。死而不亡④者寿。

【注释】

①明：高明、聪明的意思。老子认为"明"高于"智"

②强：这是老子使用的特殊概念，含有果决的意思，与第五十二章"守柔曰强"的"强"字用法相同。

③强行：有人认为，"强行"为"勤行"之误；也有人认为，"强"和"勤"在古代是通假字。由此，"强行"就是努力不懈的意思。

④死而不亡：身体已经死亡，但其精神依然被世人遵循。

【译文】

能够了解、认识别人的算作是明智，能够了解、认识自己的才算作是真正的高明。能够战胜他人的可算作是有力量，能够战胜自我、超越自我的才算作是真正拥有实力。能够满足的就是富有，能够努力行动、坚持不懈的才算是真正的志向。不丢失道的根基的就可以长久，身体虽死而精神永存的才是真正的长寿。

【评析】

本章专门阐述了精神修养方面的观点，也是用道作为指导思想的。观点鲜明，论述精辟。全文八句话分为四组，主宾相称，重点突出。八句话里论述了八个大字，即"智、明、力、强、富、志、久、寿"，用绿叶扶红花的手法，突出了每一组的后者，修身养性强调要做到有自知之明、克服自己的弱点，坚持身体力行，人要有精神等，这些都具有积极的意义。老子在文章中精辟地论述了个人身心的自我反省完善问题，主张既要知人、胜人，又要做到自知、自胜。尽管文章中的"知足、死而不亡"等是唯心的消极思想，但是这些道理对于人生修养不无超越时空的借鉴、启示意义。

【故事】

俗话说："知人者易，知己者难。"人最重要的品格就是有自知之明，能够不断的反省自己。老子强调修身养性，要做到有自知之明，克服自己的弱点，坚持身体力行，这些对于我们现在行事都有积极的意义。老子在文中精辟地论述了个人身心自我反省的重要性，既要知人、胜人，又要做到自知、自胜。三国时，马谡就因为没有自知之明，没有自胜的精神，所以导致了失街亭、遭斩首的后果。

街亭的地理位置很重要，它是通往汉中的咽喉，是西蜀军队后勤供应的必经之处；同时，街亭还是蜀国陇西地区的天然屏障。

正因为如此，在三国时候的街亭之战中，蜀魏双方都在极力争夺。

司马懿奉魏帝曹睿命令率领20万大军进攻祁山，在祁山驻兵的诸葛亮召集众将官商议战事。

诸葛亮问："谁能引兵担当把守街亭之任？"只见参军马谡从众将中闪露出来，说愿领兵前往，诸葛亮知道此人言过其实，不可大用。诸葛亮说："街亭虽为弹丸之地，但地理位置很重要，关系蜀军安危利害。且街亭既无城郭，又无险要之处，因此极不易守，一旦丢失，我军处境将很困难。"

马谡见诸葛亮话中略带轻视，便不以为然地说："我自小熟读兵书，区区一个街亭，还能守不住吗?如果丞相觉得信不过我，我愿在此立下军令状，如有什么闪失的话，我以全家的性命作为担保!"

诸葛亮权衡再三，决定让马谡守街亭，要他立下军令状，拨给他25000精兵，为防不测，又派王平和高翔辅助马谡，并再三交代他们占领街亭要道，以免魏军逾越。

诸葛亮

诸葛亮，三国时杰出政治家、军事家、战略家、散文家、外交家。字孔明，号卧龙。诸葛亮于汉灵帝光和四年出生于琅琊阳都的一个官吏之家。诸葛氏是琅琊的望族，先祖诸葛丰曾在西汉元帝时做过司隶校尉(卫戍京师的长官)。诸葛亮父亲诸葛珪，字君贡，东汉末年做过泰山郡丞。

马谡

　　到街亭后，马谡和王平察看地形，大路总口地处街亭要道，把守着街亭大门，王平认为在此驻扎较好，但马谡一意孤行，执意要在路旁的一座小山上驻扎。理由是兵书上说居高临下可势如破竹，定会杀得魏军片甲不留。王平劝说不动马谡，无奈，只好到山的西边另择一处驻扎。

　　司马懿来到街亭后，看到守卫大将是马谡，且蜀军兵营驻扎在山上，便仰天大笑说：“诸葛亮聪明一世，糊涂一时，怎么能用马谡这样的庸才守街亭呢，真是老天有眼啊！”他一面派大将张郃挡住王平对马谡的增援，一面又派兵将小山层层包围，断绝山上的饮水，然后严阵以待。

　　蜀军将士看到满山遍野都是魏军，便开始惊慌起来，不几日，山上饮水全无，士兵更加惶恐。司马懿趁机放火烧山，蜀军一片大乱，马谡拼死杀出一条血路才得逃脱。

　　街亭一失，魏军长驱直入，诸葛亮也来不及后撤，被迫演了一场“空城计”。

　　马谡自以为是，毫无自知之明，他为自己的愚蠢付出的代价是生命，失街亭之后，诸葛亮挥泪斩马谡。

第三十四章　不自为大

【原文】

大道氾兮①，其可左右。万物恃之以生而不辞②，功成不名有③。衣养④万物而不为主⑤，常可名于小⑥；万物归焉而不为主，可名为大⑦。以其终不自为大，故能成其大。

【注释】

①氾：同泛，水向四处流。广泛或泛滥。

②辞：言词，称说。不辞，意为不说三道四，不推辞、不辞让。

③不名有：名：本义是"命名"，这里指"说"的意思。

④衣养：意为养育，庇护，施给恩泽。衣：向衣被那样覆盖庇护。

⑤不为主：不自以为主宰。

⑥小：渺小。

⑦大：伟大。

【译文】

大道像泛滥的河水，广泛流行，无所不到。万物依赖它生长而它对万物从不加以干涉，大功告成，却说不出它的功劳在哪里。他护养了万物却不做万物的主宰，经常没有自己的欲望，可以说它是渺小的；万物向它归附，它也不做万物的主宰，又可以说它是伟大的。由于它终究不自以为伟大，所以才能成就它的伟大。

【评析】

本章是大道的颂歌，是对大道的"大"的品性的阐述。道之"大"既指道作为普遍行为规范的普适性，也指道作为某一拟人化的行为者的无不涵纳、无不兼容的宽容品性。由于能涵纳万物又能无妨于自身的谐和稳态就能雍容裕如地应对万物，所以，这两方面是完全一致的。道之于天下的这种宽容品性可以作为统治者的最佳楷模，它使人君懂得：对责任的担当，对权力的自敛是他统有天下的前提。

"大道"指的是宇宙最初源起时的状态。这种源起有两种情形，一是指宇宙自然的源起状态，一是指人利用心法去摹拟宇宙自然的源起状态，这两种情形在逻辑上是一致的。人处在宇宙之中，可以看到宇宙的庞大，而且，就"大"而言，再也没有比宇宙整体及其发展更大的东西了。

【故事】

老子认为道是十分伟大的，但是却从不自以为大；万物都信赖它生长，但是却从不加以干涉；大功告成，却从不显示功劳。这就是道能够称之为大的原因。道的这种品质可以作为人们的最佳楷模。人不能自己有点功劳之后就自大、自负，不把别人放在眼里，那样只会显得你的渺小。

曾国藩和左宗棠都是清朝的大臣，朝野一般多以"曾左"并称他们两人。曾国藩年长于左宗棠，并且对左宗棠也予以提拔，但左宗棠为人颇为自负，从没有把曾国藩放在眼里。

有一次，他很不满地问其身旁的侍从："为何人们都称'曾左'，而不称'左曾'？"

一位侍从回答："曾公眼中常有左公，而左公眼中则无曾公。"

这句话让左宗棠沉思良久。

聪明的人知道自己愚笨，而愚笨的人总以为自己聪明。可以说，愚蠢和傲慢是一棵树上的两个果。聪明人能自己从树上摘掉这两枚恶果。

左宗棠喜欢下棋，而且棋艺高超，少有敌手。

有一次，他微服出巡，在街上看到一个老人摆棋阵，并且在招牌上写着"天下第一棋手"。左宗棠觉得老人太过狂妄，立刻前去挑战。没有想到老人不堪一击，连连败北。左宗棠洋洋得意，命他把那块招牌拆了，不要再丢人了。

当左宗棠新疆平乱回来，见老人居然还把牌子悬在那里，他很不高兴，又跑去和老人下棋，但是这次竟然三战

左宗棠

左宗棠，字季高，一字朴存，自号湘上农人。洋务派和湘军首领，官至浙江巡抚，擢闽浙总督，创办福州船政局，后调陕甘总督，官至军机大臣、东阁大学士，中法战争时在福建督师。

三败，被打得落花流水。第二天再去，仍然惨遭败北，他很惊讶老人为何在这么短的时间内，棋艺能进步如此的快？

老人笑着回答："你虽然微服出巡，但我一看就知道你是左公，而且即将出征，所以让你赢，好使你有信心立大功。如今已胜利凯旋，我就不再客气了。"

左宗棠听了心服口服。

左宗棠曾有自负的毛病，但他知错能改，成为谦谦君子。一个人不知道并不可怕——人不可能什么都知道，但可怕的是不知道而假装知道。这样的人就永不会进步，就像老爱欣赏自己脚印的人，只会在原地上绕圈子。

第三十五章　往而不害

【原文】

执大象①，天下注②。注而不害，安平太③。乐与饵④，过客止。道之出口⑤，淡乎其无味，视之不足见，听之不足闻，用之不足既⑥。

【注释】

①执大象：执，掌握。大象，即"道"。道是无物之象，它产生天地，无处不在，是宇宙中最大的象。

②天下往：天下，指天下的人们。往，归往的意思。

③安平太：安，相当于乃、于是的意思。平，和平。太，即泰，安泰。

④乐与饵：乐，音乐。饵，美味佳肴。

⑤出口：说出来。

⑥用之不足既：既，尽。

【译文】

谁掌握了那伟大的"道"，普天下的人们便都归附他，向往、投靠他而不互相妨害，于是大家就和平而安泰、宁静地相处。音乐和美好的食物，使过路的人都为之止步。道如果用言语来表述，是平淡而无味儿的，看它，看也看不见，听它，听也听不见，而它的作用，却是无穷无尽的，无限制的。

【评析】

这一章，述说了"道"的作用和影响。"道"的作用和影响不可低估，它可以使天下的人们都向它投靠而不相妨害，过上和平安宁的生活。因而可以这样说，本章实为"道"的颂歌。在《道德经》中，"道"已经被多次论及，但从来没有重复，而是层层深入、逐渐展开，使人切实感受"道"的伟大力量。

老子认为，圣人治国，"处无为之事，行不言之教"，营造了自然淳朴的社会风尚，天下有志之士自然慕道而来。对此，圣人没有国家和民族偏见，而是一视同仁。这样一来，社会就形成了各民族和睦相处的太平盛世景象。"安平太"，是政治文明和道德文明高度统一的象征。老子又提出了现实中的现象"乐与饵，过客止"。这里，老子的目的是要告诫人们：人来到这个世界上，就像匆匆过往的旅客，不要被眼前一时的名利所诱惑。人的一生虽有几十年，乃至百年，但在历史的长河中，如同白驹过隙，稍纵即逝。所以，人生的真谛在于彻悟大道。只有彻悟大道的人，生命才有价值和意义。

明太祖朱元璋

明太祖朱元璋，明朝开国皇帝，幼名重八，参加农民起义军后改名元璋，字国瑞。朱元璋在位31年，制定的一系列政策和制度影响深远，具有一定的进步作用，并奠定了明朝200多年的统治基础。

【故事】

老子告诫统治者想要普天下的人们都归附于他，就必须让人民过上和平安泰的生活，要实行道的统治。圣人治国要实行"无为之事，不言之教"，而民唯邦本，想治国安邦就必须以民为本。历朝历代得民心者得天下。

民唯邦本，唯有民众才是立国的根本。语出《尚书·五子之歌》："民唯邦本，本固邦宁。"对这一权谋思想，历代发挥颇多。如：民可载舟，亦可覆舟；民为贵，社稷（国家）次之，君为轻；民，事之本也，财须民生，强赖民力，威恃民势，战由民行；王者以民为天，君非民不立。因此，统治者必须共识：国以民为本，社稷亦为民而立；制国有常，利民为本，即为国者以富民为本，若损百姓以奉其事，犹割股以啖腹，腹饱而身毙。老子、管子的认识更为深刻。《老子》："圣人无常心，以百姓心为心。"《管子·牧民》："政之所兴，在顺民心；政之所废，在逆民心。"

朱元璋出身农民家庭，对百姓的疾苦了解很深，加上游历乞食的游方僧生活，使他更广泛地接触了民间平民百姓。他当皇帝后，用很朴实的语言阐述了民唯邦本的思想。那就是为官须替民做主，要体察民情，爱惜民力，先民后国。朱元璋本人可说是体察民情的典范。他从自己的亲身体会说："农夫勤四体，种五谷，身不离田间，手不释农用，终年勤劳，不得休息。他们住的是茅草屋。穿的是旧

布衣，吃的是粗饭菜羹，却负担着国家的经费。我们衣食住行，都不要忘了农民的劳苦，取用要有节制，不能让农夫遭受饥寒，更不能横征暴敛，让农民忍受不了这种苦难。"他还阐述爱惜民力的思想："天下初定，百姓财力非常困难，就像刚刚会飞的鸟。不可以拔它的羽毛，才种下去的树，不可以摇它的根一样。现在必须'安养生息'。百姓足而国富，百姓逸而后国安，未有民困而国独富安者。"据此，朱元璋采取了奖励垦荒，兴修水利，登记土地和户口以律定税率，减轻刑罚、徭役和赋税，改善工匠地位等一系列措施，使明初人口增加，耕地扩大，农业手工业和商业进一步繁荣，国力也随之强盛起来。

朱元璋在位31年，本着执政为民，以民为本的宗旨，创定了一系列政策和制度，有利于民众"安养生息，安家乐业"，奠定了明朝200多年的统治基础。历史的经验值得牢记，值得借鉴，值得发扬光大。我们从这个故事中获得很多启发与教益，更丰富了民唯邦本的治理国家的经验。历史经验反复证明：为政以民为本。

第三十六章　柔弱刚强

【原文】

将欲歙之，必固张之^①，将欲弱^②之，必固强^③之；将欲废之，必固举之；将欲夺之，必固与之。是谓微明^④。柔弱胜刚强。鱼不可脱于渊，国之利器^⑤，不可以示^⑥人。

【注释】

①歙（xī）：收敛，收拢的意思，之，相当于"者"。整句的意思是将要收拢的，必定先扩张。

②弱：削弱。

③强：形容词作动词用，使……强。

④微明：征兆的意思，微明，就是幽微的征兆。

⑤利器：指权势禁令等凶利的政治手段。

⑥示：显示，此主要指展示于人民。

【译文】

想要收敛它，必须暂且扩张它；想要削弱它，必须暂且增强它；想要废黜它，必须暂且兴举它；想要夺取它，必须暂且给予它。这就叫做幽微的征兆，是柔弱战胜刚强的机理所在。鱼不可以离开深厚的水体而生存，国家的刑法禁令不可以轻易展示于人民。

【评析】

此章可以理解为老子讨论权术的思想，那么"利器"就是权术、权谋的意思。"国之利器，不可示人"即含有隐秘的东西不能随便给人看的诡诈，今不从。王弼说："示人者，任刑也。"统治者用严刑峻法来制裁人民，就是用利器示人，就是"刚强"的表现；老子认为这种逞强是不会长久的，因此在此章他又一次阐明"柔弱胜刚强"，主张统治者采取"无为"、宁静的政治。

这一章，老子描述了若干矛盾双方相互转换的情况，表明了他的辩证法思想。"物极必反","盛极必衰"是自然界运动的规律，也是社会人事变化的规律。老子认为，事物总是处于不断对立转化的状态中，当事物发展到某一个极限的时候，它必然会向相反的方向转化，譬如月圆的时候，便意味着月亏，月亮圆满便是月亮亏缺的征兆；人们常说的"冬天来了，春天还会远吗"，也是这个道理，冬天就是春天的征兆。

【故事】

张极必歙，强极必弱，举极必废，予极必夺，这就是自然界事物发展的趋势，即所谓的物极必反，对立转化的微明之理。因此，只有处于柔弱地位，才能战胜刚强。凡是有生命力的事物，都是柔弱的。正因为他柔，他才有前途，有发展的潜力和力量。从发展的眼光看问题，柔弱的一方终究会战胜强大的迅速衰亡的一方。

领导者若想培养下属的忠诚之心，让下属努力为你效力，光用严厉的手段是不行的，很多时候采取柔性的措施往往更有效用。

王辅臣，山西大同人，早年参加明末农民起义，是一员出色的猛将。后来，他投降了明朝大同总兵姜瓖，升为副将。顺治六年，王辅臣降于清兵，隶属于汉军正白旗。

康熙爱才如子，他知道王辅臣智勇双全，是个难得的人才，于是将他调往陕西。陕西是战略要地，关系到首都的安全，战略位置极为重要。王辅臣去平凉上任前，进谒康熙，康熙语重心长地对他说："朕真想把卿留于朝中，朝夕得见。但平凉边庭重地，又非卿去不可。"又特地让他过完元宵节，亲自邀他一道看灯。

为了加强对西北地区的控制，康熙派刑部尚书莫洛率兵前往陕西，让王辅臣坚守平凉，与莫洛同攻四川。王辅臣对莫洛经略陕西，凌驾于其上，有些不满。他从平凉前往西安，向莫洛陈述征战方略，但莫洛不以为意，还显示出轻蔑之意，王辅臣怀恨在心。康熙十三年八月，王辅臣一再要求莫洛给他添兵马，但莫洛先将王辅臣所属固原官兵的好马尽行调走，大大影响了王辅臣所部将士的心情。

吴三桂

吴三桂，字长白，初为明武举人，擢为宁远总兵，清初封为平西王。康熙初年，在云南反清自立，称天下都招讨兵马大元帅，建国称周，不久为清廷剿灭。

莫洛的歧视和压制，终于引发内讧。在莫洛进军不利、屯兵修整时，王辅臣杀死了莫洛，举起叛旗，响应吴三桂。

得知王辅臣叛乱，康熙颇为震惊，当即召见王继贞。王继贞一进殿，康熙就说："你父亲反了！"王继贞吓得魂飞天外，哆哆嗦嗦地说："我不知道，一点儿也不知道。"康熙知道王辅臣叛变，京师随时都有危险，此时再追究莫洛之死，已毫无意义了，只期望王辅臣能回心转意，这样就必须采取施恩收服的策略。于是，康熙对王继贞说："你不要害怕，朕知你父忠贞，决不至于谋反，一定是莫洛不善于调解，才有平凉士卒哗变，你父不得不从叛。你速回去，宣布朕的命令，赦你父无罪。莫洛之死，罪在士卒。"

康熙深知攻敌必先攻心的道理。而王辅臣也是重情之人，康熙深知对这样的人绝不能以刚硬的手段迫其就范，那样必激怒王辅臣，导致他的强硬对峙。反倒是用情感化对王更有作用。

王辅臣接到康熙的诏书后，内心颇不平静，想到康熙对自己恩重如山，不能自己，于是率领人马向北跪下，痛哭流涕。

后来王辅臣担心自己杀死了莫洛，康熙迟早要和自己算账，再次反叛。但是他记着康熙的恩情，一直驻于平凉，既不南下湖南与吴三桂部会合，也不与四川王屏藩联手。

后来清军节节胜利，康熙仍然想招降王辅臣。康熙十四年七月，他又给王辅臣发去一道招降敕谕。王辅臣担心朝廷将来变卦，心存疑惧，不敢贸然归降。

康熙十五年二月，康熙派图海负责西北战局，他坚持执行康熙用恩招抚的策略，围而不攻，围而不战，攻心为上，劝诱其降。在康熙真心的感召下，次日，王辅臣终于宣布投降。

康熙用恩收服王辅臣，不仅解除了其对京师的巨大威胁，而且翦除了吴三桂在西北的羽翼，使吴三桂失去了一个有力的臂膀，顿时扭转了整个西北战局。

康熙

康熙帝，全名爱新觉罗·玄烨，系顺治皇帝第三子。16岁时，他以智慧和勇气设计铲除了专权跋扈的辅臣鳌拜，将皇权把握在自己手中。他是中国历史上在位时间最长的皇帝，在位执政长达61年。他在位之初，国家外有重患，内有沉疴；他离位之时，已入"康乾盛世"，中国成为了是当时世界上最发达强盛的国家之一。

第三十七章　道常无为

【原文】

道常无为而无不为。侯王若能守之[1]，万物将自化[2]。化而欲作[3]，吾将镇之以无名之朴，镇之以无名之朴[4]，夫将不欲。不欲以静，天下将自定[5]。

【注释】

[1]守之：即守道。

[2]自化：自然化育，自然发展。

[3]欲：私欲。作：发生，兴起。

[4]无名之朴：道的另一种称呼。无名，即指道。朴，形容道的真朴。

[5]定：安定。

【译文】

道永远是顺任自然不妄自作为，却又没有什么事情不是它所作的。侯王如果能按照"道"的原则为政治民，万事万物就会自我化育、自我发展。自生自长而产生贪欲时，我就要用"道"的真朴来镇住它。用"道"的真朴来镇服它，就不会产生贪欲之心了，万事万物没有贪欲之心了，天下便自然而然达到稳定、安宁。

【评析】

本章的主旨是通过"天道"无为来论证"人道"贵静，通过自然自化来推定社会的自定。充分反映了老子反对有为，"不欲以静"的社会政治主张。老子反对变革，主张无为而治，要求统治者修心进道，清心寡欲，听任百姓的自生自灭而不乱加干涉；认为只有这样，百姓才能安居乐业，社会才能稳定；退一步说，统治者已届道境，百姓即使有欲望产生，运用真朴的道也能够镇服它。

老子的意图表明，道是统治者治理天下的有效武器；

但是老子把无为无欲作为理想社会的特征，这是一种幻想。老子的理想虽然是幻想，不可能实现，但是他要求统治者依照道的法则来为政，不要胡作非为，不要危害百姓的主张，还是有积极意义的。

【故事】

一切事物包括自然界和社会，都是顺其自然发展的，都有其自身的发展规律。人只能顺其自然，不可妄为。如果强行作为，破坏事物的发展，就会得到适得其反的效果。

现代汉语中有一个由历史故事而来的成语，叫做萧规曹随。现在，这个词的一般含义是陈陈相因，无所创建，并不是一个褒义词。但这个成语的来历，却有很丰富的文化含义。

汉惠帝二年七月，丞相萧何病死。吕后、惠帝遵汉高祖遗嘱，召齐国国相曹参入朝，要他继萧何之职为丞相。曹参奉诏入朝，面谒吕后、惠帝，接了相印，入主丞相府。

当时朝臣们都私下里议论，说萧何、曹参二人，与刘邦一起起家，同是沛吏出身，原本十分友好，后曹参战功甚多，封赏反而不如萧何，两人遂生隔阂。现在曹参为丞相，必然会因前嫌，对人事做大的调动。为此，相府里的各级官员，都感前途未卜，人心惶惶。谁知曹参接印数日，依然如故，且贴出文告，一切政务、用人都依前丞相旧章办事。官吏们这才放下心来，守职理事。

数月之后，曹参已渐渐熟知属僚，对那些好名喜事、弄文舞法的人员，一律革除，另在各郡国文吏中，选那些年高忠厚、口才迟钝者，补上空缺。自此，关在府中，日夜饮酒，不理政事。

有些和曹参关系密切的官员、宾客看到这种情况，都感奇怪，入见曹参，问个明白。然而，只要见到曹参的，还没等到发问，便被曹参邀入席中饮酒，一杯未完，又是一杯，直到喝醉方止，所以没有人能够明白曹参的真正意思。俗话说，上行下效。参既喜饮，属吏们纷纷仿效。相府后面有个花园，经常有些下属聚在园旁，饮酒为乐。饮到半醉，或舞或歌，声音传到了很远的地方。曹参明知，

萧何

萧何，西汉初年政治家。沛县人。早年任秦沛县狱吏。与刘邦同乡，通晓律阳令，非常敬佩刘邦。陈胜起义后，积极追随刘邦反秦，为刘邦出谋划策。汉代建立后，以他功最高封为侯，与韩信、张良被誉为汉初三杰。采撷秦法，重新制定律令制度，作为《九章律》。后又协助高祖消灭韩信、英布等异姓诸侯王，被拜为相国。高祖死后，他辅佐惠帝。

却装聋作哑，不加理睬。有两个侍吏实在看不下去，以为曹参不知，便寻机找了个借口，请他往游后园。曹参来到园中，赏景闻声，兴致渐高，遵命侍吏摆酒园中，自饮自歌，与园旁吏声相互唱和。侍吏见此，感到莫名其妙，也不好再问。

曹参不但不去禁酒，就是属下办事稍有小误，也往往代为遮掩。属吏感德，但朝中大臣，往往感到不解，有的便把曹参的作为，报告了惠帝。惠帝因母后吕雉专权，残酷地杀了戚姬，毒死了戚姬的儿子如意，心感愤怨和绝望，遂躲入宫中，不理朝政，借酒消愁，沉溺闺房，消遣时光。

及闻曹参所为，心想："相国怎来学我，难道因我年幼，看我不起？"正在惠帝猜疑之时，恰逢中大夫曹窋入侍。曹窋乃曹参之子。于是惠帝便对曹窋说："你回家后，可替朕问问你父：高祖新弃群臣，皇帝年幼未冠，全依相国辅佐。现在，你的父亲为丞相，只知饮酒，无所事事，如何能治理天下？不过，你要记住，不要说是我让你问的。"

曹窋辞别归家，把惠帝所说的话都告诉了他的父亲。曹参听后，竟然勃然大怒，不问是非，取过戒尺，边打边说："天下事你知多少？还不快快入宫侍驾！"曹窋挨打，既觉委屈，又不理解，入宫后，向惠帝直说了此事。惠帝听后，心中更感到疑惑，翌日朝后，便将曹参留下道："你为何责打你的儿子曹窋呢？他所说的话，都是我的意思。"

曹参忙伏拜在地，顿首谢罪，问惠帝道："陛下自思，您的圣明英武，可比得上高祖？"惠帝道："朕怎敢与先帝相比！"参又问道："陛下察臣才，与故丞相萧何比，谁优谁劣？"惠帝不知参所问为何，还是答道："恐不及萧丞相。"参这才说道："陛下所言圣明，确实如此。从前高祖及萧丞相定天下，法令、制度都已完备，今陛下垂拱临朝，臣等能守职奉法，遵前制而不令有失，便算是能继承前人了，难道还想胜过一筹吗？"惠帝听了以后，才了解了曹参的真正意图，说："朕已知道你的意思了，请退下休息吧！"

曹参回去后，依然照旧行事。百姓经过大乱后，只求

曹参

曹参，字敬伯，沛（今江苏沛县）人，西汉大臣。秦时为沛狱掾，随刘邦起事，屡立战功，为将军。刘邦称帝后，任齐相，封平阳侯。惠帝二年，萧何死。曹参为汉相国，仍以黄老之术治汉，施政办事，一遵萧何约束，无所变更，有"萧规曹随"之称，谥懿侯。

安宁，国无大事，徭役较轻，便算太平。所以曹参为政，竟得讴歌，歌云："萧何为相，较若画一，曹参成之，守而勿失。载其清净，民以宁一。"

曹参本人原来就擅长黄老之学，主张无为而治。汉初的社会在经过了长期的战乱之后，也正需要休养生息，所以，曹参的萧规曹随政策与当时的社会需要是十分吻合的，与当时吕后专权、皇帝无能的朝廷状况也是十分吻合的。曹参的无为而治实际上也收到了很好的效果，使政治、人民得到了安定、发展。相反，如果曹参上任以后，大肆改革，恐怕会使政局更加混乱、难以治理。

下篇·德经

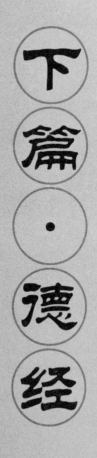

天下有道，却走马以粪，
天下无道，戎马生于郊。祸莫
大于不知足；咎莫大于欲得。
故知足之足，常足矣。

——选自《道德经·德经》

第三十八章　处实去华

【原文】

上德①不德，是以有德；下德不失德②，是以无德。上德无为而无不为，下德为之而有不为。上仁为之而无以为③，上义为之而有以为。上礼为之而莫之应，则攘臂而扔之④。故失道而后德，失德而后仁，失仁而后义，失义而后礼。夫礼者，忠信之薄，而乱之首。前识者⑤，道之华⑥，而愚之始⑦。是以大丈夫处其厚⑧，不居其薄⑨；处其实，不居其华。故去彼取此。

【注释】

①上德：有上等品德的人。

②下德，与上德相对。

③以：有心，故意。

④攘臂：伸出手臂。扔之：用手引他们、强掣拽他们。

⑤前识者：有先见的人，先知。

⑥华：虚华。

⑦愚之始：愚昧的开始。

⑧处其厚：厚，淳厚。立身于淳厚（的品德）。

⑨薄：浅薄，此指"礼"。

【译文】

具有上等品德的人，不在于表现为形式上的"德"，因此实际上是真正有"德"；具有低等品德的人，表现为拘泥形式主义的"德"，表面上不离失德，而实际上是没有"德"。上乘之德顺其自然，并不故意表现它的德；下乘之德有所作为，并故意表现它的德。上乘之仁有所作为，但并不有意识的表现它的仁；上乘之义德有所作为，并有意识地表现它的义。上乘之礼有所作为，但当它得不响应时，就会卷起袖子伸出胳膊来强迫人民服从。所以丧失了道之

后，才产生德；丧失了德之后，才产生义；丧失了义之后，才产生礼。所谓的礼，乃是忠信的不足，祸乱的开端。所谓的先见之明，不过是道的虚华，是愚昧的开始，因此，大丈夫立身敦厚而不居于浅薄，追求内容的朴实而远离形式的虚华。所以要屏弃浇薄浮华的礼而采取敦厚朴实的道和德。

【评析】

本章是《德经》的首章。辩证地分析了道与德、仁、义、礼的关系。这里，老子没有否定德、仁、义、礼，相反，而是追求最纯真，最完美的德、仁、义、礼。本章在《道德经》里比较难于理解。老子认为，"道"的属性表现为"德"，凡是符合于"道"的行为就是"有德"，反之，则是"失德"。"道"与"德"不可分离，但又有区别。因为"德"有上下之分，"上德"完全合乎"道"的精神。"德"是"道"在人世间的体现，"道"是客观规律，而"德"是指人类认识并按客观规律办事。人们把"道"运用于人类社会产生的功能，就是"德"。本章显示了道者对社会通行的道德礼仪规范的超越性，一扫道者过去的那种似乎非常软弱退让、消极保守的灰暗形象，充分显露了道者脱落形骸的"大丈夫"本色。

【故事】

"处其实，不居其华"，是老子提出的又一为人处世原则，是老子重实质而轻形式观念的深刻体现，他强调作为得道之人，要追求内容的朴实而摈弃形式上的虚华。这一点直到今天仍有警示作用，对于那些只重视形式主义，不重视身心修养的人来说，不啻于当头棒喝！

汉四年十月，韩信平定赵、燕两国后，移兵往东攻齐。大军行至平原渡，韩信接到探马来报。说汉王遣郦食其至齐，已说服齐王田广归汉。韩信心想：郦大夫既已说下齐国，我还有何求？当回师而返，助汉王攻打楚王。主意已定，便下令扎营，准备择日回师。

数日后，韩信升帐议事，说明原因，并欲下令拔营而归。这时，忽然谋士蒯通出来劝阻，说道："不可！不可！"

韩信

韩信，淮阴人，西汉开国功臣。中国历史上的军事家、战略家、统帅和军事理论家。初从军于项梁为郎中，继归刘邦，任大将军，居功挟势，进封齐王，汉定天下改封楚王，后贬为淮阴侯，被告谋反，为吕后诛杀。

韩信问道："齐王归顺，我改道而返，为什么不可呢?"蒯通说："将军奉命伐齐，久经周折，才兵至齐境。今汉王遣郦生使齐，说下齐国，是否真实，尚有疑问。何况汉王并未颁下明令，制止将军，怎可凭一传语。就仓猝回军呢?另有一说，郦生乃一介儒生。凭三寸不烂之舌，能下齐国70余城，将军带甲数万，转战年余，才得赵国50余城，试想为将数年，反不如一介儒生的功劳，岂不可愧可恨吗?为将军计，不如乘齐军无备，长驱直入，扫平齐国。如此，大功才能归于将军。"韩信闻言，沉吟了片刻，觉得蒯通之言有理，但如发兵攻齐，又岂不害了郦食其?当即说道："话虽有理，但我如这样做，齐必杀害郦生，此事使不得!"蒯通听后，笑道："我知道将军不肯负郦生，但听说郦生是自荐说齐的，他明知将军正在领兵伐齐，还要如此做，岂不先负了将军?"韩信闻言。勃然起座，即刻调动人马，渡过平原河，直逼历下临淄城下。

齐王田广，齐相田横，本已被郦食其说服，同意归顺汉王，忽闻汉兵杀到，不由大惊。急忙召来郦食其，当面叱道："我听信你言，本以为可避免刀兵之祸，不想你心怀鬼胎。佯劝我归汉撤兵，暗使韩信发兵前来，覆我邦家，真是罪不可赦!"郦食其答道："韩信发兵，乃是不知齐地实情，愿大王遣一使臣，同我去面见韩信，我定令他就地止兵，撤出齐境。"齐相田横在旁插言道："到那时，你定会逃之夭夭，我怎能再受你欺骗!"说着，不容郦食其再行辩解，下令将他投入油鼎，烹杀而死。

韩信听到郦生被杀消息，内心实感不安，立即下令，日夜攻城。数日后，临淄城破。田广、田横只得弃城出逃，派出使者，向楚王项羽求救。

郦食其本知韩信领兵伐齐，却向刘邦自荐说齐，意在争功夺名。功名都是虚华的东西，刻意追求形式上的功名，郦食其最终为功名所累，为功名而死。

项羽

项羽，名籍，字羽，下相人。楚国名将项燕之孙。楚亡后，他随叔父项梁流亡吴中。秦末农民起义领袖。秦亡后，自立为西楚霸王，为刘邦所败，自刎于乌江。

第三十九章 贱为贵本

【原文】

昔之淂一①者，天淂一以清；地淂一以宁；神淂一以灵②；谷淂一以盈，万物淂一以生；侯王淂一以为天一正③。其致之一也④。谓⑤天无以清⑥，将恐裂；地无以宁，将恐废⑦；神无以灵，将恐歇⑧；谷无以盈，将恐竭⑨；万物无以生，将恐灭；侯王无以正，将恐蹶⑩。故贵以贱为本，高以下为基。是以侯王自称孤、寡、不穀⑪。此非以贱为本邪？非乎？故至誉无誉⑫，不欲琭琭⑬如玉，珞珞⑭如石。

【注释】

①昔：往昔，自古以来。一：即"道"。

②灵：灵性或灵妙。

③正：一本作"贞"。意为首领。

④其致之一也：推而言之。

⑤谓：假如说。帛书作"胃"。

⑥天无以清：天离开道，就得不到清明。

⑦废：荒废。

⑧歇：消失、绝灭、停止。

⑨竭：干涸、枯竭。

⑩蹶：跌倒、失败、挫折。

⑪孤、寡、不穀：古代帝王自称为"孤"、"寡人"、"不穀"。不穀即不善的意思。

⑫至誉无誉：最高的荣誉是无须称誉赞美的。

⑬琭琭：形容玉美的样子。

⑭珞珞：形容石坚的样子。

【译文】

自古凡是得了"道"的：天得了"道"就清明，地得了"道"就安宁，神得了"道"就显得有灵性，河谷得了

"道"就充盈，万物得了"道"就滋生发展，侯王得了
"道"就可成为天下的首领。推而言之：天不能清明将会破
裂，地不能安宁将会崩塌，神不能灵验将会消失，河谷不
能充盈将会枯竭，万物不能生发将会灭绝，侯王不能保持
其首领地位将会倾垮。所以，贵以贱为其根本，高以下为
其基础。因此，侯王自称为"孤"、"寡"、"不穀"。这不
是贵以贱为根本吗？不是吗？所以，最高的荣誉是无须称
誉赞美的。最好是不愿像美玉一样的华丽光润，而宁可像
石块一样粗陋结实。

【评析】

本章集中体现了老子的朴治主义思想。首先用对比的
方法从正反两个方面说明朴治对于天、地、神、谷、万物、
侯王的重要意义。而后又辩证地指出称寡道孤的统治者是
不道的，其结果也只能是数辈无辈，江山是不会永固的。
最后说明，要想实现天下大治，就必须充分利用弱者，推
翻不道统治，走朴治主义道路。

老子认为："贵以贱为本，高以下为基。"守贱则贵，
筑基则高，世间之所以有贵，是因为有贱为之衬托；之所
以有高，是因为有下与之对应。正如那些显赫的统治者们，
他们的高是骑在劳动人民头上的；他们的贵，是用劳动人
民的血汗铸就的。其实，不道的帝王们也非常明白这些道
理，所谓"水能载舟，亦能覆舟"，正是对历史经验的深刻
总结。所以，他们用孤、寡、不穀来称呼自己，表明自己
是以民为本，以民为基的。对此，老子给予彻底否定：
"这不是以贱（民）为本呀！难道不是吗？"以民为本的统
治者施行的是"无为之治"和"不言之教"，而不是在自己
的称谓上做文章。他们称孤道寡，只是欺世盗名的手段而
已，真正目的不过是为了维护其高贵的统治地位罢了。

【故事】

本章老子告诫统治者要从道的原则出发，并能处下、
居后、谦卑，即"贵以贱为本，高以下为基"，没有百姓为
根本和基础，就没有统治者的天下。老子仍在强调以民为
本、无为而治的政治主张。事实上，历史已经无数次地证

明了老子观点的正确性。

西晋末年，由于统治阶层的腐朽统治和诸王的混战，给百姓带来无穷无尽的灾难，加上接连不断的天灾，许多地方的农民没有粮吃，被迫离开自己的故乡，成群结队到别的地方逃荒。这种逃荒的农民叫做"流民"。

公元298年，关中地区闹了一场大饥荒，略阳、天水等六郡十几万流民逃荒到蜀地。有一个氐族人李特和他兄弟李庠、李流，也跟着流民一起逃荒。一路上，流民中间有挨饿的、生病的，李特兄弟虽然自己兄弟也十分艰苦，但还是常常接济他们，照顾他们，并将流民组织起来，一路扶老携幼，终于使大部分人走到了四川。流民都很感激、敬重李特兄弟。

蜀地离中原地区比较远，而自从李冰父子修建都江堰之后，有了较好的水利设施，这对靠天吃饭的农业来说，无疑是上了保险，因此蜀地好称"天府之国"，百姓生活比较安定。流民进了蜀地后，就分散在各地，靠给富户人家打长工过活。

流民，在历代统治者看来，都是威胁社会稳定的因素，安置得好，可以增加地方的劳动力，扩大生产；处理不当，极有可能引发本地和外来人口的冲突，增加地方政府的负担。因此，益州刺史罗尚以为流民可欺，于是借口流民不事生产，无事生非，扰乱地方生计，流民必须回关中务农；同时却在要道上设立关卡，抢夺流民的财物。流民们听到官府要逼他们离开蜀地，想到家乡正在闹饥荒，回去也没法过日子，人人都发愁叫苦。

由于李特生性敢作敢当，急公好义，流民们向李特诉苦，李特几次向官府请求放宽遣送流民的限期。流民听到这个消息，感戴李特，纷纷投奔他。李特在绵竹地方设了一个大营，收容流民，不到一个月，流民越聚越多，约有两万人，他的弟弟李流也设营收容了几千流民。李特收容流民之后，派使者阎彧去见罗尚，再次请求缓期遣送流民。

阎彧来到罗尚的刺史府，看到那里正在修筑营寨，调动人马，知道他们不怀好意。他见了罗尚，说明了来意。

李冰

李冰，战国时期的水利家，对天文地理也有研究。秦昭襄王末年为蜀郡守，在今四川省都江堰市岷江出山口处主持兴建了中国早期的灌溉工程都江堰，因而使川西平原富庶起来。

罗尚对阎彧说："我已经准许流民缓期遣送了，你回去告诉他们吧！"阎彧直爽地对他说："罗公听了别人的坏话，看样子恐怕不会饶过他们。不过我倒要劝您，不要小看了老百姓。百姓就好像水，看起来温和可欺，但引导不当，水灾泛滥，也会带来危害。单个的百姓看起来是软弱的，您若逼得他们无路可走，众怒难犯，专欲难成，只怕对您没有好处。"罗尚假惺惺地说："我不会骗你，你就这样去说吧！"

阎彧回到绵竹，把罗尚那里的情况一五一十告诉李特，并且对李特说："罗尚虽然这样说，但是我们不能轻信他，所谓有备无患，我们也要多作几手打算，防备他偷袭。"李特是一个有经验的人，结合各方面的信息，也怀疑罗尚的话不可靠，立刻把流民组织起来，加以训练，并准备好武器，布置阵势，准备抵抗晋兵的进攻。

西晋六括肩舆图

没过多久，罗尚果然借助一个漆黑的晚上，派部将带了步兵、骑兵3万人，偷袭绵竹大营。晋军进入李特的营地，李特故意镇静自若地躺在大营里。晋将自以为得计，一声号令，率领兵士气势汹汹地攻入李特大营。

3万晋军刚进了营地，只听得四面八方响起了一阵震耳欲聋的锣鼓声。大营里预先埋伏好的流民，手拿长矛大刀，一起杀了出来。中国的农民乡土观念本来就重，远离家乡的流民往往能够抱成一团，同甘苦，共患难，在被逼得无路可走的时候，所爆发的反抗力量更是惊人，因此流民的斗志是晋军无法相比的，可谓是勇猛无比，以一当十。晋军没有料到流民早有准备，中了埋伏，气势上本身就输了三分，心里一慌，更加没有斗志，被流民杀得丢盔弃甲，四散逃窜。两三个晋将逃脱不了，被流民们杀了。

流民们杀散晋军，等于公开走上了与官府对抗的道路，知道晋朝统治者不会罢休，就请求李特替他们做主，领导他们抗击官府。李特和六郡流民首领一商量，大家推举李特为镇北大将军，李流为镇东将军，几个流民首领都被推

举为将领。他们整顿兵马，军威大振。过不了几天，就攻下了附近的广汉，赶走了那里的太守。

李特进了广汉，学汉高祖刘邦的样子，宣布约法三章，打开了官府的粮仓，救济当地的贫苦百姓。流民组成的军队在李特的领导下，纪律严明。蜀地的百姓平时受尽晋朝官府的压迫，现在来了李特，生活倒安定起来，怎么能不高兴?民间编了一个歌谣说："李特尚可，罗尚杀我。"

罗尚表面上派使者向李特求和，暗地里却勾结当地豪强势力，围攻李特。李特在奋勇抵抗之后，战败牺牲。他的儿子李雄继续率领流民战斗。

公元304年，李雄自立为成都王。过了两年，又自称皇帝，国号大成。后来到李雄侄儿李寿在位时，改国号为汉。所以历史上又称"成汉"。西晋在统一全国后没有多久，因为不重视人民的力量，而又失去了西南的一隅之地。

第四十章　有生于无

【原文】

反者道之动①，弱者道之用②。天下万物生于有③，有生于无④。

【注释】

①反：包括两方面的含义：一是相反，对立面；二是返，相互转化，循环往复。

②用：用途，作用。

③有：指天地万物等有形质。

④无：指道、宇宙本体等无形质。

【译文】

回环往复是"道"的运动，柔和雌弱是"道"的作用。天下万物从有形质产生，而有形质是从无形质中产生的。

【评析】

本章是老子的宇宙观，进一步强调道是天下万物产生的总根源，含有辩证法的思想。老子从三个方面进行了阐述：一、论道的运动特点；二、论柔弱是"道"克胜刚强的武器；三、简括万物由来的过程。

老子认为，由道产生的任何事物都是相反对立，并按照"反"这个运动规律不断循环变化的，运动变化的结果是产生它们的本源。在这个过程中，道一直起到辅助引导的作用。由于道的作用是柔弱无力的，对万物没有丝毫的压迫感，所以称道的作用为"弱"。这里，老子仍然是阐述他的柔弱胜刚强的道理。

但是，老子只看到了对立的事物循环转化的过程，没有看到事物的发展，并撇开任何具体条件的限制，把"弱"的作用绝对化，这是老子思想的局限。

朱元璋

朱元璋，明代皇帝，即明太祖。幼名重八，又名兴宗，字国端。濠州钟离人。出身贫寒，少年时在皇觉寺为僧。元末，参加红巾军郭子兴部反元，旋称吴国公，后称吴王，灭陈友谅、张士诚，出兵北伐，克燕京，历15年而成帝业。年号洪武。

【故事】

"反者道之动，"任何事物都存在对立统一的两个方面，这两个方面在一定的条件下可以互相转化，循环运动。事物是没有绝对性的，物极必反，乐极生悲，万事万物无不遵循这一规律。福与祸亦是事物对立统一的两个方面，身在福地，要时时提醒自己，福也许是其中正潜伏祸事，很多祸事都是因为乐极生悲而致。明朝郭德成身为开国功勋，皇亲国戚，本是件福事，但伴君如伴虎，朱元璋生性多疑，这就是很容易招惹祸端。本是得罪皇帝的事，却因他能够看到祸端，能够忍受利益损失，避免了一场大祸。

郭德成，元末明初人，性格豁达，十分机敏，特别是元末动乱的时代里，他和哥哥郭兴一起，随朱元璋转战沙场，立了不少战功。

朱元璋做了明朝开国皇帝后，原先的将领纷纷加官晋爵，待遇优厚，成为朝中达官贵人。郭德成仅仅做了戏骑舍人这样一个普通的官员。

郭德成的妹妹宁妃，当时在宫中深得朱元璋的宠爱，朱元璋因此感到有些过意不去，准备提拔郭德成。

一次，朱元璋召见郭德成，说道："德成啊，你的功劳不小，我让你做个大官吧。"郭德成连忙推辞说："感谢皇上对我的厚爱，但是我脑袋瓜不灵，整天不问政事，只知道喝酒，一旦做大官，那不是害了国家又害了自己吗？"朱元璋见他辞官坚决，内心赞叹，于是将大量好酒和钱财赏给郭德成，还经常邀请郭德成去皇家后花园喝酒。

从某种角度来讲，郭德成是一个知道满足、没有过多奢欲的人。他能够有自知之明，正是他后来能忍受一时的委屈，一时的灾祸而保全生命的关键。伴君如伴虎，多少君臣相互猜忌，造成了多少历史悲剧。

一次，郭德成兴冲冲赶到皇家后花园，陪朱元璋喝酒。眼见花园内景色优美，桌上美酒香味四溢，他忍不住酒性大发，连声说道："好酒，好酒！"随即陪朱元璋喝起酒来。

杯来盏去，渐渐地，郭德成脸色发红，醉眼蒙胧，但他依然一杯接一杯，喝个不停。眼看时间不早，郭德成烂醉如泥，踉踉跄跄走到朱元璋面前，弯下身子，低头辞谢，结结巴巴地说道："谢谢皇上赏酒!"朱元璋见他醉态十足，衣冠不整，头发纷乱，笑道："看你头发披散，语无伦次，真是个醉鬼疯汉。"郭德成摸了摸散乱的头发，脱口而出："皇上，我最恨这乱糟糟的头发，要是剃成光头，那才痛快呢。"朱元璋一听此话，脸涨得通红，心想，这小子怎么敢这样大胆地侮辱自己。他正想发怒，看见郭德成仍然傻乎乎地说着，便沉默下来，转而一想：也许是郭德成酒后失言，不妨冷眼观察，以后再整治他不迟。想到这里，朱元璋虽然闷闷不乐，还是高抬贵手，让郭德成回了家。

明皇城校尉铜牌

郭德成酒醉醒来，一想到自己在皇上面前失言，恐惧万分，冷汗直流。原来，朱元璋少时，在皇觉寺做和尚，最忌讳的就是"光"、"僧"等字眼，郭德成怎么也想不到，今天这样糊涂，这样大胆，竟然戳了皇上的痛处。

郭德成知道朱元璋对这件事不会轻易放过，自己以后难免有杀身之祸。怎么办呢?郭德成深深思考着：向皇上解释，不行，更会增加皇上的忌恨；不解释，自己已经铸成大错，难道真的为这事赔上身家性命不成。郭德成左右为难，苦苦地为保全自身寻找妙计。

过了几天，郭德成继续喝酒，狂放不羁，和过去一样，只是进寺庙剃光了头，真的做了和尚，整日身披袈裟，念着佛经。

朱元璋看见郭德成真做了和尚，心中的疑虑、忌恨全消，还向宁妃赞叹说："德成真是个奇男子，原先我以为他讨厌头发是假，想不到真是个醉鬼和尚。"说完，哈哈大笑。

以后，朱元璋猜忌有功之臣，原先的许多大将们纷纷被他找借口杀掉了，而郭德成竟保全了性命。这是由于郭德成能够从小的祸事看到以后事态的发展，提前避祸，才不至于招来杀身之祸。而其他的功臣则远不如郭德成明白要忍对祸福的道理。因祸进庙，因祸保住了性命，谁又能说这不是福呢?

第四十一章 大器晚成

【原文】

上士闻道，勤而行之；中士闻道，若存若亡；下士闻道，大而笑之。不笑不足以为道。故建言^①有之：明道若昧，进道若退，夷道若纇^②。上德若谷；广德若不足；建德若偷^③；质真若渝^④。大白若辱^⑤；大方无隅^⑥；大器晚成；大音希声；大象无形；道隐无名。夫唯道，善贷且善成^⑦。

【注释】

①建言：立言、格言。

②夷：平坦；纇：（lěi）坎坷不平。

③建德若偷：刚健的德好像怠惰的样子。偷，意为惰。

④质真若渝：渝，变污。质朴而纯真好像浑浊。

⑤辱：黑垢。

⑥大方无隅：隅，角落、墙角。最方整的东西却没有角。

⑦善贷且善成：贷，施与、给予。引申为帮助、辅助之意。

【译文】

上等士人听了道的理论，积极努力去实行；中等士人听了道的理论，将信将疑；下等士人听了道的理论，哈哈大笑。道如果不被人嘲笑，那就不足以成其为道了。因此，古时的格言曾这样说：光明的道好似暗昧，前进的道好似后退，平坦的道好似崎岖；崇高的德好似峡谷，广大的德好像不足，刚健的德好似怠惰；质朴而纯真好像混浊未开。最洁白的东西，反而含有污垢；最方正的东西，反而没有棱角；最大的器具较晚才能制成；最大的声响，反而听来无声无息；最大的形象，反而没有形状。道幽隐而没有名称，无名无声。但是也只有"道"，才能辅助万物开始，并推动它们走向成熟。

【评析】

本章是对有关道与德的思想观念的解释说明。老子首先指出了不同的人对他的劝道言谈的三种不同的态度，并充分罗列了对他所推崇的道与德的众多可想见的理解。他肯定这些理解是合理的，那与他所说的道与德太过普泛、太过超越的本性有关。但是，他强调：他所推崇的道与德是的确可以用一种"善贷"的方式帮助人们完成各种行为目的的。

在后面所引的十二句成语中，前六句是指"道"、"德"而言的。后六句的"质真"、"大白"、"大方"、"大器"、"大音"、"大象"指"道"或道的形象，或道的性质。所以引完这十二句格言以后，用一句话加以归纳："道"是幽隐无名的，它的本质是前者，而表象是后者。这十二句，从有形与无形、存在与意识、自然与社会各个领域多种事物的本质和现象中，论证了矛盾的普遍性，揭示出辩证法的真谛，这是极富智慧的。

【故事】

"大器晚成"——老子对于道的形象、品性作了具体的描绘，凡是最大的器具较晚的时候才能完成，这期间必须经历了磨炼与实际。也就是说一个人只有在经历了锻炼和打磨之后，才能成就大事。

商朝末年，周文王决心治理好自己的国家，推翻商朝。他看到自己手下虽然有不少文臣武将，可是还缺少一个运筹帷幄、掌控全局的人，协助他实现灭商大计。因此，他求贤若渴，处处留意这件事。

有一次，周文王外出打猎。在渭水的支流硒溪边上遇见了一位钓鱼的老人。老人须发斑白，看去有七八十岁了。只见他一边钓鱼，一边嘴里不断地叨念："快上钩呀，快上钩！愿意上钩的快来上钩。"再一看，怪了！老人钓鱼的渔钩离水面有三尺高，上面也没有钓饵，而他的钓钩是直的，并不像一般的鱼钩。文王看了很奇怪，就过去和老人攀谈起来。

周文王姬昌

周文王，姬昌，季历之子。商纣时为西伯，亦称西伯昌。季历死后，其子姬昌继位，他就是著名的周文王。他在位50年，主要功绩是为灭商做好了充分准备。他是很有作为的创业之主，勤于政事，重视发展农业生产，礼贤下士，广罗人才，拜姜尚为军师，问以军国大计，使"天下三分，其二归周"。

这老人姓姜名尚，又名子牙，是远古时代炎帝的后代。他是一个饱学之长者，并且在底层社会打磨了大半生——曾在商朝的首都朝歌宰过牛，在黄河边上的孟津卖过酒，还做过生意。现在他到渭水边上来钓鱼，其实是在等待贤明的君主来寻访他。

周文王和姜尚的谈话中，发现姜尚是一个志存高远、学问渊博的人。他上通天文，下知地理，对政治、军事各方面都很有研究，特别是对于当时的政治形势，有着深刻的见解。他认为商朝的君主昏庸，臣子中真正为国的没有几个。而且纣王荒淫无道，只顾自己享乐，不管国人死活，更用酷刑杀害忠良，其统治不会长久了；只要有一位英明的君主，振臂高呼，天下一定云集响应，推翻商纣不会费什么事；商朝的天下不会很长久了，应当由贤明的领袖出来推翻它，建立一个新的朝廷，让老百姓能过上舒服的日子。由此可见，姜尚经过大半生的修炼，此时在精神和才学方面已经是个大器了。

文王觉得姜尚的话，句句都说到了自己心里。他本来就是为了推翻商朝，到处去寻找得力的助手，这眼前的姜尚，不就是自己要寻访的人吗?文王恳切地对姜尚说："我们盼望您很久了。现在天下大乱君主昏庸，民不聊生，请您来帮助我安定天下吧!"说完，文王邀请姜尚一同上车，把姜尚接回了都城。

文王很快重用姜尚，先被立为国师，也就是最大的武官；后来又任国相。总管全国政治和军事。

姜太公果然不负文王的期望，他做了周文王的国相，辅佐周文王整顿政治和军事，在国内发展生产，使人民安居乐业；对外征服各部族，开拓疆土，并联合友邦，削弱商朝的力量。周文王在姜尚的辅佐下，先后打败了犬戎、密须等部族，征服了小国家，并吞并了与商朝结盟的崇国，在崇国的地域上营建了一个丰城。把都城从岐山南边的周原迁到了丰城，迁都以后向东发展。到周文王晚年的时候，周的国力已十分强盛，疆土大大扩充，西边收复了周族的

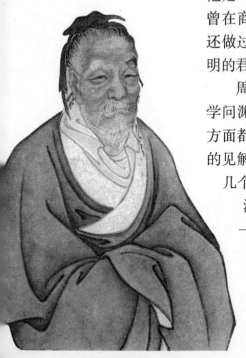

姜子牙

姜子牙，吕氏，名望，字子牙，也称吕尚。姜太公是周文王倾商武王克殷的首席谋主、最高军事统帅与西周的开国元勋，齐文化的创始人，也是中国古代的一位影响久远的杰出的韬略家、军事家与政治家。历代典籍都公认他的历史地位，儒、道、法、兵、纵横诸家皆追他为本家人物，被尊为"百家宗师"。

老家，东北拓展到现在山西的黎城附近。东边到达今河南沁阳一带，逼近了殷纣王的都城朝歌，南边把势力扩张到了长江、汉水、汝水流域。据说，当时天下的三分之二已经控制在周文王的手里，为灭商奠定了可靠的基础。

周文王死后，武王姬发继位，拜姜尚为国师，尊称师尚父。姜尚继续辅佐周国朝政。一次，周武王问道："我欲轻罚而重威，少行赏而劝善多，简其令而能教化民众，何道可行？"姜尚答曰："杀一人而千人惧，杀二人而万人惧，杀三人而三军振者，杀之。赏一人而千人喜，赏二人而万人喜，赏三人而三军喜者，赏之。令一人而千人行者，令之；禁二人而万人止者，禁之；教三人而三军正者，教之。杀一以惩万，赏一而劝众，此明君之威福。"武王言听计从，时时慎于行赏，力求令行禁止，使周朝政治愈益清明。而此时的殷商王朝政局更加昏暗，叛殷附周者日多。周朝逐渐羽翼丰满，国势日隆。

最后终于酝酿成了历史上非常著名的以周伐商的牧野之战。结果，商纣王的十几万大军，当天就崩溃瓦解。牧野之战所以能大获全胜，多赖姜尚英明的组织指挥。在作战时机的把握上，选择在纣王麻痹松懈、众叛亲离之时；在力量的组织上，以"吊民伐罪"为号召，联合诸侯共同伐商；在作战指挥上，首先以兵车、猛士从正面展开突击，尔后以甲士展开猛烈冲杀，一举打乱了商军的阵势，夺取了战争的胜利。

周朝建国之后，姜尚因灭商有功，被封于齐。

姬发

姬发，即周武王，西伯昌太子。西周建立者。继承父文王灭商遗志，会盟诸侯于孟津，战败商纣于牧野，灭商定都于镐（今陕西西安西南），号称"宗周"。

第四十二章　或损或益

【原文】

道生一，一生二，二生三，三生万物①。万物负阴而抱阳②，冲气以为和③。人之所恶，唯孤寡不穀，而王公以为称。故物或损之而益，或益之而损。人之所教，我亦教之。强梁者不得其死④，吾将以为教父⑤。

【注释】

①道生一，一生二，二生三，三生万物：道产生混沌的元气，混沌的元气产生天和地，天和地产生阴气、阳气与阴阳的和气，和气产生了万物。

②负、抱：都有怀抱、包涵的意思。

③冲气：冲虚之气。和：和谐，统一。

④强梁：强暴，强横逞凶。这里指刻意进取，汲汲有为。

⑤教父：教条、信条。父：根本、本源，这里指原则、规矩。

【译文】

道产生混沌的元气，混沌的元气产生天和地，天和地产生阴气、阳气与阴阳的和气，和气产生了万物。因此，万物都背负着阴气，怀抱着阳气，这是因为万物就是阴阳二气相冲撞激荡而成的和气所产生的。

天下人所憎恶的是"孤"、"寡"、"不穀"，而王公大臣反而用它们来称谓自己。因此，对一人来说有的事物对他有所减损，而实际上对他有所增益；有的事物对他有所增益，而实际上对他有所减损。别人所教诲人的，我也用来教诲人，"强横逞凶的人不得好死"这句话，我将用它来作为教诲人的首要教条。

【评析】

本章前半部分讲的是宇宙的生成论；第二部分讲事物相反相成，矛盾的双方既是对立的，又是统一的。矛盾是事物客观存在的普遍现象，阴阳是事物中矛盾的两个方面，所以我们要用"一分为二"的观点来看待一切问题。马克思主义哲学认为，对立统一规律是宇宙万物的基本规律，这个规律，不论是在自然界、人类社会和人们思想中都是普遍存在着，矛盾的对立面既统一，又斗争，由此推动事物的运动和发展。

老子对"万物负阴而抱阳，冲气以为和"这一宇宙基本法则的深刻认识，对我们有极大的启迪作用。重视、追求和保持事物的均衡、和谐，在维持事物的稳定，保持事物的正常发展上，有非常重要的理论意义。既是老子在综合万事万物中提炼出的宇宙真理，又是出于对事物各种极端弊病的深刻认识开出的一条万应妙方。不能冲气为和，事物必然会走向它的反面。

【故事】

老子把"强梁者不得其死"作为教诲人的首要教条，这体现了老子主张贵柔、守静、实行无为而治的政治主张，反对统治者对人民实行残暴统治、专政独裁。历史的发展无不证明，对人民实行横行政治、违背人们意愿的强霸行为，最终都不得好死。有名的暴君商纣就是一个鲜明的例子。

纣，名受辛，为商朝的第30位王。纣王本就是个骄傲自大的人，对东夷的胜利，使他更加骄横自负，他目空一切，认为天下已定，便开始贪图享受，恣意挥霍。

有苏国献来的妲己把纣王哄得团团转，纣王对她百依百顺。妲己喜欢观看歌舞，纣便命乐师延创作了靡靡之乐，怪诞之舞。妲己喜欢饮酒嬉闹，他就在宫中挖了一个大池子，里面注满了酒。他们把120天当成一夜，在宫中狂呼滥饮。喝到高兴处，无数男男女女脱光了衣服在肉林酒池边互相追逐嬉戏。

商代青铜尊

纣王荒淫无度，必然引起正直的王公大臣们的不满，纣王就想尽残酷的办法折磨、迫害反对他们的人，许多刑罚令人发指。

炮烙之法是商纣王发明使用的残酷刑法之一，就是用青铜铸造一根中间空的铜柱，把人绑在柱上，下面烧火，将人活活烙死。

诸侯梅伯多次劝谏纣不要任意对臣民施加重刑。纣杀了他以后，还将他醢了，即剁成肉酱后分赏给诸侯们吃。九侯（封地在今河北临潼）有一女儿长得很美，被纣得知选入宫去，因看不惯妲己的淫荡而被纣杀死，并将九侯醢了分送诸侯。鄂侯（封地在今河南沁阳西北）为此而指责纣，被纣杀了以后制成干尸以示众。西伯姬昌当时在商都，见两侯连遭杀害，甚是叹惜，只说了一句"太过分了"，不巧被崇侯虎听见，报告给纣王，纣王立即将其囚禁，准备杀死。周族的大臣们忙在莘国选了有莘氏的一个美女，又选了些骏马和许多美玉、宝器、奇异玩物，通过费仲的手，向纣说情。纣见了有莘氏美女后，非常高兴地说："此一物（指美女）足以释西伯，况其多乎？"姬昌这才死里逃生，幸免于难。

姬昌回到自己的部族后，开始发展势力，做推翻商朝的准备。

纣王等人花天酒地，天下百姓怨声载道，正直的大臣们一规劝，纣王就暴跳如雷，轻则鞭打，重则杀头。

纣王的叔叔比干刚直不阿，眼见国势日危，心急如焚，幻想通过直谏使纣王警醒。一天，纣王正在宫里饮酒取乐，比干又到纣王面前强谏，请他以商朝天下为重，不要再胡闹下去了。纣王听了，心下已十分不快，但还不好马上发作，只得敷衍说："叔父不必多虑，眼下商朝国运方隆，凭着我东征西讨，诸侯谁敢不服？那些小民自然更翻不了天。请叔父放心、回去，有事改日再议。"比干不走，而且历数纣王过错，"大王若不改过归正，恐怕祖先艰难经营得来的商朝六百年天下就要亡在你的手里了！"纣王闻言勃然大怒："你几次三番危言耸听，扰乱人心，我念你身为

商代铜面具

长辈，不与你计较。不料你胆大妄为，竟敢辱骂起我来。你说我是暴君，难道你是圣人?听说圣人心有七窍，我今天倒要看看你是不是圣人?"说罢，喝令左右将比干推出，剖心而观。

比干惨死之后，不少大臣怕祸及自己，纷纷逃跑，太师疵和少师强看着实在呆不下去了，也就拿了象征王权的祭器跑到了周国，投奔了周。在当时，没有了祭器是非常不吉利的大事件。

这时，周已具备了伐商的实力，而纣王还在与妲己醉生梦死。

大约公元前1066年，周武王率军攻商，一路过关斩将，于二月甲子日早晨到达距朝歌只有70里之遥的商郊牧野，庄严誓师。纣王闻讯，匆忙调集大军，开赴牧野，与武王对阵。纣王之师远远多于武王，但是因纣王暴虐已极，遗弃骨肉兄弟，任用奸人，残害百姓，纣王军队无心恋战，只盼望武王尽快打败纣王。双方一交战，纣军士兵就倒戈转向武王。武王乘势指挥军队冲入敌阵，纣军全线崩溃。

纣王逃回殷都，登上鹿台，用4000多块宝玉环绕周身，然后自焚。武王率大军进入朝歌，百姓们列队欢迎仁义之师。

武王对纣尸连射三箭，然后下车，用剑击之，再砍下纣的首级，悬于白旗上面示众。

曾盛极几百年的商朝，因为纣王的残暴统治，荒淫无度而灭亡。所以作为统治者不能过于强横严厉，胡作非为，否则势必遭到人民的反抗，最终走向灭亡。

比干

比干，子姓，沫邑人。生于殷帝乙丙子之七祀，卒于公元前1029年。一生忠君爱国，倡导"民本清议，士志于道"。为殷商贵族商王太丁之子，名干。从政四十多年，主张减轻赋税徭役，鼓励发展农牧业生产，提倡冶炼铸造，富国强兵。后被纣王剖心致死。

第四十三章　无为之益

【原文】

天下之至柔，驰骋①天下之至坚②。无有入无间③，吾是以知无为之有益。不言之教，无为之益，天下希及之④。

【注释】

①驰骋：形容马奔跑的样子。这里指驾驭、控制。

②坚：坚硬，此处活用为名词，意为坚硬的东西。

③无有：指不见形象的东西。入：本义是进入，此处是穿透的意思。

④希：一本作"稀"，稀少。及：赶上，追上。

【译文】

天下最柔弱的东西，能够驾驭天下最刚强的东西，没有形体的东西能够穿透没有间隙的东西，我因此知道无为是有益处的。不用言语表述的教化，无为的益处，天下很少能比得上。

【评析】

本章老子强调"柔弱"的作用和"无为"的效果。"柔弱"是"道"的基本表现和作用，它实际上已不局限于与"刚强"相对立的狭义，而成为《道德经》概括一切从属的、次要的方面的哲学概念。老子认为，"柔弱"是万物具有生命力的表现，也是真正有力量的象征。如果我们深入一个层次去考虑问题，就会发现老子要突出的是事物转化的必然性。他并非一味要人"守柔"、"不争"，而是认为"天下之至柔，驰骋天下之至坚"，即柔弱可以战胜刚强的。这是深刻的辩证法的智慧。因此，发现了"柔弱"方面的意义是老子的重大贡献。

老子在论述中，不仅主张"无为"而且强调"无言"。无为，指国君治民顺其自然、不教化、不禁令、无所作为。

不言，指国君不自我炫耀，不争名、不争利、谦恭处下。这是老子治理天下的主要内容。可是，天下的国君对无为的益处、无言的作用，"莫能知，莫能行"。"天下希及之"，老子对此深表失望和愤慨。

【故事】

这里老子依然是在陈述其"柔弱"和"无为"的观点，老子认为，"柔弱"是万物具有生命力的表现，也是真正有力量的象征，即"天下之至柔，驰骋天下之至坚"。"水"和"空气"都是天下最柔弱的东西，可是它们却可以无所不在，无孔不入，具有最大的穿透力和最强的消解力，摧毁天下表面上最强大、最坚固的事物。在某种条件下，强硬反而会使事情越来越糟，用柔的手段却可以得到更好的效果。

晋武帝司马炎称帝以后，有灭吴的打算。他任命羊祜为都督，治理荆州军事，统率大兵镇守，与东吴隔江相望。

羊祜到了南方后，没有急于加强军事措施，而是实行怀柔政策，开设学校，安抚远近地区，很快得到江汉一带百姓的拥护。他还对吴国人开诚布公，凡是来投降的人，想要离开荆州，决不阻拦，去哪儿都可以。吴国的石城守备距离襄阳70多里，常常来侵扰，羊祜用计使吴国撤销了石城的守备，使两地能够和平共处。这样他就可以减少一半戍兵，分出来去开垦了800余顷田地，大获收益。羊祜刚到的时候，军队没有百日的存粮；后来，经过他的治理，居然积蓄了可供10年之用的储粮。皇帝下令撤销江北都督，设置南中郎将，把他们所属的在汉东和江夏的各军都归羊祜统领。

羊祜后来进一步占据险要地区，建造了5座城池，收取大批肥沃的土地，夺得了吴国人的资产，石城以西，尽归晋国所有。从此，吴国来投降的人络绎不绝。羊祜就更加提倡实施恩德信义，用怀柔政策来笼络刚刚归附的人。

羊祜每次和吴军交战，总是先约定好日期才开战，不搞突然袭击。吴国的将领陈尚、潘景带兵进犯，羊祜追杀了他们，但又称赞、宣扬他们的气节，厚加殡殓。羊祜的

陆抗

陆抗，字幼节，吴郡人。三国吴国名将，陆逊之子。孙皓为帝时，陆抗任镇军大将军、都督西陵、信陵、夷道、乐乡、公安诸军事。凤凰元年，击退晋将羊祜进攻，并攻杀叛将西陵督步阐。后拜大司马、荆州牧。

军队出行，经过吴国的地段，收割地里的稻谷作为粮食，都计算好收割稻谷的数量，用绢偿还。每次会集部队在江沔一带游猎时，一般总是在晋国境内。如果禽兽为吴国人所伤而后被晋兵所得，他就让人送还给吴国人。于是，吴国人都对他心悦诚服，尊称他为羊公。

羊祜和吴国的将领陆抗相对垒，可两军使者常有来往。陆抗十分称赞羊祜的德行和度量，认为即使乐毅、诸葛亮也不能与他相比。陆抗有次生病，羊祜了解了他的病情后，就派人给他送药去。陆抗高兴地服下，一点儿也没疑心。有人怕药里有毒，进行劝阻，陆抗批评说："羊祜哪里是个会害人的人！"

陆抗自然也清楚羊祜实行的是怀柔政策。因此，他常常告诫他的部下："如果羊祜他们专门施德，而我们专用暴力，这就会不战自败啊！现在只要各保自己的疆界就可以了，不要去追求小利。"吴国的皇帝孙皓听说吴晋边境和好，便责问陆抗。陆抗回答说："一个小镇、小乡，尚且不可以没有信义，何况泱泱大国！我如果不这么做，就只会使羊祜的名声更大，对他毫无损伤。"

羊祜在对吴国军民实行怀柔政策的同时，修缮盔甲，训练士兵，作了广泛的军事准备。他上书给晋武帝司马炎说：平定蜀地已经13年了，现在吴国的孙皓暴虐无道，吴国的百姓困苦不堪，而我们晋军的力量比过去更加强大，应该抓住时机，平定东吴，统一天下，使天下安宁，人民和好。他对灭吴的战略战术也提出了许多独到的见解。

羊祜施之以德、取之以信，对于敌军也是施以礼义，提倡仁德，这就是他用的怀柔之策。通过安抚、笼络等手段，瓦解敌军的斗志，获得敌国的民心，为最后的胜利铺平道路。这就是柔能够克刚的力量之所在。

羊祜

羊祜，字叔子，泰山南城人。西晋大臣。魏末司马昭专权，拜相国从事中郎，与荀勖等共参机密。司马炎代魏，曾任尚书左仆射。

第四十四章　知足不辱

【原文】

名与身孰亲？身与货孰多①？是故，得与亡孰病②？甚爱必大费③，多藏必厚亡④。故知足不辱，知止不殆⑤，可以长久。

【注释】

①多：轻重的意思；货，财富。

②得：指名利；亡，指丧失性命；病，有害。

③甚爱：过分的吝惜、贪恋。费：耗损、危害。

④藏：积蓄，贮存。厚亡：严重的损失。

⑤殆：危险。

【译文】

名声和生命相比哪一样更为亲切？生命和财产比起来哪一样更为贵重？获取名利和丧失生命相比，哪一个更有害？因此，过分的吝惜名利就必定要付出更多的代价；过于积敛财富，必定会招致更为惨重的损失。所以说，懂得满足，就不会受到屈辱；懂得适可而止，就不会遇见危险；这样才可以保持住长久的平安。

【评析】

在本章，老子首先以排比反诘的方式引发人们的疑情：通常习惯定势的追求是否太过于没有经过充分的权衡？老子宣传的是这样一种的人生观，人要贵生重己，对待名利要适可而止，知足常乐，这样才会避免遇到危难；反之，为名利奋不顾身，争名逐利，最终必然落得身败名裂的下场。在老子看来，贪求的名利越多，付出的代价也就越昂贵；积蓄的财富越多，失去的也就越多。所以他警告说：握有权柄的统治者，不要执迷于他人的国土，对于财富也不要表现出强烈的占有欲望。而要"知足"、"知止"，只有"知足"、"知止"，才能"不辱"、"不殆"，长久平安。

【故事】

"名与身亲孰？身与货孰多？得与之孰病？"老子提出一系列的反问，以犀利的语言，鲜明的对比，形象的比喻，揭露了当时社会上争名夺利、贪恋财色等社会现象，适可而止，知足常乐，从而远离祸害，免却灾难。

和珅是中国清代历史上一位显赫的名臣，他的名气不仅仅来源于他是一位权臣，更是一位有名的大贪官。和珅的贪欲之大，敛财之多是历史上所罕见的。在查抄和府时，查出田土8000余顷，房屋2000余间；银号10处，本银60万两；当铺10处，本银80万两；金库内赤金58000两；银库内银元宝895万多个。珠宝库、绸缎库、人参库都装得满满的。和珅之所以能够聚敛钱财，使自己银库的银子比国库还多，这是因为和珅拥有的权力巨大，使之成为毫无约束的敛财大臣。

和珅生在一个颇有地位的八旗官宦家。父亲曾担任八旗都统，因此和珅从小受到了良好的教育，在他十岁时入学咸安宫官学。

咸安宫官学是雍正年间建立的，专门培养内务府的优秀子弟，后来乾隆年间，扩展招收八旗官员的俊秀子弟，在选拔时非常严格。

和珅生得英俊潇洒，貌美无比，同时又有良好的学识基础，因此被录选咸安宫官学进行学习。在咸安宫官学学习期间，和珅熟通古今，对《四书》、《五经》倒背如流，并且通晓满语、汉语、蒙语、藏语四种语言。这为他日后官场的发迹打下了深厚的基础。

乾隆三十四年，和珅正好20岁，刚刚完成咸安宫官学的所有学业。此时和珅风度翩翩，一表人才。身居朝中高位的英廉看中了和珅是个有发展前途的青年，竟将自己宠爱的孙女许配给他。有了刑部尚书兼户部侍郎英廉这位大靠山，和珅立刻开始春风得意。在英廉的帮助下，和珅被挑选为御前侍卫。

虽然御前侍卫差事的地位不高，但是却能接近皇帝，

和珅旧照

和珅，钮祜禄氏，字致斋，满洲正红旗人。清大臣。乾隆时袭世职，授侍卫，官至文华殿大学士，封一等公，弄权纳贿，仁宗时赐自尽。和珅，执政期间广收贿赂，致府库空虚，吏治败坏。其秉政揽权，历来被认为是清代衰败的一个重要原因。后嘉庆皇帝责令其自尽，查抄金银珍宝甚多。民间有"和珅跌倒，嘉庆吃饱"的谚语。

一旦得到皇帝的赏识，就有了提升的好机会了。和珅是一个非常聪明的人，又有着远大的政治抱负，因此他处处留心，寻找展示自己的机会。

有一天，乾隆皇帝要外出，仓猝间找不到皇帝专用的仪仗"黄盖"。乾隆很生气，就用了《论语》中的一句话问道："是谁之过？"其他侍卫都瞠目结舌，不知所措。这时和珅领会到了皇帝的意思，立即大声说道："典守者不得辞其责。"用的也是《论语》中同一篇的话。这时乾隆感到非常吃惊，对和珅问道："你读过《论语》吧？"和珅答道："是的。"

乾隆帝一下子怒气全消，见和珅仪表堂堂，口齿伶俐，就开始询问和珅的家世、年龄等情况。和珅都一一作答。

这一次的君臣会面，为和珅将来的迅速崛起埋下了伏笔。

从这以后，皇帝开始注意起和珅来，而和珅也早已将乾隆的脾气、心理、好恶摸得清清楚楚。因此和珅与皇帝的每一次会面和交往，都能使乾隆非常满意和开心。和珅的职位从此也以惊人的速度不断升迁。乾隆四十一年正月升为户部右侍郎，三月升为军机大臣，四月兼任总管内务府大臣。

在乾隆四十年时，和珅被皇帝授命处理云南总督李侍尧贪污一案。在查办李案中，和珅再一次显示了其精明能干。李侍尧是清初勋臣李永芳的后裔，他的父亲曾担任户部尚书，他本人也曾任户部侍郎、广州将军、两广总督，后任云贵总督、武英殿大学士。由于其位高权重，把其他许多大臣都不放在眼里，对和珅也是极为轻视。因此当乾隆派他去查办此案时，和珅是非常卖力的。

和珅一到云南，首先将李侍尧的总管拘捕，经过严刑拷打，终于获取了李侍尧贪污的重要材料证据，将和珅并没有放在眼中的李侍尧这才低头认罪，心中对这位"乳臭未干"的毛头小伙子也有了几分敬畏。

在查办李侍尧案件的过程中，和珅不知通过什么渠道了解到了云、贵两省的吏治腐败情况。他在给乾隆帝的奏折中，陈述了这两省吏治败坏、财政亏空的问题。乾隆帝

乾隆帝

乾隆帝为清世宗胤第四子。在位60年，实际统治64年，是中国历史上掌权时间最长的皇帝。在位期间，多次用兵统一疆土，使统一的多民族国家得到巩固发展。

阅读这一奏折后，内心十分满意，觉得自己派和珅去查办李侍尧案确实是选对了人。因此，乾隆帝在高兴之余，就给在返京途中的和珅加官，晋升为户部尚书兼议政大臣。

回朝之后，颇有心机的和珅又向乾隆帝面陈了设关、盐务、钱法以及清缅关系、同交趾（今越南）的贸易等方面的问题，并提出了一些颇有参考价值的建议。他在奏折中称："从前设立的收税关口，禁止携带丝、纸、针、绸出关，但关外还有腾越、龙陵、思茅等地，地阔民众，难免有所偷漏，因此奏请改设关口以收实效。"鉴于从四川流入云南的私盐"味好价廉，致使官盐销售困难，政府税收下降"的情况，和珅又奏请在川滇交界处缉拿私盐贩，并在云南省查办私钱，设法整顿市场。

根据和珅以往的履历来看，他丝毫没有治理地方的经验。而他这次西南之行却能查出这么多的问题，一方面也许是他的过人才智和心机之功，另一方面也许是有人为他提供情报。但是不论怎么说，和珅这次西南之行成为他一生中的第二个转折点。

龙心大悦的乾隆帝对和珅的所奏之事一一准旨奉行，不久又提升和珅为御前大臣，补镶蓝旗都统。继而又将和珅升为正白旗都统，领侍卫内大臣。没过两年，乾隆帝又赐和珅长子名丰珅殷德，还将自己最宠爱的小女儿——固伦公主许配给这个孩子，下旨等丰珅殷德和六岁的小公主一待成年，就举行婚礼。

从此以后，乾隆帝对和坤信任更是超乎寻常，各种荣誉相继赏赐给和珅：户部尚书、《四库全书》馆总裁、太子太保、国史馆正总裁、文华殿大学士、三等忠襄伯等爵。到乾隆统治晚年和嘉庆皇帝初年，和珅又任首席军机大臣兼管吏、户、刑三部；嘉庆三年又晋封为一等公爵，成为集军、政、财大权于一身，总揽一切的权臣。

和珅的发迹速度相当快，权力总揽甚多，这是少有的现象。纵观和珅发迹的过程，可以看出和珅的狡黠与乖巧。他极力想乾隆之所想，投乾隆之所好。乾隆喜欢吟诗作赋，和珅就极力练习自己的作诗能力，对乾隆的诗作经常赋和。

老年乾隆像

因此乾隆视和珅为知音，而和珅经常大赞乾隆才思敏捷，出口成章，他曾经非常肉麻地吹捧道："皇上几余吟咏，分章叠韵，精义纷论，立成顷刻，真如万斛泉源，随地涌出。昔人击钵催诗，夸为神速，何曾有咏十余，韵至十叠者!"

这一番恭维，正迎合了乾隆的好大喜功心理，让这位皇帝好不开心。而皇帝开心就会对他进行赏赐和提拔。和珅正利用了这一点才不断地青云直上。

另外，乾隆帝喜好巡游，曾多次巡幸江南，东巡祭祖，朝拜孔庙，和珅每每都形影不离，随侍左右。借此机会，和珅百般讨好乾隆。和珅还利用自己掌管钱财的权力，扩建圆明园和避暑山庄供乾隆享乐。

对于乾隆平日生活上的服侍，和珅更是体贴入微。乾隆年岁较高时，偶感风寒便咳嗽，每当上朝遇到乾隆咳嗽，身任宰相大臣的和珅便当着文武大臣的面，为这位老迈的皇帝捧着痰盂。可以说，乾隆帝对和珅的信任和宠爱甚至超过了自己的皇子。

就在和珅一步步地爬上权力顶峰的过程中，和珅的贪欲也在不断地膨胀。而权力的不断授予，使其不受到任何其他权力的约束，最终成为一人之下、万人之上的大权臣。但是，他并没有满足，一味的对于权利和金钱的贪心使得他在嘉庆登基之后就被抄家、处斩。这就是他不知道满足的后果。

第四十五章　大成若缺

【原文】

大成若缺①，其用不弊。大盈若冲，其用不穷②。大直若屈③，大巧若拙④，大辩若讷⑤。静胜躁，寒胜热⑥。清静为天下正⑦。

【注释】

①大成：最完善的事物。若缺：好像有所欠缺。

②冲：空虚，不足。穷：穷尽、穷竭。

③直：正直。屈：弯曲，枉屈。

④巧：技巧。拙：笨拙。

⑤大辩：雄辩。讷：说话迟钝。

⑥胜：极。躁：急躁、浮躁、躁动。

⑦静：宁静。

【译文】

最完美的东西好像有欠缺，但运营施展的作用不会衰败；最充盈的东西好像很空虚，但运营施展的作用无穷无尽；最正直的东西好像很枉曲，最灵巧的东西好像很笨拙，最善辩的人好像很不善言辞。静止可以战胜躁动，寒冷又可以克服暑热。清静无为才能够统治天下。

【评析】

本章前半部分用辨证的观点描述健全人格的特征。认为一个健全的人格本应是圆满、充实、正直、灵巧、口才好的，但是表露出来的往往与实际的情况相反，给人以欠缺、空虚、枉曲、笨拙、口讷的感觉。老子意在说明：完美的人格，不在于外在形式上的表露，更重要的是内心世界的修养。由此看来，在老子的心目中，人格的完美远比外在形体的完美重要得多。这里，老子仍是强调心性的修养。

后半部分借"静胜躁，寒胜热"比喻清静无为的作用，进一步说明加强心性修养，达到清净无为的境界，并能够保持清静无为，就能够在天下取得成功。

【故事】

本章反映了老子朴素辩证法观点，即要通过表象分析和把握实质，告诫人们应该去伪存真、由表及里判断与衡估事物的本质。有些事物的表象与其实质有相反性，"大成若缺，大盈若中，大直若屈，大巧若拙，大辩若讷"。那些本质上完美的东西，却给人以欠缺的感觉。最雄辩、口才最好的人，却给人以口讷的感觉。

战国时期，赵孝成王在位时，秦军在长平打败赵军，活埋赵国投降士兵40万。孝成王八年，秦军围困赵国的都城邯郸达一年之久。魏国援军由晋鄙率领，屯驻于魏、赵两国的边境处的荡阴，因害怕秦军，不敢进攻。

魏王又派了将军辛垣衍，由小路进了邯郸城，会见平原君，让他向赵王转达建议，说："秦国雄霸天下。现在秦军围困邯郸，不是想攻占它，而是希望赵国臣服，如果赵国拥护秦王称帝，秦王必定很高兴，就会撤兵。"

平原君知道，拥护秦王为帝，就意味着投降。觉得此事关系重大，正在犹豫不决的时候，听侍从说他家的食客鲁仲连求见，便想求教与他，忙吩咐召见。

鲁仲连见到平原君，直截了当地问："在下听说，魏王想让赵王尊奉秦王为帝，不知平原君打算怎么办呢？"

平原君说："我赵胜身为赵国相国，竟使军队大败，国都被围困，说起国家大事来，深感惭愧。魏国派将军辛垣衍来劝赵王尊秦王为帝，现在这个人还在这里。"

鲁仲连说："请平原君让他来，我来替您责备他。"

鲁仲连见到辛垣衍却不立即说话，辛垣衍忍不住了，问道："我看住在这被围困的都城里的人，大多是有求于平原君的；可先生不像是有求于人，您为什么不愿离开呢？"

鲁仲连回答说："我听说周朝的隐士鲍焦德行很高，因不愿屈从浊世而自杀。一般世人却不了解他，认为他是

平原君赵胜

平原君赵胜，赵武灵王之子，惠文王之弟。战国四公子之一。众公子中赵胜最贤能，他喜好宾客，宾客投奔到他那里的差不多有几千人。平原君担任赵惠文王和孝成王的国相，曾三次离开相位，又三次复职。

鲁仲连

鲁仲连，战国时
齐国人。善谋策，常
周游各国，排难解纷。
秦军围赵都邯郸，曾
以利害进说赵平原君，
劝阻尊秦昭王为帝。
后十余年，齐国欲收
复被燕占据的聊城，
屡攻不下，他写信劝
说燕将撤守。

为了个人，由于心胸狭窄而死的，其实世人的这种看法是不对的。现在一般人只知为个人利益打算，不懂得伸张正义、群起反抗不合理的事情。像那秦国就是摒弃礼义、崇尚斩首立功的国家，如果秦王肆无忌惮地称帝，甚至由他来统治天下，奴役所有的人的话，我鲁仲连宁可跳到东海里去死，也不做他的顺民。现在我久留围城之中，又来参拜将军的原因，就是想来帮助赵国反抗暴秦啊。"

辛垣衍问："先生怎么帮助赵国呢？"

鲁仲连说："我要让魏国和燕国帮助赵国；齐国、楚国本来就在帮助赵国了。"

辛垣衍说：'燕国我认为会听从您的，至于魏国，我就是魏国派来的，先生怎么能够使魏国来援助赵国呢？"鲁仲连坚定地说："这是因为魏王没有看到秦王称帝的危害的缘故，如果看到了，就一定会帮助赵国了。"

辛垣衍问："秦王称帝有什么危害呢？"

鲁仲连讲述了齐威王与周天子的历史事实，指出天子作威作福的历史教训，然后以邹、鲁两个小国的臣民拒绝称帝的齐王入境的正面事例，来激励魏国抗秦的决心，接着又说："如果不加以制止，最终让秦王称帝，他就会撤换诸侯的大臣，撤销他认为不贤的人的官职，而代之以他认为有才德的人；他会让他的女儿和嫉贤妒能的姬妾住进魏王的后宫，魏王哪里能平安无事呢？而将军又怎么能保持住原先受宠的地位呢？"

于是，辛垣衍起身，行了再拜礼，向鲁仲连道歉说："起初，我把先生看成凡人，今天我才知道先生是高士。我从此不敢再谈尊秦为帝的事了。"

这时魏公子无忌夺得晋鄙的兵权，攻击秦军，楚国的援军也赶来救赵，秦军撤去。于是，平原君要分封给鲁仲连土地，他再三辞让，告别平原君而去，终生不与之会面。

第四十六章　知足常足

【原文】

天下有道，却^①走马以粪^②，天下无道，戎马^③生于郊^④。祸莫大于不知足；咎莫大于欲得^⑤。故知足之足，常足矣。

【注释】

①却：屏去，此处意为退回、还给。

②走马：善跑的马，指战马。粪：耕种，治田的意思。

③戎马：军用战马。

④郊：古代国都以外五十里、一百里均称为郊。这里泛指野外战场。

⑤咎：灾难，罪过。欲得：渴望得到，这里比喻贪得无厌的意思。

【译文】

国家政治清明，社会生活太平就从战场撤回战马用来耕田；国家政治昏暗，社会动荡，就连怀胎的母马都用于征战。灾祸没有比不知道满足更大的了，罪过也没有比贪得无厌更大的了。所以，知道满足而止步的人，才是真正永远的满足。

【评析】

这一章主要反映了老子的反战思想。老子指出战争会带来巨大的祸害，国家与人民应对自力所得的福利感到满足，不要贪图他国非分之利而轻起战端。在春秋时代，诸侯争霸，兼并和掠夺战争连年不断，给社会生产和人民群众的生活造成了沉重灾难。对此，老子明确表示了自己的主张，他分析了战争的起因，认为是统治者贪欲太强。那么解决问题的办法是要求统治者知足常乐，这种观点可以理解，但他没有明确区分战争的性质，因为当时的战争有奴隶主贵族互相兼并政权，也有的是地主阶级崛起后推翻

道德经

奴隶主统治的战争，还有劳动民众的反抗斗争。因此，在本章里，老子所表述的观点有两个问题，一是引起战争的根源；二是对战争没有加以区分。

【故事】

人生最大的祸患，就是不知足，人生最大的过失就在于贪得无厌。故知足而止，则常满足。正因为贪欲不止，所以妄生是非，损人利己，造成祸端。历史上这样的例子比比皆是，唐朝长孙无忌就是因过分贪恋权势，最终遭陷害的。

长孙无忌，字辅机，河南洛阳人。其家世显赫，自幼博涉书史，妹即唐太宗长孙皇后，无忌在太宗、高宗二朝为相。特别是永徽年间，无忌以元舅之亲、顾托之重，大权在握。然而，这位权倾一时的显赫人物却被武则天指使人诬告谋反，让唐高宗将其发配黔州，不久又被人逼得投缳自杀。无忌的结局，应验了吴王李恪在临死前的咒语：长孙无忌窃弄威权，残害良善，宗社有灵，当诛灭不赦。

长孙无忌与李世民为布衣之交，更兼有郎舅之亲这层特殊关系。李渊晋阳起兵后，他跟随李世民征讨有功。

玄武门之变中，长孙无忌因"谋诛建成、元吉有功"，备受李世民的信赖和恩宠。此后，不管是外臣的怀疑，还是长孙皇后的苦谏，都阻止不了无忌官爵的扶摇直上。

贞观十七年，太子承乾被告谋反，被废为庶人。依据皇位继承法，最有资格做太子的是长孙皇后所生的魏王李泰和晋王李治。魏王泰好文学，深得太宗宠爱，太宗曾面许立为太子；晋王治懦弱，不为太宗所喜。但最后的结果是李治被立为太子。

这一结局的出现，正与长孙无忌有关。尽管当时有许多朝臣主张立魏王泰为太子，但以长孙无忌、褚遂良为代表的部分大臣，则坚主立晋王治，这使得唐太宗不得不慎重考虑无忌的身份和影响。长孙无忌在当时居于外戚和首相的地位，他既是唐太宗最信任的大臣，又是关陇集团的代表人物。而关陇集团之于唐朝，犹如双臂之于身躯。更何况唐太宗晚年尤其偏信关陇集团呢！这表明，在立储问题

长孙无忌

长孙无忌，字辅机，河南洛阳人。是唐太宗李世民的内兄，文德顺圣皇后的哥哥。唐朝的开国功臣，以功第一，封齐国公，后徙赵国公。武德九年，参与发动玄武门之变，帮助李世民夺取帝位。唐高宗即位，册封太尉，同中书门下三品。因反对高宗立武则天为皇后，为许敬宗诬构，削爵流黔州，自缢死。

上，唐太宗的个人倾向与关陇集团的要求产生了矛盾。唐太宗经反复权衡，最后定李治为太子。

长孙无忌坚主立晋王治，并非李治"仁恕"，而是有他自己的打算。第一，魏王泰与他素不同心。且泰久受宠爱，已在朝廷树立了党羽，一旦继位，无忌的权势就有被削弱甚至被取缔的危险。第二，晋王治软弱无能，继位后，他可借劝立拥戴之功操纵李治。不过，长孙无忌没有想到，易被自己所操纵的人，同样也具有易被别人操纵的危险。

李治定位皇储后，唐太宗十分怀疑他的能力，曾想更换太子。由于无忌的坚决反对，唐太宗更换太子一事只好作罢。贞观二十三年，唐太宗病故，长孙无忌与褚遂良扶李治登基，是为高宗。

高宗即位后，"以无忌为太尉，兼检校中书令，知尚书、门下一二省事"。永徽年间，高宗将政事委请无忌、褚遂良。两人悉心奉国，以天下安危自任。但无忌在稳定政局的同时，却极力推行膨胀关陇集团势力的政策。从高宗即位至武氏立后的六年间，新任宰相六人，其中五人均出自关陇集团。他排挤非关陇集团的大臣，从而人为地造成了一个反对派。更有甚者，无忌借房遗爱谋反一案，杀害了"名望素高"、太宗"常以为类己，欲立为太子"的吴王恪，以绝众望。并将与他不和的江夏王李道宗流放岭南。为稳固自己的权势，无忌编织了一个巨大的权力网，可谓用心良苦。然而，他的努力却把自己推向孤立的境地。

高宗永徽年间，正当长孙无忌势力在外廷极度膨胀之时，在宫闱中，却发生了王、武二后的废立之争。

高宗原配王皇后无子，昭仪武则天却备受高宗宠爱，并生有数子。武则天想谋夺中宫之位，但多方设法并没有使性格懦弱的唐高宗废掉王皇后，枭杰之武氏自然不甘罢休。永徽五年，武则天乘王皇后抚视其刚生不久的爱女之际，亲杀女儿，然后嫁祸于王皇后，使她有口难辩。这一毒招终于奏效，自此高宗与王后感情大坏，"始有废立之志"。

高宗要废王立武，这势必动摇长孙无忌在内廷中的地

李世民

李世民，即唐太宗，唐朝第二位皇帝，唐朝军事家，政治家、书法家。他开创了历史上的"贞观之治"，通过主动消灭各地割据势力，并虚心纳谏、在国内厉行节约、容许百姓休养生息，使得社会出现了国泰民安的局面。

武曌，即武则天，亦称武后，自称圣神皇帝，中国历史上唯一的女皇帝。武则天在夺取政权的过程中大肆剪除异己，打击政敌，并滥杀一些被她怀疑的大臣。到武周政权建立以后，斗争趋向缓和，此风才有所收敛。

位，事关整个关陇集团的命运，长孙无忌坚决不肯退让。

长孙无忌阻止武氏为后，朝中一批受他排挤的官员却极力向高宗建议册立武后。当高宗向李勣征求意见时，这位位至司空却被晾在一旁的开国元勋，说了一句"此陛下家事，何必要问外人"的话，终于使高宗下定决心。永徽六年十月，高宗废王皇后，册立武氏为后。

无忌阻止的失败，使得他的对手群中又多了一位权雄之性的武则天。高宗在位期间，武后逐步掌握了大权，她不会也绝不可能放过阻挠她上升的任何对手。经过几年的准备，对付无忌的计划已经酝酿成熟。显庆四年四月，武后指使党徒许敬宗诬告无忌谋反，高宗起初虽然不信，但他实在缺乏判断能力，经不住许敬宗的再三诬奏，最后竟没有召长孙无忌当面询问一下，就稀里糊涂地把长孙无忌流放到边远的黔州去了。许敬宗等利用谋反这一可怕罪名，把所有与长孙氏有关的才能之士铲去。

长孙无忌失去权势后，武后认为留着他终究是祸根，于是隔不多时，在同年七月复按反狱，逼长孙无忌自尽，其姻亲大抵谪徙。

长孙无忌落得如此下场，是他过分贪恋权势的结果。尽管他无心篡位，但在封建社会，外戚当权，很容易成众矢之的。其妹文德皇后曾多次要其兄逊职，但长孙无忌没能真正理解胞妹的良苦用心和深谋远虑。出于私利，反而拥立一位庸才为太子。手握重权时，为消除威胁，惨杀吴王恪于前，枉害李道宗于后，致千载之冤。到头来，自己也遭人暗算。他因过分迷恋权势，极力维护和巩固自己的地位，其结果反而不得善终。

第四十七章 不为而成

【原文】

不出户，知天下；不窥牖①，见天道②。其出弥远，其知弥少③。是以圣人不行而知，不见而名④，不为而成。

【注释】

①户：门。牖：窗户。

②见：了解、懂得。天道：日月星辰运行的规律。

③弥：愈，更加。

④名：通"明"，明白、清楚的意思。

【译文】

不出门，就能够推知天下的事情；不偷望窗外，就能够了解自然的规律。他向外走得越远，知道的就越少。因此，圣人不必亲身经历就能够了解一切，不必亲眼去看就可以明白一切，不必有所作为就能够成就一切。

【评析】

这一章，讲的是认识论，仍然表达了老子的清静无为的思想。老子强调内心修养的重要作用，有积极的一面。有人认为，老子抹杀了实践经验在认识中的作用，外在的经验知识是要不得的，因为它会扰乱人的心灵，这是老子思想的局限。实际上这种看法并没有了解老子的思想精髓。老子是一位博学多识的人，他有着极为丰富的实践经验，这从前几章的观点可以看出。

老子强调在认识的过程中注意内省的工夫，而不是对于社会实践的否定。只有内心的自省，下工夫自我，才能领悟到"天道"，才能知晓天下万物的变化发展规律。

【故事】

老子在这一章主要谈的是哲学上的认识论方面的问题，认识事物只有通过自身的反省，下功修炼自我修养，才能

齐威王，战国时期齐国国君。妫姓，田氏，名因齐，田齐桓公田午之子。公元前356年继位，在位36年。以善于纳谏用能，励志图强而名著史册。

知晓天下万物的变化发展规律，自我反省，自我检讨，对于人们改正错误具有重要意义，也利于人们成就大业。做任何事不要仅凭自己的个人经验，听听别人的看法，然后再反省一下自己的行为，最后再作出决定。

齐国的国相邹忌身高八尺有余，是一位相貌奇伟英俊的美男子。一天早晨，他穿好衣冠上朝，一边照镜子一边对夫人说："人家都说城北的徐公美，你看，我跟徐公相比，哪一个长得更英俊呢？"他的夫人回答说："当然是你长得英俊潇洒，徐公怎能跟你比？"所谓城北的徐公，是齐国著名的美男子。邹忌听到他的妻子说他比徐公还美，连他自己也不太相信。于是就问自己的姜说："我跟徐公谁长得英俊？"姜回答说："徐公怎能和你比。"第二天，有客人来访邹忌，邹忌跟客人谈话时，他又问客人说："我和徐公相比，谁更美？"客人回答说："徐公当然不如阁下漂亮啦！"

第二天，徐公来到邹忌家，邹忌仔细看徐公，再比一比自己，自认为并不如徐公俊；再对着镜子仔细看看自己，也觉得远不如徐公漂亮。到了晚上，邹忌躺在床上思索，并且自言自语地说："我的妻子之所以说我英俊，是因为她爱我；我的姜夸赞我，是因为她害怕我；客人也说我英俊，是因为他有求于我。"

于是邹忌上朝时对齐威王说："臣确实知道远不如徐公漂亮，但是由于臣的妻爱臣，臣的姜怕臣，臣的客有求于臣，于是他们就都夸赞我比徐公英俊。如今齐国地方千里，是个有120座城池的大国，宫娥都爱君王，而朝廷群臣都怕君王。由此可见，君王一定被人蒙蔽得很厉害。"齐威王说："贤卿的话很有道理。"于是，齐威王立刻颁布诏令说："从今以后，凡是齐国臣民，能够当面指出寡人的过错的，可接受'上赏'；上书直谏寡人过错的，可'中赏'；能在街头巷尾批评寡人过错的，可'下赏'。"

这道诏令刚一公布，群臣就争相进谏，王宫门前犹如市场一样，几个月以后，还经常有人向朝廷进谏。一年以后，想要进谏的人已经无话可说了，因为所有的意见都已经献给朝廷。燕、赵、韩、魏等国听说了这个消息后，都纷纷派使节前来朝拜，这就是所谓"在朝廷上战胜敌国"。

邹忌的妻、妾、客人都说邹忌比徐公漂亮，但是邹忌证实自己不如徐公，于是邹忌通过反省自己的身份与地位，得出了他们这样做的原因。齐威王通过邹忌的谏言亦反省自己，知道偏听则暗、兼听则明的道理，于是虚心地听取各方面的意见。可见自我反省、修炼内心对于为人行事的重要意义。

第四十八章　为学日益

【原文】

为学日益①，为道日损②，损之又损，以至于无为。无为而无不为，取③天下常以无事④；及其有事⑤，不足以取天下。

【注释】

①为：从事于。学：指礼、乐、政教等学问。日益：一天天增多。

②日损：一天天减少。

③取：为，治理，掌握。

④无事：即"无为"，不妄为，不造事。

⑤有事：此处指治理国家政令繁多苛刻。

【译文】

从事于礼乐教一类的学习，人们的情欲和巧伪就会一天天的增多，从事于自然之道的效仿，人们的情欲和巧伪就一天天的减少。减少了再减少，就会达到无为的境地。顺应自然不妄为，那么就什么事都成功了。治理天下经常要靠无为之道，不妄为，不造事。如果国家政令过于繁多苛刻，那就不足以治理天下了。

【评析】

本章论述了为学之旅与为道之旅的不同，强调为道可以使行为体达成无为而无不为的柔弱灵动性。他先讲"为学"，是求外在的经验知识，经验知识愈积累愈多。老子轻视外在的经验知识，认为这种知识掌握得越多，私欲妄见也就层出不穷。"为道"就不同，它是透过直观体悟以把握事物未分化的状态或内索自身虚静的心境，它不断地除去私欲妄见，使人日渐返朴归真，最终可以达到"无为"的境地。老子把"无为"的思想发挥到极高的程度，从哲学高度来论证"无为"的社会意义。"无为"表面看来，似乎是一种后退的手段，但真正的目的，则在于避开前进中所存在的矛盾和问题，从而占据主动，以达到"无不为"的最终目的。而他所讲的"为学"是反映"政教礼乐之学"，老子认为它足以产生机智巧变。只有"清静无为"，没有私欲妄为的人才可以治理国家。因而，老子希望人们走"为道"的路子。

【故事】

老子认为为政教礼乐之学，就会产生巧智，衍生更多的欲望；为道的学问，可以使人们去除私欲，返朴归真，最终完全达到无为、清静的境界。他还认为最好的治国治民的方法是顺应事物的发展规律，按照其本性来引导梳理，不要与事物相抵触，应该像流水一样，随物赋形，水虽然是至柔之物，但最后能把一切东西都填平，实际上就是最后包容、征服了一切。确实，在为政之道上，这是行之有效的方法。

廉范，字叔度，是京兆杜陵人，战国时期赵国名将廉颇的后人。他曾任过云中、武威、武都等郡的郡守，有丰富的治理民众的经验，很有政绩。

东汉章帝建初年间，廉范被任命为蜀郡（治今四川成都）太守。蜀郡民俗崇尚文辩，喜好持己见以论短长，不愿意接受别人的约束，也不愿意改变自己的习俗。廉范常常劝勉他们，从不听那些妄言虚说。

成都在当时是富庶之城，人口众多，民居稠密，城里的居民有夜间干活的习惯。廉范任蜀郡郡守以前，历来的郡守都禁止百姓夜间干活。因为夜间工作点火照明，十分容易失火，而一旦失火，就会使大片房屋被烧，屡屡造成严重的损失。但百姓们仍不顾禁令，常在夜间偷着干活，由于不敢公开点火，因此火灾的发生反而更加频繁。廉范任蜀郡郡守后，没有再下什么禁令，而是首先取消了以前的禁令，允许百姓夜间点火干活，但严格要求家家储备足够的水，以便能及时将火灾救灭。

自从廉范采用了这一新办法后，成都地区不但火灾减

唐宪宗

唐宪宗李纯，原名李淳，被立为皇太子以后改名。他是顺宗长子，大历十三年二月十四日出生在长安宫中。宪宗在位十五年，勤勉政事，君臣同心同德，从而取得了元和削藩的巨大成果，并重振中央政府的威望，成就了唐朝的中兴气象。但宪宗信宠宦官，终导致晚唐宦官专政。

少，而且给百姓带来了许多方便。百姓们作歌唱道："廉叔度，来何暮?不禁火，民安作。平生无襦今五绔。"

翻译成今天的话就是：廉大人来蜀郡做官来得太晚了，他不禁我们点火，让我们夜间安心劳作，使我们过上了从来没有的好日子。

廉范治蜀，无为而治，实在是值得钦仰的。唐宪宗时期的宰相杜黄裳对无为而治也有十分精彩的论述。唐宪宗继位不久，就召集大臣讨论如何治国，他希望通过讨论来确定正确的治国方略。杜黄裳在削藩问题上给宪宗出了很多好的主意，平定了藩镇的叛乱，使国家政权得以巩固，因此，宪宗十分器重他。这次，宪宗与大臣讨论如何治理好国家，其实主要是想听听杜黄裳的意见。宪宗道："自古以来，有些帝王为各项政务勤勉操劳，卓有成效，有些帝王却端身拱手，清静无为也能垂拱而治，他们各自都有成功的地方，也有失败的地方，怎么做才是最适当的呢?"

杜黄裳回答说："帝王对上承受着天地与国家赋予的使命，对下负有安抚百姓与周边民族和邦国的重任，必然朝夕忧劳，固然不能够自图清闲和安逸。然而，君主与臣下是各有职分的，国家的法度是有一定的程序的。如果能够慎重地选拔天下的贤才，并且将重任托付给他们，制定法则，当他们立功的时候便予以奖赏，当他们犯罪的时候便处以刑罚，赏罚分明，不失信用，选拔与任用都出以公心。这样的话，哪还会有什么人不肯竭尽全力为朝廷办事呢?朝廷还会有什么寻求的目标不能实现呢?"杜黄裳又说："贤明之君在寻求人才的时候是辛劳的，而在任用人才以后却可一劳永逸，这便是虞舜能够清静无为而使政治修明的原因啊!至于诉讼与交易等烦琐细小的事情，应由职能部门去办理，不是君主所应该躬亲过问的，如果事必躬亲，那就会管不胜管。"

看到唐宪宗认真地听，他就又举例加以说："过去，秦始皇用衡器称取所阅疏表奏章，每天一定要阅读一定数量的奏章，不可谓不勤勉了；魏明帝亲自到尚书台检验发行文书；隋文帝在议事的时候，侍卫们只好互传食物充饥，这些人不仅对当世全无补益，却反遭后人讥笑，费力不讨好。他们的双耳与双眼、身体与心志并非不勤劳而辛苦，但是他们致力的事情，并不合乎情理啊!"

他最后总结说："一般来说，君主最忌不能推心置腹，臣下最忌不能竭尽忠心。如果君主怀疑他的臣下，臣下不忠诚其君主，上下不能同心，要以这样的局面来寻求政治修明，不是很困难吗?"宪宗认为他的话极为正确。

杜黄裳确实是一个有见识的人，他所论述的道理应该是千古不易的，即使用今天的观点看来，他的主张也是完全适用的。

第四十九章　圣无常心

【原文】

圣人无常心①，以百姓之心为心。善者，吾善之；不善者，吾亦善之，德善②。信者，吾信之；不信者，吾亦信之，德信。圣人在天下，歙歙焉③为天下浑其心④，百姓皆注其耳目⑤，圣人皆孩之⑥。

【注释】

①常心：固定不变之心，这里指主观偏见之心，私心的意思。

②德：通"得"，得到，依归的意思。

③歙歙：收缩，收敛。

④浑：浑沌，此处活用为动词，是使……浑沌质朴。

⑤注：专注，聚精会神的样子。

⑥孩：名词活用为动词，使……像小孩一样。

【译文】

圣人没有私心的，把百姓的意志当作自己的意志。善良的人，我善待于他；不善良的人，我也善待他，这样就可以得到善良了，从而使人人向善。守信的人，我信任他；不守信的人，我也信任他，这样就可以得到诚信了，从而使人人守信。圣人治理天下，收敛自己的欲意，使天下的心思归于浑沌质朴。百姓们都专注于自己的所见所闻，而圣人则致力于使他们都回到婴孩般纯朴的状态。

【评析】

本章所述的是老子理想中的统治者的形象，他们应该做到虚静无为、浑厚淳朴，并且致力于使广大的人民保持混沌质朴的状态。他们善待百姓，信任百姓，因而也得到了百姓的善待和信任。然而老子所谓的"善"和"信"都是无为无事的，任其自然的发展。显然老子依然是在宣扬自己的"无为而治"的思想。

本章分为三层，观点鲜明。首先讲理解人："圣人无常心，以百姓之心为心。"接着讲尊重人："善者，吾善之；不善者，吾亦善之，德善。"最后讲爱护人："圣人皆孩之。"老子讲的这些圣人与百姓心连心，爱民如子，尊重人的自化，都是讲传统的治国经验。此章是老子阐述悟道观点的精华表现，其所阐述的观点具有十分积极的意义。

【故事】

本章提出："圣人无常心，以百姓心为心。"表现出老子的民本思想，统治者要善待百姓，这样君主也一定会得到百姓的拥护，天下将由此得以大治。历史上出现的汉文帝和景帝的"文景之治"、唐太宗的"贞观之治"，都是注重民本的结果。

康熙即位初年，由于大规模的群众性抗清运动被平息，以四大臣为代表的满族贵族，继续推行"圈地"、"逃人"和"投充"等明显含有歧视汉族内容的政策法令，从而使趋向缓和的满汉矛盾再度激化。而康熙鉴于满族统一辽东和漠南蒙古的经验教训，深知单凭武力是不能将统一局面长久维持的，必须争取其民心，而且深信四书五经等儒家经典及精通这些儒家经典的汉族士大夫是有裨治道的，因而在亲政后对汉族士大夫积极采取笼络手段，并逐步修正"圈地"等落后政策。

《逃人法》是满洲贵族为维持其残余的奴隶制统治而设立的缉捕逃亡奴仆的法令，为清初所推行，特别是顺治年间的《逃人法》，具有明显的民族压迫特征。如规定逃人逃跑二三次始行处死，遇赦得免，而土著窝主一经发现即被正法，妻子、家产籍没给主，遇赦不赦，邻右、十家长也要连带受重罚，唯旗人窝主仅鞭一百，罚银五两。这便使得汉人，无论地主还是普通百姓，都深受其害，大为不满，造成严重的满汉民族矛盾。

康熙四年正月，为了使《逃人法》既注重保护满洲贵族的既得权益，又能适当照顾汉族地主的正当要求，体现严惩讹诈、轻处窝主的精神，开始修订该法。康熙十一年

顺治帝

顺治帝，即清世祖，名爱新觉罗·福临。是清朝入关后的第一位皇帝。他是皇太极的第九子，生于崇德三年，八年八月二十六日在沈阳即位，改元顺治，在位18年。卒于顺治十八年，享年24岁。谥号体天隆运定统建极英睿钦文显武大德弘功至仁纯孝章皇帝，庙号世祖。

后规定，有关逃人案件除宁古塔仍由该将军审理外；其余各省由当地督抚审理。由于督抚等地方官大多由汉军旗人或汉人充当，他们比较注意稳定社会秩序，很少大肆株连或重处窝逃行为，因而受到广大汉族地主的欢迎和拥护，大大赢得了民心。

到康熙初年，随着大规模圈地活动的停止，原有《逃人法》的修订，此弊才基本被制止。

自汉武帝"罢黜百家，独尊儒术"之后，以孔子思想为代表的儒家学说便成为我国封建社会历代王朝所尊崇的正统思想。清太宗皇太极、世祖福临均推行尊孔崇儒的政策，仍按明代嘉靖年间的封号尊称孔子为"至圣先师"。而孝庄皇太后等人则相反，认为"汉俗盛则胡运衰"，因而"辄加禁抑"，他们既不搞尊孔崇儒，更不设经筵日讲。然而康熙帝从治理国家的实际需要出发，坚信儒家学说有裨治道，因而对学习汉族传统文化有着强烈的欲望和浓厚的兴趣，主动向太监张某、林某学习句读经书，了解明代的典章制度和宫廷轶事。

康熙八年四月中旬，即处置鳌拜前月余，康熙便采纳汉官建议，举行隆重的太学祀孔活动。

他以极为虔诚的心情，在宫中致斋数日后，在诸王大臣陪同下亲往太学祭奠孔子牌位，行三跪六叩大礼，并至彝伦堂听满汉祭酒司业等讲《易经》和《忆经》等精义。

康熙十六年十二月，他还亲制《日讲四书解义序》，进一步抬高孔子、孟子的地位和作用，将道统和治统完全统一起来。并言称："道统在是，治统亦在是矣。历代圣贤之君创业守成，莫不尊崇表章，讲明斯道。"表明自己以儒家学说治理国家的决心。

康熙二十三年十一月，他第一次南巡归途经过山东曲阜，特地到孔庙祭奠孔子，行三跪九叩之礼，御书"万世师表"额悬挂大成殿中，决定重修孔庙树立孔子庙碑，并亲自撰写碑文"以昭景行尊奉至意"。

这些崇孔活动及康熙从中表现出的至诚态度，无疑使汉族士大夫倍觉亲切，民心大悦。

鳌拜

鳌拜，瓜尔佳氏，满洲镶黄旗人。顺治帝死后，8岁的康熙即位。政务由索尼、遏必隆、苏克萨哈、鳌拜四个辅政大臣掌管。鳌拜虽位居四大臣之末，不久即得以擅权。他结党营私，日益骄横，引起朝野惊恐，康熙震怒。最后康熙终设计将鳌拜擒获，廷议当斩，康熙念鳌拜历事三朝，不忍加诛，仅命革职，籍没拘禁。不久鳌拜死于禁所。

不仅是搞尊孔活动，康熙还采取了一系列尊崇儒学的实际举措。

康熙亲政以后，仪制员外郎王士祯等人再次请求恢复八股取士旧制，康熙便以"牢笼志士，驱策英才"为号召，满足汉族士大夫的要求："此后照元年以前定例，仍用八股文章考试。"这些举措，对争取汉族士大夫的支持起到了重要作用。《清朝野史大观》甚至有"自是以后，汉族始安，帝业始固"之说。

与此同时，康熙还恢复了中断已久的经筵日讲活动。首次经筵日讲在瀛台举行，由国史院学士熊赐履主讲。

清代刀剑

日讲活动始于康熙十年四月，由翰林院满汉学士充任，同年八月起又让日讲官兼起居注。由于日讲起居注官员与皇帝接触最多，因而很受信任，升迁也快。

根据有人统计，从康熙十年四月到二十三年九月康熙第一次南巡前，共有42位汉人担任此职，其中江南人最多，有18位之多。如果按广义上的江南地区，包括江苏、安徽、浙江、江西、福建和湖广等地，即有32人之多。占总数的75％以上。这说明康熙在南巡前已对江南士大夫给予了较多的关注，也为稳定江南地区士人的民心创造了有利条件。

第五十章　出生入死

【原文】

出生入死①，生之徒②十有三③；死之徒④十有三；人之生动之于死地亦十有三⑤。夫何故？以其生生之厚⑥。盖闻善摄生⑦者，陆行不遇兕虎⑧，入军不被甲兵⑨。兕无所投其角⑩，虎无所措其爪，兵无所容其刃。夫何故？以其无死地⑪。

【注释】

①出生入死：出世为生，入地为死。

②徒：属，类。生之徒：属于平安享寿者。

③十有三：十分中有三分，即十分之三。

④死之徒：属于夭亡者。

⑤动：往往，常常。这句话的意思是人本来可以长生的，却意外地走向死亡之路。

⑥生生之厚：求生太过度，意为迫切的要求活着。生生：前一个生是动词，求生；后一个生是名词，生存。

⑦摄：保养，养护。

⑧兕：犀牛的角。兕虎：野兽，比喻危险。

⑨入军不被甲兵：入军，上阵打仗；被，动词，遭受，受创。

⑩无所投：无处可用，指派不上用场。

⑪无死地：没有进入死亡的境界。

【译文】

人出世为生，入地为死。人们从出生到死去，属于长寿的有十分之三，属于短寿夭折的有十分之三。人的生命，本来可以长寿却意外自己走向死亡的，也有十分之三。这是什么缘故呢？他们过于迫切追求活着，反而适得其反。听说：善于保养生命的人，在陆地行走不用避开犀牛和老虎，进入战阵不为兵器所伤害。犀牛对他无法使用它的角，

老虎对他无处施展它的利爪，兵器对他的身体无法事业它的锋刃。这是什么缘故呢？这是由于他顺其自然，不自处于死地。

【评析】

老子从生存的角度阐述无为自然的重要性。老子认为，人生在世，环境险恶，危机四伏，随时都有生命的危险，活着和死亡的机会是均等的。人们求生心切，为了活着，有时往往不择手段，以至事与愿违，本应长寿的，反而过早结束了自己的生命。老子用兕虎、甲兵作比，说明善于养护生命的人，面对重重的危机都能够化险为夷，始终不进入危险的境地，原因是他们重视"道"，能够做到少私寡欲，柔弱无为，顺其自然，不企图改变什么，结果才使生命得到延长。

这是老子的人生哲学的一种表现。老子观点的可取之处，在于他注意到了人为因素对生命的影响，但是他的说法有不科学的地方。

【故事】

"盖闻善摄生者，陆行不遇兕虎，入军不被甲兵。兕无所投其角，虎无所措其爪，兵无所容其刃。"这是老子的养生哲学，只要善于养生，就不会被伤害。同样，做人只在自己身正，就不怕影子斜。为人正直，别人陷害你也无从下手；工作认真，小人找错误也不会找到。只要保持你应有的本质，别人也找不到下手的机会。

一心为公的人往往容易受到他人的嫉妒，由此使自己陷于矛盾之中，受到不公正的待遇。这样的不平之遇要善于忍受，否则稍有不慎，就会让小人得意，自己反而会受到更大的打击。西晋的石苞面对不平，心底无私，坦然相对，使晋武帝终于自省，也消除了自己的不平之境。

石苞是西晋初期一位著名的将领，晋武帝司马炎曾派他带兵镇守淮南，在他的管区内，兵强马壮。他平时勤奋工作，各种事务处理得井井有条，在群众中享有很高的威望。当时，占据长江以南的吴国还依然存在，吴国的君主孙皓也还有一定的力量，他们常常伺机进攻晋朝。对石苞来说，他实际上担负着守卫边疆的重任。

在淮河以北担任监军的名叫王琛。他平时看不起贫寒出身的石苞，又听到一首童谣说："皇宫的大马将变成驴，被大石头压得不能出。"石苞姓石，所以，王琛就怀疑这"石头"就是指石苞。毫无理由地怀疑他人，陷人于不平之中，实在是不义之举。然而，王琛还是这样做了。他秘密地向晋武帝报告说："石苞与吴国暗中勾结，想危害朝廷。"在此之前，风水先生也曾对武帝说："东南方将有大兵造反。"等到王琛的秘密报告上去以后，武帝便真的怀疑起石苞来了。

正在这时，荆州刺史胡烈送来关于吴国军队将大举进犯的报告。石苞也听到了吴国军队将要进犯的消息，便指挥士兵修筑工事，封锁水路，以防御敌人的进攻。武帝听说石苞巩固自卫的消息后更加怀疑，就对中军羊祜说："吴国的军队每次来进攻，都是东西呼应，两面夹攻，几乎没有例外的，难道石苞真的要背叛我？"羊祜自然不会相信，但武帝的怀疑并没有因此而解除。凑巧的是，石苞的儿子石乔担任尚书郎，晋武帝要召见他，可他经过一天时间也没有去报到，这就更加引起了武帝的怀疑，于是，武帝想秘密地派兵去讨伐石苞。

武帝发布文告说："石苞不能正确估计敌人的势力，修筑工事，封锁水路，劳累和干扰了百姓，应该罢免他的职务。"接着就派遣太尉司马望带领大军前去征讨，又调来一支人马从下邳赶到寿春，形成对石苞的讨伐之势。石苞一点也不知道武帝对他的猜疑。到了武帝派兵来讨伐他时，他还莫明其妙。但他想："自己对朝廷和国家一向忠心耿耿，坦荡无私，怎么会出现这种事情呢？这里面一定有严重的误会。一个正直无私的人，做事情应该光明磊落，无所畏惧。"于是，他采纳了孙铄的意见，放下身上的武器，步行出城，来到都亭住下来，等候处理。

武帝知道石苞的行动以后，顿时惊醒过来，他想：讨伐石苞到底有什么真凭实据呢？如果石苞真要反叛朝廷，他修筑好了守城工事，怎么不作任何反抗就亲自出城接受处罚呢？再说，如果他真的勾结了敌人，怎么没有敌人前来帮助他呢？想到这些，晋武帝的怀疑一下子消除了。后来，石苞回到朝廷，还受到了晋武帝的优待。

俗话说："脚正不怕鞋歪，身正不怕影斜。"石苞的故事告诉我们：做人坦荡无私、正直光明，就无所畏惧，别人想陷害也陷害不了。

第五十一章 尊道贵德

【原文】

道生之，德畜之，物形之，势①成之。是以万物莫不尊道而贵德。道之尊，德之贵，夫莫之命而常自然②。故道生之，德畜之，长之育之，亭之毒之③；养④之覆⑤之。生而不有，为而不恃，长而不宰，是谓玄德。

【注释】

①势：万物生长的自然环境。

②莫之命而常自然：不干涉或主宰万物，而任万物自化自成。

③亭：用作动词，完成、结成的意思。毒：熟。

④养：爱养、护养。

⑤覆：维护、保护。

【译文】

道生化万物，德养育万物，物性使万物纷呈其形，环境使万物得以长成。因此，万物无不尊崇道、珍重德。道之所受尊崇，德之所受珍重，就在于道对于万物的生长并不加以干涉，而顺其自然。所以道生长万物、德养育万物，是万物成长发展，成熟结果，对万物加以养护和保护。养育万物却不占为己有，造就万物却不自恃己能，长养万物却不自作主宰，这就是道的最高境界，把它称之为"玄德"。

【评析】

这一章是老子的道德观。老子认为万物由道而生，由德而育，由物质而赋形，由外界环境而长成。也就是说，道、德、物质和环境是万物生成的四大要素。老子还认为，万物的自然境界就是最完美的境界。在这种境界里，万物不受任何东西的主宰、干涉，只有道可以主宰他们，但是

"道"却不干预他们，任其自然的生长、发展。这就是道的高贵之处。这就是"道"在作用于人类社会时所体现的"德"的特有精神。老子称之为"道生之"，说明万物的生长需要依据着客观自然界存在的规律；"德畜之"说明客观自然界存在的规律具体运用于物的生长。显然这一点，是老子反对鬼神术数的表现，反对有神论的表现，这是一种毋庸置疑的无神论思想，它否定了作为世界主宰的神的存在，这在先秦时代的思想界应该说达到了很高的水平。

【故事】

老子说："生而不有，为而不恃，长而不宰，是谓玄德。"最高的道德就是一种润物细无声的品格，一种有所作为却不自恃有功的精神，一种施恩不图回报的境界。孔子说："见义不为，无勇也。"我们说，见义勇为却是真正的勇。墨子周游列国极力宣传他的学说，最为可贵的是，他为天下百姓免除灾难，众人却不知其功，墨子对此并没有丝毫抱怨。

墨子怀抱"救世"的情怀行义天下，认为只有义才能利民、利天下。所以，他以一个苦行僧的形象周游列国诸侯，不仅极力宣传他的学说主张，而且尽力制止非正义的、给天下百姓带来无穷灾祸的战争，达到了见义勇为的至高境界。

天下有名的巧匠公输盘，为楚国制造了一种叫做云梯的攻城器械，楚王将要用这种器械攻打宋国。墨子当时正在鲁国，听到这个消息后，立即动身，走了十天十夜直奔楚国的都城郢，去见公输盘。

公输盘对墨子说："夫子到这里来有何见教呢？"墨子说："北方有人侮辱我，我想借你之力杀掉他。"公输盘很不高兴。墨子又说："请允许我送你十镒黄金作为报酬。"公输盘说："我义度行事，决不去随意杀人。"墨子立即起身，向公输盘拜揖说："请听我说，我在北方听说你造了云梯，并将用云梯攻打宋国。宋国又有什么罪过呢？楚国的土地有余，不足的是人口。现在要为此牺牲掉本来就不

楚国圆鼎

足的人口，而去争夺自己已经有余的土地，这不能算是聪明。宋国没有罪过而去攻打它，不能说是仁。你明白这些道理却不去谏止，不能算作忠。如果你谏止楚王而楚王不从，就是你不强。你不杀一人而准备杀宋国的众人，确实不是个明智的人。"公输盘听了墨子的一席话后，深为其折服。墨子接着问道："既然我说的是对的，你又为什么不停止攻打宋国呢？"公输盘回答说："不行啊，我已经答应过楚国了。"墨子说："何不把我引见给楚王。"公输盘答应了。

于是，公输盘引墨子见了楚王，墨子说道："假定现在有一个人在此，舍弃自己华丽贵重的彩车，却想去偷窃邻舍的那辆破车；舍弃自己的锦绣华贵的衣服，却想去偷窃邻居的粗布短袄；舍弃自己的膏粱肉食，却想去偷窃邻居家里的糟糠之食。楚王你认为这是个什么样的人呢？"楚王说："一定是个有偷窃毛病的人。"

墨子于是继续说道："楚国的国土，方圆五千里，宋国的国土，不过方圆五百里，两者相比较，就像彩车与破车相比一样。楚国有云楚之泽，犀牛麋鹿遍野都是，长江、汉水又盛产鱼鳖，是富甲天下的地方。宋国贫瘠，连所谓野鸡、野兔和小鱼都没有，这就好像粱肉与糟糠相比一样。楚国有高大的松树，纹理细密的梓树，还有梗楠、樟木等等，宋国却没有，这就好像锦绣衣裳与粗布短袄相比一样。由这三件事而言，大王攻打宋国，就与那个有偷窃之癖的人并无不同，我看大王攻宋不仅不能有所得，反而还要损伤大王的义。"楚王听后说："你说得太好了！尽管这样，公输盘为我制造了云梯，我一定要攻取宋国。"

鉴于楚王的固执，墨子转向公输盘。墨子解下腰带围作城墙，用小木块作为守城的器械，要与公输盘较量一番。公输盘多次设置了攻城的巧妙变化，墨子则全部成功地加以抵御。公输盘的攻城器械已用完而攻不下城，墨子守城的方法却还绰绰有余，公输盘只好认输，但是却说："我已经知道该用什么方法来对付你，不过我不想说出来。"墨子也说："我也知道你用来对付的方法是什么，我也是不

墨子塑像

墨子，名翟。战国初期思想家、政治家、藏书家。墨家学派的创始人。鲁国人，一说为宋国人。曾习儒学，因不满其烦琐的"礼"，另立新说，聚徒讲学，成为儒家的主要反对派。他的"非命"、"兼爱"之论，和儒家"天命"、"爱有等差"相对立。认为"官无常贵，民无终贱"。要求"饥者得食，寒者得衣，劳者得息"。其中不少具有朴素唯物主义思想。

想说出来罢了。"楚王在一旁不知道他们两个人到底在说什么，忙问其故，墨子说："公输盘的意思不过是要杀死我，杀死了我，宋国就无人能守住城，楚国就可以放心地去攻打宋国了。可是，我已经安排我的学生禽滑厘等300人，带着我设计的守城器械，正在宋国的城墙上等着楚国的进攻呢！所以，即便是杀了我，也不能杀绝懂防守之道的人，楚国还是无法攻破宋国。"楚王听后又是大声说道："说得太好了！"他不再固执地坚持攻宋，而是对墨子表示："我不进攻宋国了。"

墨子成功地劝阻楚王放弃进攻宋国的计划，便起程回鲁国。途经宋国时，适逢天降大雨，于是想到一个闾门内避避，看守闾门的人却不让他进去。殊不知，正是墨子刚刚挽救了宋国，是宋国的恩人。

所以《墨子·公输盘》篇末感叹道："治于神者，众人不知其功；争于明者，众人知之。""众人不知其功"与"众人知之"两相对比，更显出墨子的伟大。"众人不知其功"的义行，真正体现了见义而为的内涵。为天下百姓而勇于义，本不要什么功名，更不应去"争于明"。

施恩不图报，凡符合自己道德标准的事就乐于去做，不为回报、不求名利，不为青史留名，这被那些精明人看成是傻子做的事，糊涂人却乐于去做。所以，只要自己觉得这样做是快乐的，糊涂也无妨。

第五十二章　天下有始

【原文】

天下有始①，以为天下母②。既得其母，以知其子③；既知其子，复守其母，没身不殆。塞④其兑，闭其门，终身不勤⑤。开其兑，济其事⑥，终身不救。见小曰明，守柔曰强。用其光，复归其明，无遗身殃；是为袭常⑦。

【注释】

①始：本始、原始，指"道"。

②母：根本、根源，指"道"。

③子：指万物。

④塞：阻塞，堵塞。

⑤勤：愁苦、劳忧。

⑥济：渡过，这里指成功，完成。

⑦袭常：袭，通"习"，沿用，因袭。

【译文】

天下万物都有原始，以它作为天下万物的根本。掌握了万物的根本，就会认识由它产生的万物；既然知道了万物，又能够坚守万物的根本，这样就终身没有危险。堵塞产生利欲的孔穴，关闭产生利欲的大门，这样就终身没有忧虑。如果打开利欲的孔穴，把一切不符合自然的事情办成功，那就终身无法挽救了。能察见细微事物的人叫做"明"，能遵循柔弱和顺的人叫做"强"。运用"道"的智慧之光，返照内在的明，不给自己带来灾难，这可谓是承袭了大道之常则。

【评析】

在本章中，老子又一次使用了"母"、"子"这对概念。强调了道是产生天下万物的总根源，是把握天下万物以至是立于不败之地的总根本、总原则。在这里，"母"

就是"道","子"就是天下万物，因而母和子的关系，就是道和万物、理论和实际、抽象思维和感性认识、本和末等关系的代名词。

老子认为，只要重视讲道的生活，退居柔弱，持守虚静，做到无知、无欲、无为，就会保全自己；否则，在私心贪欲的支配下，自逞其能，必然没有好结果。老子意在劝诫人们，为人处世不可一味地彰显自己，要注意收敛锐气，含藏锋芒，从而求得保全，透露出他的保守思想。

老子的论述引用了辩证的方法，他的"知母"、"知子"的观点是老子哲学思想的精华之一，不仅在春秋末年甚至在以后相当长的一段时期内，其思想水平是许多哲学家所不及的。

【故事】

"知雄守雌，虚静处下，以屈求伸，以退为进，柔弱胜刚强"是老子乃至整个道家学派的主张，也是《道德经》全书的核心思想。本章更是突出地表现了这一思想。老子认为关闭欲望的大门，就会终生无忧；打开利欲的大门，就会遭殃。为人处世不能太显露自己，要知道收敛、藏锋，知道放弃退让，这样才能保全。

纵观古今中外，处于最高权力层的人物对于权力的态度，似乎可以分为以下几种：第一种是追求权力，一旦掌握权力之后，就再也不愿被别人抢走。第二种是贪恋权力，而且一旦控制权力之后，会擅权专断，作威作福，甚至不顾民生疾苦。第三种是对待权力小心谨慎，或者恪尽职守，精忠报国，如诸葛亮对于蜀汉政权；或者极力远离权力场，将手中的权力让给别人，以求明哲保身，如曾国藩晚年自动让权；或者功成身退，不再留居在官场中，如范蠡和张良的隐逸或离权。第四种是位居权力最高层，既不过于贪恋权力，也不刻意让权或隐逸，而是将权力视如淡水，不以权谋私。这类代表人物之一就是元世祖忽必烈的股肱重臣刘秉忠。

刘秉忠，字仲晦，本名刘侃，少时出家为僧，号子聪，又号藏散人。刘秉忠祖籍瑞州，元太祖十一年生于邢州

（今河北邢台）。其先祖曾在辽朝当过官，金灭辽后，又在金朝为官，为金邢州节度副使。蒙古军队攻占邢州之后，设都元帅府，刘秉忠的父亲刘润为都统，后改署州录事，并历任巨鹿、内丘两县提领。

刘秉忠生来就风骨秀美，异于常人，素有志向，为人豪爽而不羁。他从小就聪明好学，据说每天记诵数百言，能够过目不忘，还对《易经》等经史、天文、地理、律历以及卜算、遁甲等都深有研究。按照当时的制度，凡是在蒙古贵族领地为官的汉人，都必须以儿子为人质，因此刘秉忠在13岁的时候就于都元帅府做人质，在这里初次领略和学到了一些从政的方略。

为了养家，刘秉忠17岁时到邢台节度使府当了令史，主要负责文字记录和抄写工作。但从小就心怀异志的刘秉忠对这样枯燥的工作并不感兴趣，他时常郁闷不乐，不安心于现状。有一次，刘秉忠将毛笔投掷在书案上，感叹道："我家世代为朝廷所重用，我怎么能自甘沦落，当一个刀笔小吏呢？大丈夫生不逢时，怀才不遇，就应该隐姓埋名，以待时机，以求有朝一日再施展自己的鸿鹄之志。"

于是，刘秉忠毅然辞职，到武安山中隐居。后来，他的才华得到天宁寺虚照禅师的赏识，特意将其招入山中，为其剃度，并改名子聪，在寺庙中掌书记之职，所以后来人称"聪书记"。此后，刘秉忠游历云中，留居南堂寺。

10余年之后，已经27岁的刘秉忠在空门中经过潜心治学和博览群书，已经具备了敏锐的洞察力，而且对古今治乱兴衰研究得十分透彻，由此具备了超乎寻常的政治见解和胆识。在这种情况下，刘秉忠开始寻找机会，以期实现治国安邦的宏伟心愿。

1242年，机会终于来了。

这时，身居漠北和林的藩王忽必烈欲有所为于天下，积极接纳中原文士和儒释道三教名流。燕京大庆寺高僧海云禅师应忽必烈之邀请，身赴漠北，途经云中时，闻知秉忠的才名，特意约他同行。刘秉忠也欲施展自己的才华和抱负，于是与海云禅师一同北上，谒见忽必烈，走上了人

刘秉忠

刘秉忠，字仲晦，本名刘侃，少时出家为僧，号子聪，又号藏散人。刘秉忠祖籍瑞州，元太祖十一年生于邢州。其先祖曾在辽朝当过官，金灭辽后，又在金朝为官，为金邢州节度副使。蒙古军队攻占邢州之后，设都元帅府，刘秉忠的父亲刘润为都统，后改署州录事，并历任巨鹿、内丘两县提领。

生的转折点。

到达和林后，刘秉忠多次受到忽必烈召见。他纵论天下时事，深受忽必烈的赏识。当梅云禅师返回时，刘秉忠被留了下来。从此，刘秉忠几十年都没有远离忽必烈，参与了忽必烈创建元朝的各种大计方针的决策，为辅佐忽必烈完成统一大业竭尽了全部精力。

刘秉忠之所以能够成为忽必烈的左膀右臂，不仅仅是由于他个人的杰出才能，更主要的是他在元朝统一的过程中所做的各种贡献。终其一生，刘秉忠的献计献策不计其数，而大的方面主要表现为制定施政大纲，为忽必烈承袭中原帝业、治国平天下设计了一幅完整的政治蓝图。

当忽必烈奉胞兄蒙哥汗之命，总理漠南之地时，忽必烈率刘秉忠等臣属南下，开府于金莲川。为了治理好漠南地区，刘秉忠建议忽必烈应"思周公之故事而行之"，要抓住这一建立基业的千载良机。

他对忽必烈说："在朝廷内部，应该遵循古代典籍礼制，依照伦理法度为指导思想。在内部莫大于宰相，宰相统领百官，感化万民；在外部莫大于将帅，将帅统领三军，安定境域。因此要选择良相贤将，内外相济，这是当前最为迫切的问题。"

对于蒙古国官制混乱的缺陷，刘秉忠又上疏建议："目前官无定次，清洁者不能升迁，污滥者不能降陟。应当参考古例，制定百官爵禄仪仗。此外宜慎选县宰，使民心安定。县宰正，民心自安。"同时，他还建议去除繁苛酷刑，取消了鞭背之刑，严禁私设牢狱，使法令更加完善。

为了减轻百姓负担，刘秉忠提出"国不足，取于民；民不足，取于国。有国家者，置府库，设仓廪，亦为助民；民有身者，营产业，辟田野，亦为资国用"，认为国与民二者是互为补充、如鱼之与水的关系。因此他主张轻徭薄赋，减轻百姓的差役负担，免除苛捐杂税，为漠南地区经济的发展奠定了基础。

刘秉忠还积极倡导学校教育，主张尊师祭祀，开科举士，选举有才华的读书人做官。他建议忽必烈，应由官府

忽必烈

元世祖忽必烈，元朝的创建者。1260年，忽必烈在部分诸王的推戴下，即汗位于开平，建元中统。1271年建国号为大元，定都大都。这是中国历史上第一个少数民族统治全国的王朝。

出钱养那些没有产业的名士宿儒，使之不受贫困侵扰。这样，就得到了许多知识分子的拥护和支持。

刘秉忠的上述各项建议和做法，实际上就是忽必烈推行"汉法"的理论基础。当忽必烈到达漠南地区的第二年，这些建议大部分就得到实施。尤其是在河南唐、邓诸州和陕西凤翔、京兆等地，兴利除弊、铲除贪官污吏、招抚流民垦田、兴修学校、保护儒士等，是忽必烈推行"汉法"的一次实践。这次实践的成功使忽必烈认识到只有"行中国之道"，方能"得中土之心"的道理，为他以后统一全国打下了基础。

1259年，蒙哥汗死于伐宋的军营中，忽必烈返回漠北，从幼弟阿里不哥手中夺得大汗之位。至此，除偏居江南的南宋之外，大漠南北和中原地区已落入忽必烈的掌控之中。这时，忽必烈面临着如何统治中原、继承中国历代帝王基业的迫切任务。于是，他再一次向刘秉忠问计。

早在漠北汗王府时，刘秉忠就曾向忽必烈进言指出："可以在马上取天下，不可以在马上治天下。"这一道理深深地打动了忽必烈。当忽必烈再次请教"治天下之经，养民之良法"时，刘秉忠广采历代王朝的典章制度，并根据当时的实际情况，一一编列成章，呈送给忽必烈。据此，忽必烈将纪年方法改为与中国历代王朝传统相吻合的"中统"，后又改年号为"至元"。在至元八年，又采取刘秉忠建议，废除"蒙古"国号，建国号为"大元"，于次年定都中都，改称为大都。此外，在官制、军政和司法、地方等方面，忽必烈也依照刘秉忠等人的建议，一一进行了改革，建立了一套完善的中央集权统治。

由于刘秉忠的精心谋划，元朝的统治终于走上了与中国历代封建王朝相衔接的轨道。例如"颁章服，举朝仪，给俸禄，定官制"，使章服有序，朝仪合礼，官有其职，位有定员，且食有常俸，因此吸引了各地人才，使那些朝廷旧臣、山林隐逸之士都重新得到录用，元朝的统治面貌焕然一新。因此，奠定元朝"一代成宪"，首功之臣实非刘秉忠莫属。

于是忽必烈准奏，即日赐名刘秉忠，并令其还俗，官拜光禄大夫，位太保，参领中书省事。同时，又下诏以翰

元代青玉莲花托坐龙

林学士窦默之女为妻，赐给府第，成立家室。

还俗之后的刘秉忠可谓是一人之下，万人之上，当上了封建王朝的最高级别官僚。但是，他仍然斋居素食，过着心如止水的简朴生活。

在刘秉忠的一生中，从未因为个人私事而利用过手中的权力，这和其他手握朝廷大权谋取私利的高级官员相比，犹如天壤之别。因此，当刘秉忠于至元十一年在上都南屏山无疾而终时，忽必烈悲痛万分，对群臣说："秉忠事朕三十余年，小心谨慎，行事细密，不避艰险，正直无私，言无隐情。"这段话无疑是对刘秉忠的中肯评价。

刘秉忠以自己的远见卓识获得了忽必烈的赏识，几十年侍奉忽必烈左右，为统一全国出谋划策；他劝忽必烈推行"汉法"，使蒙古得以入主中原，站稳脚跟，因此可以当之无愧地称为一代谋略大家。而他在功成之后，视权力如淡水，更为他赢得了巨大的声誉。在他看似散淡的政治生涯中，实则隐藏着卓越的智慧，这也正是他受到后人尊敬和赞赏的原因所在。

元代武俑士

第五十三章　行于大道

【原文】

使我①介然有知②，行于大道，唯施③是畏。大道甚夷④，而人好泾⑤。朝甚除⑥，田甚芜，仓甚虚，服文采，带利剑，厌饮食⑦，财货有余，是谓盗夸⑧。非道也哉！

【注释】

①使：连词，即使。

②介然有知：介，微小。微有所知，稍有知识。

③施：邪、斜行。

④夷：平坦的意思。

⑤人：指人君，一本作"民"。径：小路、捷径。

⑥朝甚除：朝政非常败坏。除：破废，衰败。

⑦厌饮食：厌，饱足、满足、足够。

⑧盗夸：即大盗、盗魁。

【译文】

假如我稍有认识，就会遵循大"道"走下去，而唯恐走上邪路歪道。大道是十分平坦的，但是那些统治者却喜欢走邪路。朝政十分的腐败，农田十分的荒芜，仓库也十分的空虚，可他们还穿着锦绣华丽的衣服，佩带锋利的宝剑，饱餐精美的饮食，占有富余的财货，这就叫强盗头子。这是多么的荒淫无道啊！

【评析】

在本章，老子赋予他的道论以明确的对社会政治现实作批判的蕴含，对中国集权专制社会习常可见的"盗夸"现象表示了极大的愤慨。老子常常以一种相当慈和宽容的态度，既为人民着想，也为人君献策，并且以后者居多。而像本章这样强烈而鲜明的感情表露在道论中是不多见的。

老子对于压迫者的炽烈仇恨，对于灾难深重的人民的真挚同情，对于压迫人民、掠夺人民的社会政治制度必然崩溃的深刻信念。他站在人民群众的立场上，从社会稳定与发展的角度，抨击当政的暴君为"盗夸"，这是从老子开始到庄子的道家最为可贵的重要观点。那些"财货有余"的人才是货真价实的"盗夸"，"圣人不死，大盗不止"，这是从被压迫的劳动者的利益出发而发出的呐喊。从这种观点中，我们也感到老子并不是腐朽的没落的奴隶主贵族利益的代言人，而是真切地代表了被压迫者的愿望。

【故事】

本章描述了社会的黑暗和统治者给人们带来的深重灾难，尤其是统治者凭借权势和武力恣意横行、搜刮榨取百姓，终日荒浮奢侈，过着腐朽糜烂的生活，而下层人民却苦不堪言。老子从被压迫的下层人民出发而发出呐喊，对统治者进行了严厉的揭露和批判。同时老子提出，只要稍有认知的人就会"行于大道"，而那些"好径"的人不会得到善终。商纣、隋炀帝杨广，历史上哪一个暴君不是被人推翻打倒、遗臭万年的！

隋朝绿褐彩骑驼胡人俑

杨广在做皇太子前后，不得不矫情饰节，以取悦父母和掩住天下人耳目。一旦登上帝位，他的穷奢极欲的真面目就完全暴露出来，侈奢程度，不仅杨坚和独孤氏万万料想不到，就是古今一切贪婪、昏庸、暴虐的帝王，相形之下，也会自叹不如。

大业元年三月，杨广命宰相杨素和将作大匠宇文恺，在洛阳旧城之西十八里处，开始营建新都。每月役使民工二百万人，劳累而死的不可胜计。

东都的重要部分为宫城、皇城和外郭城。外郭城也称为大城，周围七十三里一百五十步；皇城为文武官衙所在处；宫城东西五里二百步，南北七里，周围三十余里，高四十尺。建成后，又效法秦始皇，将天下富商大贾数万户迁来东都。

三月，又命宇文恺和内史舍人封德彝督修显仁宫。此宫规模宏大，南接皂涧，北跨洛滨，周围十余里。几处大殿的木柱都要从豫章运来，两千人拖一柱，下面用生铁滚筒，估计一根大柱就要费数十万钱。

同时，又下令修筑西苑，周围二百里。苑内挖人工湖，叫积翠池，周围十余里。湖中堆积蓬莱、方丈、瀛洲三山，高出水面百余尺，楼台殿阁，遍布山上山下。积翠池北岸有龙鳞渠，迂回曲折，沿渠建筑十六院，每院设一名四品夫人管理。院中树木苍翠，春兰秋菊，四季如春。杨广最喜欢在月明之夜，携带宫女数千人游西苑，往往弦歌达旦。

为了悠游享乐和加强对江南人民的剥削，从大业元年起，杨广下令开挖运河。

运河的主体工程是通济渠、邗沟和承济渠。通济渠由河南、淮北百余万人所开，邗沟由淮南十万人所开，承济渠由河北百万人所开。南起余杭，北抵涿郡，全长两千七百余里，宽十余丈。通济渠直通东都西苑，为方便杨广冶游江南，沿渠修建离宫四十余所。

大业元年、六年、十二年，杨广利用运河三次巡游江都，规模浩大，费用惊人。

每次出游，动用船只数千艘。皇帝坐的叫龙舟，高四十五尺。有四层，上层是正殿，内殿，东西朝堂；中间两层有房一百二十余间，都用金玉装饰；下层供内侍乘住。龙舟用纤夫一千零八十人，用青丝大绳牵引而行。皇后的船叫翔螭舟，用纤夫九百人。妃嫔乘的叫浮景，共九艘。此外，还有称为漾彩、青鸟、苍螭、白虎、玄武、飞羽等各色楼船数千艘，供后宫、诸王、公主、百官、僧尼、蕃客等乘坐，共用纤夫八万余人。

这支船队，首尾相接二百里，数十万骑兵夹岸护送，衣甲夺目，旌旗蔽野。船队所过之处，五百里之内都要贡送食物，有的一州达百余抬，都是山珍海味，食用不尽。

筑宫、修河、造船，数年之间，征粮派款，天下震动，民间的膏血被刮尽了。由于工程过于浩大，时限又紧迫，服役民工，因劳累至死或因督工打死的达十之五六。一时间，东至成皋，北至河阳，运尸车辚辚而过，相望于道。

全国百姓即使竭尽所有，卖儿卖女也满足不了杨广的穷奢极欲。再加上杨广不自量力，认为是天下第一强国，

隋朝文官俑

要对外耀武扬威，掠夺奇珍异宝，在慑服了东、西突厥之后，又于大业八年、九年、十年，连续发动征服高丽的战争，每次动众百万，死伤累累，国力耗尽。这时国内的阶级矛盾就异常尖锐起来，民不堪命，唯有铤而走险。全国上下已布满了干柴，只要有一星火种，就会燃烧起来。大业十四年，各路义兵大军压境。江都粮食耗尽，宫中警卫大多是关中人，都想叛乱西归，隋统治者已经走投无路了。

三月的一天，虎贲郎将司马德戡、直阁裴虔通等，利用卫士的不满情绪，推举右屯卫将军宇文化及为首，发动兵变，杀进内宫。杨广见被持刀的乱兵包围住了，叹息道："我有什么罪，会有如此下场？"马文举说："你不顾国家安危，外事征伐，内极奢淫，天下死于战争、劳役者无以计数，百姓苦不堪言，怎能说无罪？！"

隋炀帝夜游图

杨广对司马德戡说："我实在是有负于百姓，但你们身为朝官，荣禄兼备，为什么也这样呢？"又回头对封德彝说："你不是我身边的旧臣吗？我向来待你不薄，为何今天也在这里啊！"封德彝竟唯唯而退。

人群中引起一阵骚动。这时，杨广的爱子，12岁的赵王杨杲，在旁边号哭起来。裴虔通见杨广继续玩弄阴谋，企图软化众人意志，就挥刀朝杨杲砍去，鲜血溅在杨广的御袍上。

众人又向杨广围拢过来，杨广口中说："天子自有死法。"急忙向左右索要早已准备好的毒药，但慌忙中哪里找得着？杨广索性解下身上的练巾。众人早已按捺不住了，一拥而上，就在房中将杨广勒死。之后，肖后和宫人就拆下床板，将尸身裹着，在后园中草草埋葬。

一个靠阴谋诡计起家，登位后又置天下百姓于不顾，极其穷奢极欲的一代暴君，就得到这样可耻的下场。隋朝的统治，也到此结束了。

第五十四章　善抱不脱

【原文】

善建者不拔①，善抱②者不脱，子孙以祭祀不辍③。修之于身，其德乃真；修之于家，其德乃余；修之于乡，其德乃长④；修之于邦，其德乃丰；修之于天下，其德乃普。故以身观身，以家观家，以乡观乡，以邦观邦，以天下观天下。吾何以知天下然哉？以此。

【注释】

①建：建立、建树。拔：拔除、动摇。

②抱：抱持，引申为牢固的意思。脱：脱离，失离。

③辍：停止、终止。

④长：尊崇。

【译文】

善于建树的不可动摇，善于抱持的不会脱落，如果子孙能够遵循这个原则，则世世代代的烟火就不会断绝。把这个道理贯彻到个人身上，他的德行就会纯真；贯彻到家庭，他的德行就会有余；贯彻到一乡，他的德行就会受到尊崇；贯彻到一国，他的德行就会丰厚；贯彻到天下，他的德行就会普及。

所以要以个人立身应有的标准来观察个人，以治家应有的标准来观察家庭，以治乡应有的标准来观察乡，以治国应有的标准来观察国，以治理天下应有的标准来观察天下。我凭什么知道天下的情况呢？就是因为用了上述的方法。

【评析】

本章所述的是修道可以立身为政的思想，《礼记·大学》里说："古之欲明其德于天下者先治其国，欲治其国者先齐其家，欲齐其家者先修其身。""身修而后家齐，家齐而后国治，国治而后天下平。"老子本章的思想形式与《大学》中的思想有相同之处，只是老子所持的道与儒家的不同，所用的方式也有所不同。老子认为，实行暴政是没有好下场的，而暴政又是统治者心性迷乱、贪欲妄为的结果。所以老子认为修身对于统治者来说是尤为重要的。老子建议统治者信道、讲道，将心比心，推己及人，把道的自然无为原则贯彻到一家、一乡、一国以至全天下，这样统治就会长久，天下就会安乐。

　　本章与上一章相比，上一章是对于统治者严酷统治的强烈斥责，而本章是针对这种情况开出的一济补救的药方，是老子对暴政反思后的构想。

【故事】

　　"以身观身，以家观家，以乡观乡，以国观国，以天下观天下。"这是一种认识的方法论。老子的主张为以小致大，推己及人，做成大事业就必须首先注意自己的修身养性。这与儒家的"修身、齐家、治国、平天下"的主张道理一样。从修身做起，立大志、有大胸襟才能成就大业。

　　曾国藩说："无豪大之心者，时时会缩手缩脚。"他从修身做起，立大志，练其气度，所谓"海纳百川，有容乃大"，因此才能屡败屡战，广结贤士，立下不世之功。

　　气量胸怀是一个人能否承担大任的内在品格。俗话说"大人有大量"、"宰相肚里能撑船"，说的就是胸怀、气度。曾国藩最爱读《资治通鉴》，他十分钦佩唐代宰相，认为他们都有胸襟，所以国家气运旺盛。他还总结了开国宰相与中兴宰相的不同，认为前者必须有远见卓识，有大胸襟、大气度；而后者则侧重于具体事务，一步一个脚印，稳扎稳打。曾国藩还特别注意到：古往今来的大失败者，都败在不能自我控制，没有气度，心胸狭隘上。

　　曾国藩极为敬佩胸襟坦荡、虚怀若谷之人，自己也身体力行，做到气度宽大，为人谦和。在文学与学术上也能够博采众长，不尚独尊。他说："放翁胸次广大，盖与陶渊明、白乐天、邵尧夫、苏子瞻等同其旷逸。其于灭虏之意，养生之道，千言万语，造次不离真，可谓有道之士。"

曾国藩

　　曾国藩，字伯函，号涤生。他出身豪门，兄妹九人，曾国藩为长子。祖辈以农为主，生活较为宽裕。祖父曾玉屏虽少文化，但阅历丰富；父亲曾麟书身为塾师秀才，作为长子长孙的曾国藩，6岁入塾读书，8岁能读八股文诵五经，14岁时能读《周礼》、《史记》，并参加长沙的童子试，成绩俱佳列为优等，可见他自幼天资聪明，勤奋好学。

言语之中，透露出无限的敬意。

曾国藩曾说：有盖宽饶、诸葛丰的宽宏大量，同时兼有山巨源、谢安石的雅量，才能与他谈话足以高兴，与他沉默也足以取得谅解。否则，高峻不可攀，都足以自取祸端啊。雅量虽由先天秉性所产生，但也依靠后天学习以培养。这方面没有别的办法，只有以圣贤为榜样严格要求自己，修养深厚而不责备菲薄别人，那么度量胸襟就日益宽广了。

曾国藩以儒学为本，同时精通老庄之道，故而写下了许多关于修养气度的诫言，如：

惰忿之心蓄于方寸，自咎局量太小，不足任天下之大事。

唯古人患难忧虞之际，正是德业长进之时，其功在于胸怀坦夷，其效在于身体康健。圣贤之所以为圣，佛家之所以成佛，所争皆在大难磨折之日。将此心放得宽，养得灵，有活泼泼之胸襟，有坦荡荡之意境，则身体虽有外感，必不至于内伤。

所谓小人者，识见小耳，度量小耳，致使君臣、朋友、父子、兄弟、夫妇之间皆量褊而易以滋疑者也。君子则不然，广其识，则天下之大，弃若敝履，尧舜之业，视若浮云，宏其度，则行有不得，反求诸己。

他还引用"五不争"来勉励儿孙后代做人当以宽容为怀。五不争即"不与居积人争富；不与进取人争贵；不与矜节人争名；不与简傲人争礼节；不与盛气人争是非。"

在居家教子方面，虽然曾国藩自己胸襟颇为博大，但他还是常从自己的检讨开始来劝勉他的子侄。如咸丰九年五月的家信中告纪泽儿："总要养得胸襟博大活泼，此后更当有长进也。"

成大功必须有大舞台，还要有大胸怀。气量狭小，不但难以做大，而且还容易招人嫌怨。曾国藩在走向成功的最艰难时期，就充分认识到气量对成功的重要性。

咸丰七年二月，他因父亲去世，没有等朝廷准假就回籍奔丧，惹怒了京城权贵，也让士大夫有了攻击他的口实，

曾国藩画像

曾国藩一生著述颇多，但以《家书》流传最广，影响最大。1879年，也就是曾国藩死后7年，传忠书局刻印了由李瀚章、李鸿章编校的《曾文正公家书》。

甚至湘军部分将帅也迁怒于他。后来朝廷干脆把他冷落在一旁，尽管前方战事正酣，还是让他在家中丁忧守丧。这对曾国藩是个很大的打击。在家居丧的一年多时间里，他心绪烦乱，开始反省自己以往为人处世方面的缺点。

当年十二月，其弟弟曾国华在三河战死，曾国藩意气消沉，他说自己"惰忿之心蓄于方寸，自咎气量太小，不足任天下之大事"。他认识到，应该一切拿得起，放得开，才能摆脱困境。如果陷入其中不能自拔，就难以自立，更何谈成大事，建功业。

一年之后，曾国藩的境遇仍没有大的改变。他在一则日记中写道："思身世之际甚多，抑郁不适于怀者，一由偏浅，一由所处之极不得位也。"也就是说一是自己气量太小，一是没有得到能够施展自己才华的位置。在曾国藩的日记和书信中，可以看到他常常反省、批评自己心胸不够宽广。

在宦海钩心斗角及行军打仗中，工作压力之大自不必说，站在清政府的立场上，抗击百万太平军的兵源、兵器、物资、军费都需要他筹措，耗尽心力，却依然要遭到地方官绅牵制，被咸丰皇帝猜忌迟迟不予实权。种种情况下，难免会心存愤懑，生气动怒。事实上，面对诸多为难之事，他不仅有愤愤不平之时，而且还时而有"打退堂鼓"、退隐乡间打算"独善其身"的想法。但当他一想到"匡时济民"的宏愿尚未实现，一想到士大夫为人处世不应为个人利害得失而耿耿于怀，于是不仅自己采取"忍让"态度，而且还勉励自己的兄弟们把"遇事忍让"作为修身的一个重要内容。

咸丰帝

咸丰帝，名爱新觉罗·奕詝，清文宗。清朝入关后第七位皇帝，道光皇帝第四子。道光三十年正月即位，以次年为咸丰元年，时年20岁。在位11年，在位期间，正逢清朝乱世，国库空虚，危机四伏。咸丰十一年七月，咸丰皇帝病死于热河。

第五十五章　物壮则老

【原文】

含德之厚，比于赤子①。毒虫不螫②，猛兽不据③，攫鸟不搏④。骨弱筋柔而握固。未知牝牡之合而朘作⑤，精之至也。终日号而不嗄⑥，和之至也。知和曰"常"⑦，知常曰"明"，益生曰祥⑧，心使气曰强⑨。物壮则老，谓之不道，不道早已。

【注释】

①含：涵养。赤子：初生的婴儿。

②毒虫：指蛇、蝎、蜂之类的有毒虫子。螫：毒虫子用毒刺咬人。

③据：兽类用爪、足年攫取物品。

④攫鸟：用脚爪抓取食物的鸟，例如鹰隼一类的鸟。搏：鹰隼用爪击物。

⑤朘作：婴孩的生殖器勃起。朘，男孩的生殖器。

⑥嗄：噪音嘶哑。

⑦和：指阴阳二气合和的状态。

⑧益生：纵欲贪生。祥：这里指妖祥、不祥的意思。

⑨强：逞强、强暴。

【译文】

道德涵养深厚者，好似初生婴儿。毒虫不螫他，猛兽不伤害他，凶鸟不抓伤他。他虽然筋骨柔弱，但拳头却抓握得牢固。他虽然不知两性交合之事，但小生殖器却常常勃起，这是因为精气充足的缘故。他整天哭啼，喉咙却不嘶哑，这是由于元气和谐的缘故。认识淳和的道理就是识得生命的永恒规律，认识了生命的永恒规律就是明晓事理。贪求生活的糜烂就会遭殃，任性使气就叫做纵暴逞强。事物过于强壮势必走向衰老。这就叫不合乎道，不合乎道就会早早灭亡。

【评析】

本章老子以婴儿的种种生理现象作比喻，宣传柔弱无为的人生哲学。前半部分用的是形象的比喻，后半部分讲的是抽象的道理，老子用赤子来比喻具有深厚修养境界的人，能返回到婴儿般的纯真柔和。只有内在的纯真柔和，才能使人精力充实饱满，才能防止外界的各种伤害和免遭不幸。如果纵欲贪生，使气逞强，就会遭殃，危害自己，也危害别人。

老子讲赤子的特点是柔弱不争和精力未散，其核心还是"和"。老子书中多次谈到"和"字，本章的"和"所表示的统一，包含着对立在内，是有永恒性的，所以说"知和曰常"。婴儿是人的开端，少年、壮年、老年都以之为起点，但婴儿浑沌无知，与天地之和合而为一。从而表现了老子希望社会回到质朴纯真、无知无欲的原始状态。老子承认"万物并作"的世界是多样性和普遍存在的矛盾，但是他对社会上存在的占有、掠夺、欺诈、征战的状况却极为悲愤，所以他把和谐统一看成所要追求、所要恢复的事物的常态。

【故事】

"和"字在老子的思想理论中也占有十分重要的地位。老子认为天地万物都是因为阴阳气和谐的产物。他把和谐看做是事物所要追求所要恢复的常态，是生命的永恒，并提出了以和为贵的思想。"和为贵"也是中华传统美德的核心理念，春秋战国时期，赵国的廉颇与蔺相如就为人们展示了一出以和为贵的"将相和"。

人们大概都知道"完璧归赵"和"渑池之会"的故事，在秦、赵这两次重大的外交斗争中，蔺相如甘冒生命危险保全赵国的尊严，未使赵国陷入被动的局面，功劳很大。为此，赵王拜他为上卿，位置比廉颇还高。廉颇很不服气，到处跟人说："我为赵将，有攻城野战之大功，蔺相如徒以口舌为劳，而位居我上，且相如素贱人，吾羞，不忍为之下。"还说如果碰见了他，必定要当面侮辱他。在廉颇看

廉颇

廉颇，战国末期赵国名将。曾因功自傲，不服蔺相如位居其上，后感其顾全大局，负荆请罪，结成生死之交，合力抗秦。后赵王中秦离间计而以赵括取代为将，赵军随即因错误的作战指导而惨败。赵悼襄王时，因不满乐乘取代其位而逃至魏，但不被重用，欲返赵效力。但因赵权臣郭开从中作梗而未能成行。后又至楚为将，郁郁不得志，卒于寿春。

来，只有武将的刀枪拼战才算功劳，文臣的智谋勇敢算不了什么。这对蔺相如来说，确实是很难忍受的。

但蔺相如好像没有听到一样，几次驾车出门，远远地看见廉颇，为了避免碰见，就早早地躲开了。这样时间一久，连蔺相如的门客从人都觉得他太窝囊，忍受不了。

蔺相如不慌不忙地问众人："各位看廉将军与秦王比起来，哪个更可怕？"众人都奇怪地说："廉将军当然没有秦王可怕！"蔺相如又说："这就对了。试想秦王那么强大，各国诸侯都畏之如虎，我却敢在朝廷上当众责骂他。我蔺相如虽然没有什么大本领，还不至于如此惧怕廉将军。只是我考虑到，强横的秦国之所以不敢来侵犯我们赵国，其原因就在于我们两人能够同心协力地对付秦国。如果我们两人争斗起来，那就必定给秦国造成可乘之机。我所以这样对待廉将军，是以国家的安危为重，不计较个人的私仇啊！"

这些话很快就传到了廉颇的耳朵里，廉颇听后恍然大悟，既感动又惭愧。廉颇是个正直坦诚的人，一旦悔悟，就要真诚地改过。为了表示自己的诚意，他就按照古人最隆重的仪式，光着脊梁，背着荆杖，表示任由责打，到蔺相如门上"负荆请罪"。他跪在蔺相如的门前说："我是个没有见识而又气量狭小的粗人，没想到您能宽恕我，请您责打我吧！"蔺相如也很感动，亲自把他扶起来。从此"将相和"，两人相互理解尊重，结成生死之交。

就因为有这样的两个人，秦国在其后的十年内，未敢发兵攻打赵国。蔺相如等人以柔和谦让制胜，因而名垂青史。

蔺相如

蔺相如，赵国宦官头目缪贤的家臣，战国时期著名的政治家、外交家、军事家。蔺相如多谋善辩，胆略过人；他以国家利益为重，善于人和，不畏强暴，出使秦国，留下了流芳千古"完璧归赵"的故事。他为了国家利益，忍辱负重，使大将廉颇"负荆请罪"，"将相和"的典故为历代人们所传颂。

第五十六章　知者不言

【原文】

知者不言，言者不知①；塞其兑，闭其门，挫其锐，解其纷；和其光，同其尘，是谓玄同②。故不可得而亲③，不可得而疏；不可得而利，不可得而害；不可得而贵，不可得而贱④；故为天下贵。

【注释】

①知者不言，言者不知：有知者不表现，忙于表现者实际无知。

②玄同：玄妙齐同，即"道"。

③得：表示情况允许，有"能够"、"可以"的意思。

④贱：形容词用动词，使……地位低下、使……卑下。

【译文】

有知者不表现自己，忙于表现的人实际无知。塞堵住嗜欲的孔窍，关闭住情欲的门径，挫去他们的锋芒，解脱他们的纷争，收敛他们的光耀，混同他们的尘世，这就是深奥的玄同。达到"玄同"境界的人，对他不可能亲近，也不可能疏远；不可能使他得利，也不可能使他受害；不可能使他高贵，也不可能使他卑下。所以就为天下人所尊重。

【评析】

第四十二章和前一章讲的都是"和"，这一章接续前章，重点讲的也是"和"。第四十二章说"冲气以为和"，是讲事物矛盾着的双方，经过斗争而达到和谐与统一。前一章讲的"知和曰常"，即以和为事物的常态。本章讲怎样可以保持常态的和。这三章之间层层深入，逻辑性极强，向人讲述了"和"的最高道德境界。不过这一章文字蕴含很深，这就不仅仅是指执政之人，而且也包括世间人们处

事为人的人生哲理。他要求人们要加强自我修养，排除私欲，不露锋芒，超脱纷争，混同尘世，不分亲疏、利害、贵贱，以开豁的心胸与无所偏的心境去对待一切人和物。如此，天下便可以大治了。

【故事】

过于夸耀和显示自己的才智是不智之举。一个人能够谦虚诚恳地待人，便会得到别人的好感；若能谨言慎行，更会赢得人们的尊重。而如果一个人锋芒太露，一定会遭到别人的嫉恨和非议，甚至引来杀身之祸。杨修之死便是很好的一例。

东汉末年，杨修以才思敏捷、颖悟过人而闻名于世。他在曹操的丞相府担任主簿，为曹操掌管文书事务。曹操为人诡谲，自视甚高，因而常常爱卖弄些小聪明，以刁难部下为乐。

不过，杨修的机灵、颖悟又高过曹操，致使曹操常常生出许多自愧不如的感慨和酸溜溜的妒意。

有一天，曹操招了一些工匠在丞相府后面修建花园。花园是按曹操的设计图修建的。当花园落成之际，曹操亲自去察看了一下。花园修建得错落有致，景物相宜，曲径通幽，极富情趣，曹操十分满意。走出花园后门时，曹操忽然停下脚步，上下打量一番，皱了一下眉头，随即从侍从手中要过笔来，在门上写了个"活"字，没说一句话，转身就走了。

究竟是什么意思？工匠们琢磨来琢磨去，就是琢磨不透。

这时，杨修走了过来，工匠们像见到救星一样，一把拉住他，把刚才发生的事，一五一十地告诉了他。杨修一听就明白了，对工匠们笑笑说："丞相嫌后门宽，要缩小一点哩。"

"是丞相说的吗？"一个工匠不放心，问了一句。

杨修摇摇头，用手指指门说："'活'字在门中，这不是'阔'字吗？"

匠头埋怨说："丞相跟我们说一声不就行了，何必要

杨修

杨修，字德祖，弘农华阴人。东汉建安年间举为孝廉，任郎中，后为汉相曹操主簿。杨氏一家为汉世名门，祖先杨喜，汉高祖时有功，封赤泉侯。高祖杨震、曾祖杨秉、祖杨赐、父杨彪四世历任司空、司徒、太尉三公之位，与东汉末年的袁氏世家并驾齐驱，声名显赫。后被曹操杀害，卒时仅44岁。

跟我们打哑谜呢?"于是按杨修给的新尺寸，工匠们将花园的后门改窄了。

第二天，曹操又来了，看了看改装后的园门，完全符合自己的心意，便不露声色地问匠头："是谁叫你们这样做的?"

匠头战战兢兢地告诉丞相，是杨主簿吩咐的。曹操笑着说："我就想到是杨修教你们这么做的。这小子，也算是机灵到家了。"

一次，北方来人向曹操进献一盒精心制作的油酥，曹操开盒尝了尝，觉得味道很好，因此连说了两声"好"，随即盖上盒盖，在盒上题写了一个醒目的"合"字，便走开了。

曹操的侍从们凑到了一起，七嘴八舌地议论起来，谁也不知曹操的葫芦里卖的是什么药，决定请杨修来琢磨琢磨。

杨修来后，默默地思索了一会儿，便动手打开这盒油酥。一个老文书连忙说："不要动，这可是丞相喜欢吃的呀。"

杨修对大家说："正是因为它味道好，丞相才让我们一人一口分了吃，大家尝尝吧!"

老文书不放心地说："你这鬼精灵，别捉弄我们吧!"

杨修大笑着说："这盒盖上写着'合'字，不是明明白白地告诉我们'人一口'吗?你胆小，你就不要吃，反正我是要吃的。"拿起一块油酥就塞进嘴里去了。

大家一想，有道理。顷刻之间，这盒油酥便被众人吃得干干净净。

后来，曹操得知又是杨修猜中了他的心思，口中喃喃地说道："杨修果然是一个机灵之人。"不过，自负的曹操心里却酸溜溜的。

机灵、聪明是杨修的特长，也是他的短处。曹操自知不比杨修，心中充满了妒忌，但表面上却丝毫不动声色。

曹操南征路过孝女曹娥的墓地时，见到墓碑正面刻着一段赞扬曹娥的短文，背面刻着蔡邕手书的8个字：黄绢幼

曹操

曹操出生于一个显赫的宦官家庭。曹操的祖父曹腾，是东汉末年宦官集团十常侍中的一员，汉相国曹参的后人。父亲曹嵩，是曹腾的养子。曹嵩的出身，当时就搞不清楚，所以陈寿称他"莫能审其生出本末"，但也有人认为他是夏侯氏之子。

妇外孙齐臼。

曹操问身边的杨修："你知道这几个名字的含义吗?"杨修点点头，正欲开口说。曹操摆摆手说："你先别说，让我思索一下。"

二人骑上马走了约摸30里，曹操领悟了它的含义，对杨修说："我已想出了它的含义，请主簿先说说看。"

三国玉杯

杨修说："'黄绢'是黄颜色的丝织物，隐含一个'绝'字；'幼妇'是少女，隐含一个'妙'字；'外孙'是女儿的儿子，隐含一个'好'字；'齐臼'是用来盛放辛辣食品的，它隐含一个'辞'(辞的古体字)字，合起来就是'绝妙好辞'。蔡中郎(蔡邕曾任左中郎将)用这句隐语来赞扬这块十分精彩的碑文。"

曹操听后连声说："对，对!跟我理解的完全一样。"

实际上曹操奸雄一世，谁能说得清他究竟是理解了没有呢?就算他真的想出来了答案，心中也会大为不快。一个人要是知道世上另一个的才智和反应速度，要早自己30里地，那他无论想干什么，不是都能被对方早早看穿吗?这对于曹操而言，是一种威胁。而此时的杨修只知得意，还浑然不觉呢。

建安十九年春，曹操亲率大军进驻陕西阳平，与刘备争夺汉中之地。刘军防守严密，无懈可击，又逢连绵春雨，曹军出战不利。曹操见军事上毫无进展，颇有退兵的意思。

这天，曹操独自一人吃着饭，同时也在思考下一步的行动。一个军令官前来请示曹操，当晚军中用什么口令。军中规定每晚都要变换口令，以备哨兵盘查来人。此时，曹操正用筷子夹着一块鸡肋骨，于是脱口而出："鸡肋。"军令官听了也觉没有什么奇怪。

消息传到杨修耳里，他便悄悄地整理笔札、行装，作撤退的准备。一个年轻的文书见状后问道："杨主簿，这天天要用的东西，有什么好收拾的?明天我还不是要打开?"

"不用了，小兄弟，我们马上就可以回家。"杨修诡秘地一笑说。

"什么?要回家了?丞相要撤退，连点蛛丝马迹也没有啊。"小文书不解地看着杨修。

杨修淡然一笑说："有啊，只是你没有察觉到罢了。你看，丞相用'鸡肋'作军中口令，'鸡肋'的含义不就是'食之无肉，弃之可惜'吗?丞相正是用它来比喻我军在汉中的处境。凭我的直觉，丞相已考虑好撤军的事了。"

消息又传到夏侯惇那儿，他也相信了，便吩咐军士们也跟着作撤退的准备。不料，曹操晚饭后为军情棘手而难以入睡，便步入大帐巡视。看到这个情况，愕然一惊。他急忙找夏侯惇来查问，夏侯惇哪敢隐瞒，照实把杨修的猜度告诉了曹操。对杨修的过分机灵早已不快的曹操，这下子抓到了把柄，立即以惑乱军心的罪名，把杨修杀了。

三国青瓷谷仓

后来的事实证明，曹操虽杀了杨修，但还是下令退离了汉中的战场。然而就杨修而言，他早晚必死无疑。因为他几次三番地不知掩饰自己，过于炫耀自己的才能，虽然聪明，但只是小聪明而已。

第五十七章　以正治国

【原文】

以正①治国，以奇②用兵，以无事取天下。吾何以知其然哉？以此：天下多忌讳③，而民弥贫；人多利器，国家滋昏；人多伎巧④，奇物⑤滋起；法令滋彰，盗贼多有。故圣人云："我无为，而民自化；我好静，而民自正；我无事，而民自富；我无欲，而民自朴。"

【注释】

①正：此处指无为、清静之道。

②奇：诡诈奇变。

③忌讳：禁忌、避讳，指各种法令、禁令。

④伎巧：指技巧，智巧。

⑤奇物：邪事、奇事。

【译文】

以清净无为的方法治国，以诡奇的方法用兵，以自然无为的原则来治理天下。我怎么知道应该这样呢？根据就在于：天下的禁令、忌讳越多，人民就越贫穷；民间有用的器械越多，国家就越混乱；人们的智诈机巧越多，各种邪事就越丛生滋起；法令越是繁苛，社会的盗贼就越多。所以圣人说："我无所作为，人民则自然归化；我澹泊清静，民众则自然纯正；我不造事扰民，民众则自然富足；我没有贪婪的欲望，民众则自然淳朴。"

【评析】

这一章也是老子社会政治哲学的集中反映，其主旨在于说明有为的弊端和无为的好处。老子开头的"以正治国，以奇用兵"是有积极意义的。老子分清国内百姓和国外敌人的不同，主张使用不同的手段，对内要用正，对外要用奇要不厌其诈。这一思想既有批判不合理社会现实现象的积极的一面，又有守旧、保守、反对变革的消极一面。

老子生活的时代，社会动乱不安，严峻的现实使他感到统治者依仗权势、武力、肆意横行，为所欲为，造成天下"民弥贫"、"国有滋昏"、"盗贼多有"的混乱局面。所以老子提出了"无为"、"好静"、"无事"、"无欲"的治国方案，反对统治者的肆意妄为、扰攘民众、与民争利的昏暴政治。老子的政治主张根本不可能为统治者所接受，也绝对没有实现的可能，只不过是乌托邦式的幻想而已。

【故事】

老子在全书中多次提到了"兵法"、用兵之策，但是《道德经》中的"兵法"并不同于《孙子兵法》等兵书中的兵法，是指导兵家打仗作战的策略，它是老子用来作比喻的喻体，是为政治主张服务的。就像本章的"以奇用兵"，它是为了反衬老子的"以正治国，以无事取天下"的无为、清静的政治主张。尽管如此，老子的"兵法"实际上具有十分深刻的哲理性，是兵家打仗的箴言，"以奇用兵"是多少军事家取胜的法宝。唐朝大将李靖就是由于出奇制胜才攻陷江陵。

武德四年，唐朝准备平灭盘踞江陵的梁王萧铣。赵王李孝恭率军前往征讨，李靖为他的长史，总管军事。当时正是秋季汛期，江水猛涨，洪水汹涌。诸将见此情状，都主张停兵，等洪水退下之后再进攻。唐军将领们也请求等待水落后再进军，李靖说："兵贵神速。现在我们的兵力刚刚调集，萧铣还不知道，如果我们趁长江涨水，以迅雷不及掩耳之势，顺水挥兵东下，打萧铣个措手不及，到时，纵然敌人知道我军到来，也只能仓促应战，萧铣必定为我所擒。"

再说萧铣见江流猛涨，三峡路险，估计唐军暂时不会进军，便休兵不防备。他没有想到李孝恭听从李靖的意见，率领二千多艘战船沿长江东流而下，唐军一举攻克了萧铣的荆门、宜都两个镇，接着向前推进到夷陵。当时萧铣已听说唐军已大兵压境，大为惊慌，仓促征兵，然而所征之

李孝恭

李孝恭，唐初大将。与李世民为同一个曾祖父。武德初，以赵郡王任山南道招慰大使，招降巴蜀30余州。又任荆湘道行军总管，用长史李靖计，击降萧铣，并遣李靖等招降岭南各地。武德七年，任行军元帅，率李靖等诸将，镇压辅公祏，破广陵、丹阳，平定江南。

李靖

李靖，字药师，京兆府三原人，唐朝伟大的军事家、军事理论家、统帅。唐高祖时，任行军总管，太宗时任兵部尚书，官至西海道行军大总管，封卫国公。李靖军功卓越，上元元年，唐肃宗把李靖列为历史上十大名将之一，并配享于武成王（姜太公）庙。他才兼文武，出将入相，为唐朝的统一与巩固立下了赫赫战功。

兵都在长江、五岭以南，路途遥远，不能马上调集起来，于是只好用现有的残缺兵力来迎敌。

这时，萧铣的部将林士弘正率领数万精兵驻扎在清江，李孝恭命令大举进攻，李靖劝说："林士弘是萧铣手下的骁将，英勇善战，现在敌人刚刚失去荆门，如果这个时候攻打林士弘，他们必定会拼死抵抗，不易对付。我们最好暂时驻兵南岸，以逸待劳，等他们士气衰落时再发动进攻，那样便可打败林士弘。"但这次李孝恭并没有采纳李靖的建议，他留下李靖守营，自己率师向林士弘进攻，结果正如李靖所料，林士弘率部拼力作战，李孝恭兵败逃跑，奔向南岸。

萧铣军大获全胜后，便沿江大肆抢掠。有的士兵把船只都丢弃了，专门收拾和整理唐军丢下的军资，背负很多的战利品。整个萧铣军队一片混乱。李靖得知敌情之后，趁机挥兵奋击，大败敌军，乘胜直抵江陵城，进入江陵外城，缴获了敌人的大批船舰。并让李孝恭把所获的船舰全都散放到长江中。

将领们对此非常不解，说："这是打败了敌人所缴获的战利品，应当充分发挥它们的作用，怎么能够放弃用来资助敌人？"

李靖解释道："萧铣的地盘，南到五岭以南，东到洞庭湖。我们孤军深入，如果敌人的城池久攻不下，而敌人的援军又从四面八方赶来，我军势必会腹背受敌，进退不成，虽然有船舰又怎么用呢？现在放弃船舰，让它们沿着长江顺流而下，敌方援军见到，必然会认为江陵城已被攻陷，就不敢轻易进军了，而是会派侦探前来侦察，他们行动迟缓十天半个月，我军取胜就有把握了。"萧铣的援兵看到这些漂流下来的舟舰，果然犹疑不决，不敢贸然前进。

随后，李孝恭派李靖率轻兵五千为先锋，乘胜直抵江陵城。林士弘败后，萧铣连忙在江南征兵，但唐军行军神速，萧铣的军队根本没有防备，江南的援军也无法赶到。李靖率前锋到后，李孝恭也率大军接踵而至。萧铣被困在江陵城中，内外阻绝，粮食日乏，不得不开城投降。

第五十八章　福祸相倚

【原文】

其政闷闷，其民淳淳①；其政察察，其民缺缺②。祸兮福之所倚；福兮祸之所伏。孰知其极：其无正也③。正复为奇，善复为妖④。人之迷，其日固久。是以圣人方而不割，廉而不刿⑤，直而不肆，光而不耀。

【注释】

①闷闷：懵懂，暗昧不明，这里引申为宽厚，宽大。淳淳：淳朴纯厚。

②察察：明察严刻。缺缺：狡黠，狡诈。

③无正：没有定准。

④正，方正、端正；奇：反常、邪；善：善良；妖，邪恶。

⑤廉：棱角，这里指锐利。刿：刺伤、划伤。

【译文】

政治宽厚清明，人民就淳朴忠诚；政治苛酷黑暗，人民就狡黠、抱怨。灾祸啊，是幸福的依托之地；幸福啊，是灾祸隐藏之所。谁知道它们的界限呢？它们并没有定准。正随时会转变为邪的，善随时会转变为恶的，人们的迷惑，由来已久了。因此，有道的圣人方正而不显得生硬，锐利而不划伤人，直率而不放肆，光亮而不耀眼。

【评析】

在本章中，老子朴素的辩证法的观点论述了两个方面的内容：

一、政治上的宽大与苛严的问题。老子崇尚清静无为的宽大政风，反对横加干涉限制的粗暴政风。老子用圣人的"不割、不刿、不肆、不耀"为例，说明了为政不要对人民产生逼迫感，表现了他对幸福宁静的理想社会生活的

向往与积极拯救世乱的思想。

二、生活中的祸福相依的问题。老子提出了"祸兮福之所倚；福兮祸之所伏"的辨证主张。老子认为生活中的祸与福是不以人们的意志为转移的，它们相互既是对立的，又是相互转换的。老子的这种思想对于人们认识事物的发展规律有一定的积极意义，但是这种忽视条件的思想很容易使人们陷入相对矛盾的误区。

【故事】

老子说："祸兮福之所倚，福兮祸之所伏。"这句自古及今都是极为著名的哲学命题，对于历代都产生了巨大的影响。祸与福构成了矛盾双方对立统一体，矛盾的一方可以转化为另一方。便是这一理论最有力的证明。

人获得了一定的权势、地位，受到别人的猜忌，福与祸也共生于此。不少人总是设法把自己的短处掩藏起来，殊不知越是躲藏，灾祸也就越是逼近了。唐朝名将郭子仪深知此点，反其道而行之，他敞开府门，任人探究，结果是化凶为吉，平安无事。

郭子仪爵封汾阳王，王府建在首都长安的亲仁里。汾阳王府自落成后，每天都是府门大开，任凭人们自由进出，郭子仪不准府中人干涉。

有一天，郭子仪帐下的一名将官要调到外地任职，特来王府辞行。他知道郭子仪府中百无禁忌，就一直走进了内宅。恰巧，他看见郭子仪的夫人和他的爱女两人正在梳洗打扮，而王爷郭子仪正在一旁侍奉她们，她们一会儿要王爷递手巾，一会儿要他去端水，使唤王爷就好像使唤奴仆一样。这位将官当时不敢讥笑，回去后，不免要把这情景讲给他的家人听。于是一传十，十传百，没几天，整个京城的人们都把这件事当作笑话在谈论着。

郭子仪听了倒没有什么，他的几个儿子听了都觉得大丢王爷的面子。他们相约，一齐来找父亲，要他下令，像别的王府一样，关起大门，不让闲杂人等出入。

郭子仪听了哈哈一笑，几个儿子哭着跪下来求他。一个儿子说："父王您功业显赫，普天下的人都尊敬您，可

郭子仪

郭子仪，祖籍山西汾阳。安史之乱时任朔方节度使，功居平乱之首，晋封汾阳王。代宗时，郭子仪正确地采取了结盟回纥，打击吐蕃的策略，保卫了国家的安宁。郭子仪戎马一生，屡建奇功，以84岁的高龄才告别沙场。天下因有他而获得安宁达20多年。他"权倾天下而朝不忌，功盖一代而主不疑"，举国上下，享有崇高的威望和声誉。

·226·

是您自己却不尊敬自己，不管什么人，您都让他们随意进入内宅。孩子们认为，即使商朝的贤相伊尹、汉朝的大将霍光也无法做到您这样。"

郭子仪收敛了笑容，叫儿子们起来，语重心长地说："我敞开府门，任人进出，不是为了追求浮名虚誉，而是为了自保，为了保全我们的身家性命。"

儿子们一个个都十分惊讶，忙问这其中的道理。

郭子仪七子八婿满床笏

郭子仪叹了口气，说："你们光看到郭家显赫的声势，没有看到这声势丧失的危险。我爵封汾阳王，往前走，再没有更大的富贵可求了。月盈而蚀，盛极而衰，这是必然的道理，所以，人们常说要急流勇退。可是，眼下朝廷尚要用我，怎肯让我归隐；再说，即使归隐，也找不到一块能容纳我郭府1000余口人的隐居地呀。可以说，我现在是进不得也退不得。在这种情况下，如果我们紧闭大门，不与外面来往，只要有一个人与我郭家结下仇怨，诬陷我们对朝廷怀有二心，就必然会有专门落井下石、妒害贤能的小人从中加油添醋，制造冤案，那时，我们郭家的九族老小都要死无葬身之地了。

这是明白祸是如何产生，应该如何去消除祸害的道理。郭子仪具有很高的政治眼光，他善于忍受灾祸，更善于忍受幸运和荣宠，所以才能四朝为臣。

世间的事情大抵是福祸参半的，其关键在于你如何看待它。福来了，不要欣喜若狂，失去了方向，要知道居安思危，看到隐藏在福事中的祸。只有这样才能使自己远离祸事。

第五十九章 长生久视

【原文】

治人事天①，莫若啬②。夫唯啬，是谓早服③；早服谓之重积德④；重积德则无不克；无不克则莫知其极⑤，莫知其极，可以有国；有国之母，可以长久。是谓根深固柢⑥，长生久视之道。

【注释】

①治人：治理人民。事天：对待自然。

②啬：吝啬、节俭，这里指爱惜精力。

③早服：早做准备。服：防备、准备。

④重：重复、重叠，这里有不断加多的意思。

⑤极：极限、极点。

⑥深、固：均是形容词活用动词，使……深、使……结实的意思。柢：树根。

【译文】

治理人民，对待自然，没有比爱惜精力更重要的了。爱惜精力，这就叫早做准备。早做准备就是不断地蓄积大德，不断地蓄积大德那就没有什么不能战胜的了，没有什么不能战胜的了就无法估计他力量的极限。不知道他力量的大小就可以治理天下。掌握了治理天下的根本，就可以长久地维持统治。这就是使根扎得深，使柢长得牢，从而长期生存、持久统治的道理。

【评析】

本章通过逐层递进的推导，说明以"啬"的原则"治人事天"，符合于"根深固柢，长生久视之道"。老子认为，吝啬就是在精神上注意积蓄、养护、厚藏根基，培植力量。真正做到精神上的"啬"，只有积累雄厚的德，有了德，也就接近了道，这就与圣人治国联系到一起了。所以，啬是老子的基本原则。对统治者来说，啬可以使他不致于过份劳民伤财而激化社会的矛盾分化，能使社会保持"精"与"和"的统一而"营魄抱一"，并让自己作为社会之"营"而长久存在。所以，啬是有国之母，这是道家与民生息主张的思想根源。

老子认为，大到维持国家的统治，小到维持生命的长久，都离不开'啬'这条原则，都要从'啬'这条原则做起。所以说它是'长生久视之道'。啬与俭当然符合'无为而无不为'的思想；不过，如果强调它是一种消极、退守的政治倾向，就未免只从表面形式上看问题，不见得是看到了它的精神实质。

【故事】

老子在本章首次提出了一个新的概念"啬"，这里并不是吝啬的意思，而是指精神上的养精蓄锐、培植力量。同时也可以引申为节俭的意思。老子是十分重视俭的，并把俭作为三宝之一，"我有三宝，持而保之；一曰慈，二曰俭，三曰不敢为天下先。"在春秋战国时期，政治腐败，战争连绵，统治者奢侈豪华的时代背影下，节俭对于整个国家、社会都具有十分重要的意义，它是无为治国的根本之一。

节俭是美德。对于为官之人，注意节俭尤为重要。奢侈常与贪污相伴滋生腐败。对于一些为官之人，人一阔，脸就变，可以说是通病，富贵久了，就会忘记昔日的贫贱；安逸久了，就可能淡化了危亡意识；伤疤好了，也可能忘记当时的疼痛。况且，人的欲望是无限的，这山攀着那山高。很多贪官其贪污钱财数目之大令人瞠目，欲壑难平呀！养成节俭的好习惯才是受益终生的上上之策。

后唐庄宗同光三年，天下大旱，从春季起，便没有落一点雨，到了夏季，气候更是炎热，空气干燥得让人难以忍耐。一直到六月十一日，才第一次降雨。但紧接着便是霖雨不止，大水淹没农田，百姓四处流亡，病饿而死的人到处都是。庄宗李存勖对天气炎热、暑湿蒸腾难以忍耐，想在宫中找一处凉爽的高处避暑，但每个地方李存勖都不满意。宦官借机建议说："我们亲眼看到长安全盛时期，大明、兴庆两宫，亭台楼阁之多，以百为单位计算。而今皇上连个避暑的地方都没有，宫殿的规模，还比不上当时的公卿私宅。"李存勖说："我现在富有天下，难道不能建一座高楼吗？"他就命令宫苑使王允平筹划建造。宦官警告说："枢密使郭崇韬一直愁眉不展，常为经费不足、财政困难费筹措，陛下虽然有决心兴建，恐怕仍然做不到。"李存勖说："我用我自己宫库的钱，跟国家财政没关系。"

郭崇韬辅佐李存勖打天下，功勋卓著，位兼将相，位尊权重，李存勖也不敢慢待他。李存勖担心郭崇韬不能同意他建造高楼的要求，所以虽已命令修建，还是向郭崇韬解释说："今年特别酷热，我从前在黄河两岸跟后梁军队作战。篷帐所在，地势低凹，又十分潮湿，身披铠甲，腿跨战马，亲自抵挡流箭飞石，都不觉得像今天这样，如同火烧。现在住在深宫之中，却热得连一天都难以度过，这是怎么回事？"

郭崇韬说："陛下从前在黄河两岸时，强敌就在眼前，一心一意复仇雪耻，虽然天气炎热，陛下并不在意。现在外患已经铲除，四海之内，全都归顺臣服，所以虽有华丽的亭台、舒适的楼阁，仍然觉得烦闷。陛下过去一心考虑的是天下，现在则总是顾念一身，艰难逸豫，考虑的事情自然就不一样了。愿陛下不要忘记创业的艰难，常如当年征战一样，酷热的暑气自然会变成清凉的。"李存勖听到回奏，一句话也没说。

郭崇韬提倡节俭，反对皇帝过享乐的生活，是因为他知道只有节俭才能兴邦，奢侈浪费只会误国。

李存勖

李存勖，即后唐庄宗，小字亚子，又称亚次，先世姓朱邪，沙陀族。李克用长子。五代时后唐建立者。

第六十章 治国烹鲜

【原文】

治大国若烹小鲜①，以道莅②天下，其鬼不神③。非其鬼不神，其神不伤人④。非其神不伤人，圣人亦不伤人。夫两不相伤，故德交归焉⑤。

【注释】

①小鲜：小鱼。

②莅：临、到，指治理的意思。

③神：通"伸"舒展、伸直。引申为发挥作用。

④神：神灵。

⑤归：归向。

【译文】

治理大国，就像煎小鱼一样，不要经常去扰动它。用道的原则治理天下，鬼怪就发挥不了作用。不但鬼怪发挥不了作用，那些神灵也不伤害人。不但神灵不伤害人，那些圣人也不伤害人。鬼神和圣人都不伤害人，所以两方面都使人民德泽而相安无事。

【评析】

本章以烹鱼为喻，说明治理天下在于不扰民。清静无为，天下自然相安无事。不扰民，是老子所谓"无为"思想的真谛。老子站在道的高度，俯视天下，说明当时人们所普遍认为的鬼神是左右事物、天下的观点是错误的。事在人为，只有用道的思想，做到清静无为，任其自然，就会治理天下，灾难就不会降临。这种思想显然是消极的、片面的。但是，老子在那时强调了人的主观能动性的积极作用，对于后世认识世界和哲学的发展有十分重大的影响。

老子全书，很少涉及鬼神，但这一章一再讲到鬼神，并不是老子肯定鬼神的作用，事实却恰好相反，老子是为

隋文帝

隋文帝杨坚，弘
农华阴人。隋朝开国
皇帝。他不仅完成统
一中国的大业，还使
隋朝成为政权稳固，
社会安定，户口锐长，
垦田速增，积蓄充盈，
文化发展，甲兵强锐
的强盛国家。后人一
般将隋文帝的大治誉
为"开皇之治"。

了证明"以道莅天下"的观点，说明起作用的不是鬼神，
而是有大道的人。

【故事】

"治大国若烹小鲜"是本章的中心思想，指治理国家就
像煎小鱼一样，不能经常的扰动，即实行无为而治的方略。
无为不是不为，不是放任自流，彻底不治；而是讲治国要
谨慎小心，不滥用权力、扰乱人民。实际上达到无为无不
为的目的。历代的开明统治者无不领略到老子"治大国若
烹小鲜"的真谛，隋文帝杨坚时期，政治清明，国家安定，
实现了"开皇之治"，他的治国之道值得借鉴。

公元581年二月，杨坚迫使周静帝退位，自立为帝，改
国号为隋，年号开皇，建都长安，史称隋文帝。

隋文帝即位伊始，便开始着手进行政权机构的改革。
以加强中央集权。开皇元年二月，他采纳大臣崔仲方的建
议，废除北周六官制度，在汉、魏、北齐官制的基础上，
设立内史、门下、尚书三省，作为最高政务机构，分别负
责决策、审议和执行。尚书省长官为尚书令，副长官为左
右仆射，与内史省长官内史令、门下省长官纳言同为宰相，
三省相互牵制，共同参议国家大政。尚书省下辖吏、礼、
兵、刑、民、工六曹，处理日常军政庶务。隋文帝还着手
改革地方机构，废除了南北朝以来的州郡县三级体制，实
行州县两级体制，撤除了不少冗赘州县，从而节省了政府
开支，提高了行政效率。此后又规定六品以下官员也由吏
部选授，地方官吏不得自辟僚佐，从而使中央对地方的控
制能力得到极大加强。

下一步，隋文帝开始大力整顿吏治，由吏部每年定期
考核地方官吏的政绩。州县佐官三年一换，不得再任。地
方官全部选用外地人，严防各地豪强势力为恶。隋文帝还
经常对表现良好的地方官吏实行奖励，对于贪官污吏，则
严惩不贷。他多次下诏选求贤良，选拔门第寒微却有才能
的士人充任高官，因此，隋初谋臣良将众多，各种人才齐
聚，极大地提高了王朝的统治效能。

隋文帝极为重视法制的完善，开皇元年，他命人参考

魏晋旧律，制定刑律颁行，成为对后世法律影响深远的《开皇律》。开皇三年又命苏威、牛弘等人修订新律，体现出"以轻代重，以死为生"的精神。

为发展生产、增加国力，隋文帝在经济方面采取了许多有益的变革。开皇二年，他颁布了关于均出和租调的新令，减轻了百姓的负担，使农民有更多的时间从事农业生产。为解决汉末以来豪强庇民户为私属、侵夺朝廷户口的积弊，隋文帝实行"大索貌阅"利"输籍之法"，从而检括出大量隐漏户口，扩大了政府的收入来源。

隋文帝十分重视水利的兴修和仓廪的建置，以发展农业生产和交通运输，并备灾年赈济之用，成为保障社会生产的有力措施。对于强悍的突厥骑兵的侵扰，隋文帝采取适时出击、适可而止的积极防御策略，并用远交近攻、离强合弱的计策，迫使突厥请和归降，稳定了北方边庭。开皇前期的一系列政治、经济和军事措施取得了显著成效，为南下平陈、统一全国准备了条件。

隋朝铜虎符

开皇九年，隋文帝以晋王杨广为元帅，节制50余万大军，分8道出击，仅用数日时间，就以迅雷不及掩耳之势攻灭陈朝，从而结束了近300年的两北分裂局面，创立了统一大下的大业。

开皇十年，隋文帝又着手改革府兵制度，既把府兵制与均田制紧密结合起来，更加"兵农合一"化，又可防止府兵将领拥兵跋扈，从而适应了民族融合、国家统一和社会生产发展的要求。

隋文帝统治后期，社会繁荣，国力富足，武功强盛。受禅之初，全国民户不满400万，到仁寿末年国家编户已超过890万。西京太仓、东京含嘉仓、洛口仓储积有余，天下粮仓皆充盈，隋王朝达到了中古时代罕见的鼎盛时期，被称为"开皇之治"。

第六十一章　各得其所

【原文】

大国者下流①，天下之交，天下之牝也。牝常以静胜牡，以静为下。故大国以下小国，则取小国；小国以下大国，则取大国。故或下以取，或下而取②。大国不过欲兼畜人③，小国不过欲入事人④。夫两者各得所欲，大者宜为下。

【注释】

①下流：低洼聚水之处。

②下：谦下。取：通"聚"，会聚，集聚。

③兼畜人：把人聚在一起加以养护。这里指统领小国。

④入事人：事奉别人，意为小国依附于大国并求得大国的容存与保护。

【译文】

大国要像居于江河下游那样，使天下百川河流交汇在这里，处在天下雌柔的位置。雌柔常以安静守定而胜过雄强，这是因为它居于柔下的缘故。所以，大国对小国谦下忍让，就可以取得小国的信任和依赖；小国对大国谦下忍让，就可以被大国所容忍。所以，有时大国对小国谦让使小国团结在大国的周围，有时小国对大国谦让以求得大国的容存与保护。大国不要过分想统治小国，小国不要过分想顺从大国，两方面各得所欲求的，大国特别应该谦下忍让。

【评析】

本章讲的是如何处理好大国与小国之间的关系，表达老子臆想不通过战争的手段来协调大国与小国之间关系的政治主张。老子反对一切战争，他有感于当时诸侯之间的战争纷扰，武力兼并之风的盛行，给社会带来了无穷灾难，提出了"谦下"雌静的主张，呼吁国与国要谦虚并容，和平共处，并一再强调大国要特别注意谦下包容，不可自恃强大而欺凌弱小。他认为大国只要有爱小国之心，就能取得小国的信赖，使小国聚集在自己的周围，从而满足大国的"称霸"之心；小国只要有敬大国之心，就能取得大国的信任，使大国认可并允许存在，从而成全小国的图存之意。总之，大家都谦让无争，战争就不会发生，社会就日趋安定。

老子的这一思想，反映了深受战争之苦的广大人民渴望和平、宁静、自由生活的良好愿望，具有一定的人民性。但是当时社会发展的形式要求结束割据局面，武力统一全国，老子没有看到这种兼并战争所起到的进步作用，仍希望社会永远停留在分散割据的状态，表现了老子落后保守的思想。

【故事】

本章老子提出了国与国之间应该和平共处，尤其是大国要谦让无争，有爱护小国之心。我们可以把它看作中国最早的有关处理外交关系的原则。

老子之所以提出这样的观点，是因为当时廉并战争日益频繁，国与国之间的战争不断。老子反映了下层人民反对战争，期望和平的心愿，但是，那个时代又要求结束割据局面，实现全国统一就必须实行兼并、武力统一。晋文公的"尊王攘夷"争霸就是一个典例。

晋文公，名重耳，晋献公之子，母为狄族狐氏之女。公元前655年，因骊姬之乱，出奔至狄，后又辗转齐、曹、宋、郑、楚、秦等国，在外颠沛流离达19年，直至公元前636年，秦穆公发兵相助，重耳才归晋为君。在位9年后去世。

重耳是晋献公的次子，哥哥申生早已被立为太子，他还有夷吾等多个弟弟。兄弟几人本来生活得井然有序，平平安安，不想，半路杀出个骊姬来，一切都乱了套。

骊姬当了王后，加紧了迫害太子的步伐。这天，她对

晋文公塑像

晋文公，名重耳，春秋时霸主晋国国君。因其父献公立幼子为嗣，曾流亡国外19年，在秦援助下回国继位。任用赵衰、狐偃等人，发展农业、手工业，加强军队，国力大增，出现"政平民阜，财用不匮"的局面。因平定周室内乱，接襄王复位，获"尊王"美名。城濮之战，大败楚军。旋于践土，会集诸侯，邀周天子参加，成为霸主。

太子说：“国君梦见你母亲齐姜，你快回去祭祀吧。”太子到曲沃去祭祀，带来祭品献给献公，献公刚好外出打猎，骊姬便在祭品的酒肉中放了毒药。献公回来，以酒祭地，酒使土都堆起，又把肉给狗吃，狗当即毙命，再给宦官吃，宦官也马上死去。骊姬哭着说：“这是太子的阴谋。”申生闻讯，逃归曲沃。

有人劝太子申生辩解，申生认为：国君失去骊姬，就会居处不安，饮食不香。如果辩解，骊姬必然获罪，国君也会因为骊姬有罪而不高兴，因而他自己心情也不会愉悦。别人又劝他逃往国外，申生不肯走，不久便上吊自尽。骊姬害死申生，又诬陷重耳和夷吾，说太子想谋害献公，他们俩也参与了。二人听到风声，各自逃回自己驻守的地方。这样，献公更信以为真，派寺人披到蒲地去捉拿重耳，寺人披当天就赶到蒲城，重耳在慌乱中跳墙而逃，被寺人披砍下一截袖子，重耳逃亡到梁国。

重耳从43岁开始逃亡，流落异地他乡19年，此时已是60多岁的老人了。然而，这19年的流浪生涯把他磨炼成胸襟广阔、政治手腕成熟的帝君。

对追随自己多年、患难与共的那些人，晋文公多与重用。当秦穆公护送重耳回晋国，走到黄河边时，狐偃将一块宝玉献给重耳，说道：“我随公子风尘仆仆走遍天下，一路上冒犯您的地方很多。现在快要回国了，请您收下这块玉留作纪念吧！”重耳知道狐偃的用意，深情地说：“回国以后，要是不跟舅舅同心同德，就同此玉！”说着，他就把那块玉扔到河里。跟随他流亡的那些人于是与他一起励精图治，重振晋国。

对那些曾有负于己但又有真才识学的人，晋文公也能做到不计前嫌，委以重任。

初步稳定了国内局势后，已经年迈的晋文公自觉当国君的时间不可能像齐桓公那样长久，雄心勃勃地急着想当霸主，正好周王室内乱，为他提供了机会。

秦穆公墓

秦穆公，春秋时代秦国国君。嬴姓，名任好。秦穆公非常重视人才，其任内获得了百里奚、蹇叔、丕豹、公孙支等贤臣的辅佐，曾协助晋文公回到晋国夺取王位。周襄王时出兵攻打蜀国和其他位于函谷关以西的国家，开地千里，因而周襄王任命他为西方诸侯之伯，遂称霸西戎。

晋文公利用这个机会，以"尊王攘夷"为号召，会合诸侯，出兵救周，打败姬带，护送周襄王回洛邑。周襄王将南阳的温、原等地赏给晋，大大提高了晋文公在诸侯中的威望。

接着，晋文公决心打击已经严重威胁中原各国的楚国的势力。这时，楚的势力已深入北方：汉水流域的伯多姬姓小国，早就被楚国全部灭掉；陈、蔡两国和楚国结成了同盟；郑、许、曹、卫、鲁等国也时而倒向楚国一方；宋襄公的"仁义"之师，也被楚国打得一败涂地。为了达到攻宋、侵齐，威胁秦、晋和周室的目的，楚成王集结了大量的兵力。中原与楚国的战争不可避免。

晋文公复国图卷

晋军打下了曹国和卫国后，楚军不得不撤出宋国，宋国的包围解除了。但刚愎自用的楚国大将军子玉不愿意就这样轻而易举地放弃宋国，在楚国的援军到达以后，子玉的态度更加骄横起来，派人对晋文公说："如果晋国恢复曹国和卫国，我也不打宋国。"晋文公既想结好曹、卫、宋，又不想向楚国让步，于是他一面暗暗允许恢复曹国和卫国，一面扣留了楚国的使臣。子玉怒不可遏，率领楚军，疯狂地向晋军扑去。春秋时期最有名的一次大战——晋楚城濮之战，就在楚军步步进逼之中发生了。

开战之前，狐偃对晋文公说："当年国君流亡楚国时，亲口许下退避三舍，如今可不能食言啊！"

晋国的将领们说："时过境迁，别提那一套老皇历了。"

狐偃说："打仗讲究的是理直气壮。退避三舍，并不单纯是个履行诺言的问题，它还能使我们站到正义与公理这一边，官兵看到国君讲信用，我们的'理直'，部队的士气高涨，就会'气壮'，就能一鼓作气，勇猛顽强，克敌制胜。"

听了狐偃的一席话，晋文公下令晋军后退三舍，一直退到城濮。楚军见晋军后撤，步步进逼，一直追到城濮。

公元前632年，会战开始。不可一世的楚军精锐，直奔

春秋牌形玉饰

晋国中军的阵地。晋国大将狐偃装作抵挡不住的样子，扭头便跑，还用战车拉着树枝扬起尘土，显得十分慌乱。而先轸统率的晋军，杀向侧翼的陈、蔡联军这个薄弱环节。驾车的战马全都蒙上了虎皮。联军的战马被吓得狂奔乱跳，晋军乘势杀来，联军死伤无数。于是，楚中军进入晋军的伏击圈，晋国精锐的中军马上杀个回马枪，与得胜的先轸入宫，铁壁合围，前后夹击，把楚军杀得七零八落。

晋大败楚国，晋文公将战俘及战利品献给周室，以求封赏。周天子派钦差大臣王子虎封晋文公为侯伯 (诸侯首领)，晋文公欲擒故纵，再三辞谢，而后才叩首受封。周室为此还专门作了一篇《晋文侯命》以颂其功。

晋文公在成就霸业的同时，开始报复流亡期间待之无礼的诸侯国。晋文公五年，晋伐卫，分其地予宋。同年，晋伐曹，俘虏曹共公。晋文公七年九月，晋国联合秦国，举兵伐郑，晋文公强迫郑国立公子壮为太子才退兵。在经济上，晋国向各小国征收贡赋，而且贪求无厌。

晋文公在位9年，于公元前628年去世，享年70岁。晋文公在短时间内成就霸业，兼并小国，联秦抑楚，要挟周天子，其辉煌胜于齐桓公。

第六十二章　万物之奥

【原文】

道者，万物之奥①，善人之宝，不善人之所保②。美言可以市尊③，美行④可以加人⑤。人之不善，何弃之有？故立天子，置三公⑥，虽有拱璧⑦以先驷马⑧，不如坐进此道⑨。古之所以贵此道者何？不曰：求以得，有罪以免邪？故为天下贵。

【注释】

①奥：深藏，含有庇护的意思。

②所保：保持的。

③市尊：市，买，换取，意为博得。尊，尊重，尊敬。

④行：品行，行为。

⑤加人：加于人，凌驾于别人之上。即受别人推崇、爱戴，从而居于统领的地位。

⑥三公：太师、太傅、太保。泛指大臣。

⑦拱璧：指双手捧着贵重的玉。

⑧驷马：四匹马驾的车。古代的献礼，轻物在先，重物在后。

⑨坐：疑为衍字，无意义。

【译文】

道荫庇着万物，它是善人的珍宝，也是不善人托求庇护的归依。嘉美的言辞博得人们的尊重，良善的行为可以获得别人的推崇，对那些不善之人，有什么理由遗弃他们呢？所以，拥立天子，设置三公大臣，虽然有拱璧在先、驷马随后的隆重礼仪，也不如简化礼仪，而将道作为献礼。自古以来这样重视道的原因究竟是什么呢？难道不是说，依靠道，有求的就能够得到，有罪的就能够赦免。所以，天下人都重视道。

【评析】

本章再一次的论述了道的地位、作用和重要性。这一章的新意就在于指出世人在"道"面前应该一律平等。清静无为的"道"，不但是善良之人的法宝，就是不善的人也必须保有它。这是"道"的可贵之处。老子在这里给人们包括有罪之人提供了新的出路，还是很有意义的。这种想法与孔子所言"君子过而能改"的说法是有相近意义的。老子则从主客观两个方面为有错者提供了出路，"道"不嫌弃犯罪之人，肯定会给他改错的机会；而犯罪者本人也必须体道、悟道，领会道的真谛，主客观这两方面的条件缺一不可。

在老子思想中，连天帝也没什么位置，更遑论什么"天子"的存在。人间只有"无为"、"好静"、"无事"、"无欲"、让百姓"我自然"而得"莫之命而常自然"的尊贵，因而"天下乐推而不厌"的圣人浑君，根本就没有什么天生的，血统无限高贵的统治者。所以，对"立天子"的反对，以及对"拱璧以先驷马"不足以"绵绵若存"的体认，是他思想的固有蕴含。他认为道没有任何神帝的光晕，不是价值的权威，它只是使人们"求以得、有罪以免"而"为天下贵"。这是非常富有积极意义的，这使得虚无飘渺的道完全落实到了现实的人间世界。

【故事】

孔子说："人非圣贤，孰能无过，过而改之，善莫大焉。"老子认为，道的伟大就在于对待世人的平等上，是善人的珍宝，也是不善人寻求保护的归依。劝诫人们对待有错的人，要善待、要理解、要宽容。人们没有理由抛弃那些有过错误的人，人不可能不犯错误，人们要给他改错的机会。而对于犯错本人而必须领悟到知错就改的道理。晋代周处原为乡中一害，但是他能认识到了自己的过失，改邪归正，成为一名大将。

晋代周处，字子隐，义举阳羡人。他的父亲周鲂，曾经担任太守之职，但在周处少年时就不幸去世了。所以，周处从小便失去了父教。他20岁时就臂力过人，喜爱骑马射箭，四处打猎。他不拘细节，性情凶悍粗鲁，恣意而为，简直成了乡中的一害。乡亲们都十分怕他，总是躲得远远的，不愿跟他交往。

久而久之，周处也知道自己为乡亲们所憎恶，便有了悔改之意。他见父老乡亲们大多愁眉不展、闷闷不乐，心里觉得奇怪，便问他们："如今天下太平，再加上风调雨顺、五谷丰登，事事都如人意，为什么你们还郁郁寡欢呢？"父老们回答道："现今地方上三害未除，哪里能快乐得起来呵！"周处问道："是哪三害？"父老答道："南山上的白额猛虎随意伤人，为一害；长桥下的河中蛟龙，常伤人畜，又是一害；至于第三害——"说到此处，父老们有些犹豫，但还是直说了出来："恐怕要算是你了。"周处听罢此言，沉默良久。经过考虑后，他决然说道："这三害我都能除去！"父老们欣然说道："你如果真能除去这三害，那么真是我们地方上的一大幸事！"

周处毅然孤身深入山中，搜寻到白额猛虎，与它一番拼搏，终于杀死了这只伤人性命的猛兽。接着，他又奋身投入水中，去搏杀那条蛟龙。这条蛟龙与白额虎相比，其凶猛真是有过之而无不及。它在水中或沉或浮，一连三日三夜，毫不知倦。而周处比蛟龙更勇敢，他紧紧跟随蛟龙，与之恶战了三日三夜。最后，蛟龙不敌周处奋力斩杀，血染河中。

周处三日三夜不归，宜兴的父老乡亲们都以为他已经死了。想到地方上一下子三害俱去，从此可以太平无事，父老乡亲们都高兴地互相庆贺。这时，周处正好归来，立即明白自己被大家痛恨到了何种地步，顿时大受刺激，这也使他更加坚定了改过自新、重新做人的决心。

既然决心已定，他就毫不迟疑，准备立即付诸行动。他了解到吴中大将陆逊的孙子陆机、陆云很有才学，便专程跑到吴县去拜访，愿拜他们为师。这时陆机正好不在家中，周处便拜见陆云，将自己的情况如实相告，然后问陆云道："我很想改过自新，但是年纪已经大了，不知是否来得及？"陆云鼓励周处道："古人贵朝闻夕改，君前途尚

周处

周处，字子隐。东吴吴郡阳羡人，鄱阳太守周鲂之子。周处年少时纵情肆欲，为祸乡里，后来浪子回头，改过自新，功业更胜乃父，留下"周处除三害"的传说。吴亡后周处仕西晋，刚正不阿，得罪权贵，被派往西北讨伐氐羌叛变，遇害于沙场。

可。且患志之不立，何忧名之不彰！"陆云的这番话对周处是极大的鼓励和教育。

从此，周处便刻苦读书，好学上进。同时，他十分注意自身修养，养成了良好的品德。仅一年，他的名声就大大地不同以往，以至州、府的官员都连连举荐他出来做官。

此后，周处为官三十余年，一直做到新平、广汉太守、散骑常侍和御史中丞。在任时，他克己奉公，很有政绩。如在新平任太守时，他与少数民族相处得很好；当广汉太守时，他为官清廉，处理了不少数十年留存下来的积案；当御史中丞后，他秉公执法，不阿附权贵，即使是皇亲国戚，他也不肯徇私。周处的刚正不阿，自然是难以见容于恶势力。

晋代持盾俑

后来，少数民族首领齐万年造反，朝中权贵痛恨周处的刚正不阿，都想乘机加害于他，便故意推荐他，说："周处是名将后代，派他去征讨，一定错不了！"伏波将军孙秀知道那些朝臣们的险恶用心，便规劝周处道："你家中有老母在堂，可以以此为由，向朝廷推掉这个差使。"周处却坚定地说道："忠孝岂能两全，既然辞别亲人，服务于朝廷，父母亲哪里还能把儿子仅仅当作自己的私有之物呢！"

这时候，梁王司马肜任征西大将军，总管关中军事。周处知道司马肜一定会趁机报复，因此报定死念毫不退缩，仍然奋勇前去作战。司马肜果然挟嫌报复，故意不给援兵。周处率众奋战，从早晨打到晚上，弓断箭尽。众人劝周处退兵，周处慷慨陈词，不许稍退，斩敌首以万计，终于英勇战死，以身殉国。

"周处自新"是历史上的一个著名故事，他勇于改过，忠于国事，由一个地方恶少转变为忠臣良将，给后人以很大的启发。

第六十三章 为大于细

【原文】

为无为，事无事，味无味①。大小多少②。报怨以德③。图难于其易，为大于其细；天下难事必作于易；天下大事必作于细。是以圣人终不为大④，故能成其大。夫轻诺必寡信，多易必多难。是以圣人犹难之，故终无难矣。

【注释】

①为无为，事无事，味无味：此句中前面的"为"、"事"、"味"均为动词，分别是从事于、从事于、品味的意思。后面的"为"、"事"、"味"均为名词。

②大小多少：大生于小，多起于少。

③报怨以德：此句与上下文文意不相关，怀疑为第七十九章文字。

④不为大：是说有道的人不自以为大。

【译文】

以无为的态度去有所作为，以不滋事的方法去处理事物，以恬淡无味当作有味。大生于小，多起于少。处理问题要从容易的地方入手，实现远大的事业要从细微的地方入手。天下的难事，一定从简易的地方做起；天下的大事，一定从微细的部分开端。因此，有"道"的圣人不自以为大，所以才能做成大事。那些轻易发出诺言的，必定很少能够兑现的，把事情看得太容易，势必遭受很多困难。因此，有道的圣人总是重视困难，所以他终究没有任何困难。

【评析】

本章在积极宣扬清静无为思想的同时，也在强调要辩证的看待困难和容易之间的相互关系，主张做事要从易到难、由小及大。这种思想是富有超越时空价值的思维方法，有很大的启迪意义。

老子反对以烦琐的禁令去捆住人民的手脚限制和扰乱百姓的生活，要想有所作为，就必须采取顺应自然的态度，必须以平静的思想和行为对待生活。他提醒人们注意，做任何事情都是从小到大，由少到多，由易到难的。

老子提出："图难于其易，为大于其细；天下难事必作于易；天下大事必作于细。"对于人们来讲，无论行事还是求学，都是不移的至理。这也是一种朴素辩证法的方法论，暗合着对立统一的法则，隐含着由量变到质变的飞跃的法则。

【故事】

老子提出："天下难事必作于细；天下大事必作于细。"对于我们来说，无论是求学行事，为人处世都是不移的至理。事物总是由小到大，由易到难，逐步积累而成的，所以我们面对困难时，必须从容易开始，做大事从小事做起。我国古代流传下来的愚公移山的故事，说的就是这一道理。不屑于做细小的事情，这样的人，也绝不能干大事。愚公移山看似愚蠢，但是一点一点积累也会移动大山。

相传，夸父死后，他的后代们组成了博父国。博父国的北山有一个老头子，名叫愚公，他就是夸父族的后代。那时愚公家门前有两座大山：太行和王屋。两座大山高耸入云，一眼看不到顶，山形巍峨，怪石嶙峋。愚公一家人口众多，许多的田地需要种植，可是两座大山挡在家门口很不方便，出去种地还要绕好远，实在太辛苦了，于是愚公召开家庭会议，商量该怎么办。

愚公首先发言说："这两座山实在太过分了，挡在咱们家门口，进进出出都太不方便了，每天种田已经够辛苦了，可恨这两座山还要给我们找麻烦！干脆我们把这两座山搬走吧。"子孙们一听，都随声附和，表示同意，只有愚公的妻子表示不同意，他说："你已经头发胡子都已经白了，你这把年纪只怕连魁父那么大一点土坡都搬不动了，怎么能搬得动太行和王屋这么大两座山呢？更何况你又准备把挖出来的泥土和石头放在哪里呢？"

愚公的儿孙们说："就搬到渤海边上倒在海里吧！"

愚公很高兴，说："只要我们齐心协力，肯定能搬掉这两座山。"愚公的妻子见大家都没有反对，也就什么也不再说了。

于是一大家子人便开始了艰巨的搬山运动。大家分好了工，身体比较弱的挖土，稍好一些的搬石头，身体最强壮的就挑着那些石头和泥土往渤海搬。愚公的邻居京城氏的遗孀有一个儿子，刚刚才到换牙齿的年龄，看见愚公一家干得那么起劲，觉得很好玩，也蹦蹦跳跳跑过来帮忙。

从太行、王屋到渤海有几万里，挑着泥土和石头去渤海的人，来回一趟要大半年的时间。

河曲有一个叫智叟的人，看见愚公一家竟然这么不自量力，摇着头叹息说："我说老头子啊，你已经风烛残年了，这么辛辛苦苦，何必呢?你还想把这两座大山怎么样啊?"

愚公停下锄头，擦了擦脸上的汗，说："智叟啊，你也是七老八十的人了，可是你的见识怎么连寡妇和小孩子都不如呢?"

智叟道："为什么这么说?"

愚公信心十足地说："难道你不知道，我死了，还有儿子;儿子死了，还有孙子;孙子死了，还有孙子的儿子，子子孙孙无穷无尽。我们每一代人都会挖走一些石头和泥土，我们的人会不断增加，可是这山却再也不会长高了，如此下去，这山肯定会被我们搬走的。"

智叟听了愚公的话，哑口无言。愚公又埋头继续挖山去了。

没想到愚公的话被山神听到了，山神很害怕，万一愚公真的一直这么干下去，总有一天这两座山都会变成碎石、泥土填到渤海里，于是赶紧上天报告了天帝。天帝被愚公的执著感动了，就派了夸娥氏的两个儿子，替他把两座大山背走了，一座搬到了朔东，一座背到了雍南。从此太行和王屋两座大山就天南地北分开了。

第六十四章 慎终如始

【原文】

其安易持，其未兆易谋；其脆易泮①，其微易散。为之于未有，治之于未乱。合抱之木，生于毫末②；九层之台，起于累土③；千里之行，始于足下。为者败之，执者失之。是以圣人无为故无败，无执故无失④。民之从事，常于几成而败之。慎终如始，则无败事。是以圣人欲不欲，不贵难得之货，学不学⑤，复众人之所过，以辅万物之自然而不敢为。

【注释】

①其脆易泮：泮，散，解。物品脆弱就容易消解。

②毫末：细小的萌芽。

③累土：堆土。

④为者败之，执者失之。是以圣人无为故无败，无执故无失：此句为二十九章错简于此。

⑤学：这里指办事有错的教训。

【译文】

安定的局面容易维持，未露征兆的问题容易筹谋，事物脆弱时容易化解，事物细微时容易消散。事情要在尚未发生之前处理，治理要在祸乱尚未形成之时。合抱的大树，萌生于细小的萌芽；九层的高台，从一筐筐土堆起；千里的远行，开始于迈出第一步。主观妄为将会失败，强行把持将会丧失。因此，圣人行事，不违背客观规律主观妄为，所以没有失败；不违背人情物性强行把持，所以不会丧失。人们做事，经常在将要成功时失败了，如果持之以恒，慎重坚毅的态度像开始那样，就没有失败之事。因此，圣人追求恬淡自律，不贪爱珍贵难得的财货；学习世俗不学的顺应自然之学，一反众人之过失的做法；用以辅助万物自然发展，而不敢妄加施为。

【评析】

本章内容丰富，思想深刻，说理透彻，在全书中占有重要的位置。本章仍是承接上章，告诉我们处事的基本方法和原理，即未雨绸缪，防患于未然；凡事早作预备，先下手为强；脚踏实地，一步一步不断前进；一切顺其自然而不能自以为是等等。老子提出的"合抱之木，生于毫末；九层之台，起于累土；千里之行，始于足下"观点，对后世的人们有十分重要的指导意义。

本章提出的"慎终如始"地"辅万物之自然"说，是老子一系列思想的高度概括。通过见微知著的"味无味"，并通过投身介入的"辅万物"，使之"之自然"而退步抽身，构成了"为无为"的入世、在世、出世三部曲。通过审慎的介入以求得悠闲的退出是道者的一大理想；不求独揽大权，但求天下安康，成了道者的人生准则。

第六十四章是比较混乱的一章，五段文字，每一段说一个内容，上下文都不相连，但是本章的每段题旨都比较浅显明白。

【故事】

"为之于未有，治之于未乱。合抱之木，生于毫末；九层之台，起于累土；千里之行，始于足下。"本章内容承接上章，对于从小事做起这一思想的进一步阐述。未雨绸缪、防微杜渐、防患未然，这一思想的提出，对后人的为人处世，解决问题有十分重要的借鉴意义。人们做事不能只从眼前的利益出发，要考虑到长远的利益。诸葛亮先谋而后动，长远规划，"隆中对"一下就为刘备定下了三分天下的大计。

诸葛亮出生的东汉后期，是中国历史上最黑暗的时期之一。在诸葛亮4岁时，中平元年爆发了黄巾起义，战事延续九个月，起义军主力失败。汉灵帝死后，宦官、外戚两大集团火并。外戚何进密召并州牧董卓进京，宦官先发制人，杀死何进。支持何进的世家大族官僚袁绍带兵入宫，杀尽宦官。宦官、外戚两败俱伤，使董卓乘机攫取了政权。

刘备

汉昭烈帝刘备，字玄德，涿县人，为三国蜀汉开国君王。东汉灵帝末年，与关羽、张飞一道讨黄巾贼有功，遂为县尉。密诛曹操不成，潜逃。三顾茅庐始得诸葛亮辅佐。公元221年于成都即位称帝。伐东吴兵败，损失惨重，退回白帝城，因病崩逝，享年62岁，谥号昭烈帝。

他进洛阳，废少帝，立献帝。大肆劫掠，残杀百姓。把献帝挟持到长安，将洛阳烧为一片焦土。各地州郡长官，以讨董卓为名，各占地盘，攻战不已。东汉王朝名存实亡。

在兵荒马乱中，诸葛亮兄弟随叔父诸葛玄外出避乱。先投奔淮南的袁术，袁术派诸葛玄任豫章太守。袁术败死后，朝廷派朱皓任豫章太守。诸葛玄在豫章立不住足，就带着诸葛亮、诸葛瑾到荆州投靠老朋友刘表。已长大成人的诸葛瑾则投靠了孙权。不久，诸葛玄死去。流落在荆州的14岁的诸葛亮，就结庐于南阳之邓县，在襄阳城西20里，名为隆中的地方，躬耕垄亩，隐居读书。

诸葛亮虽然身在垄亩，而心忧天下，具有改造社会、统一祖国的抱负和壮志。自比春秋战国时期著名将相管仲、乐毅。对此，一般人并不理解，而他的好友徐庶等人，认为并不过分。当时襄阳有位德高望重的名士庞德公，善于品评人物，他对诸葛亮特别器重，称他为"卧龙"。

诸葛亮身在隆中，心系海内，以他政治家特有的敏锐，通过各种途径、各种人物细心地捕捉天下局势的每一个细小的变化，以他思想家特有的深邃，分析预测天下的未来走势。

正在此时，刘备到达荆州，很多荆州人士投到他麾下，甚至连刘表政权中的一些人也前来请托。但是刘备感到，自己所急切需要的辅弼之才却一个没有。于是下定决心寻找自己的所需要的人才。

刘备求才的诚意终于感动诸葛亮的好友徐庶。刘备见他谈吐不俗，对他很是器重。徐庶说："徐某不才，蒙将军错爱。我的一个朋友，才能远在我之上，不知将军想不想得到。"

刘备忙问："谁?"

徐庶说："诸葛孔明者，卧龙也，将军难道不希望见到他吗?"

刘备听说"诸葛孔明"几个字，迫不及待地说："想见，想见! 你能不能替我请他来谈谈。"

诸葛亮

诸葛亮3岁母亲病逝，8岁时丧父，与弟弟诸葛均一起跟随由袁术任命为豫章太守的叔父诸葛玄到豫章赴任。后来，朝廷派朱皓取代了诸葛玄的职务，诸葛玄就去投奔老朋友荆州牧刘表。建安二年，诸葛玄病逝。诸葛亮和弟弟失去了生活依靠，便移居南阳隐居乡间耕种，维持生计。

　　徐庶轻轻一笑，说："将军莫急。此人只能前去拜谒，不可屈他前来。将军若有意，应该枉驾前往见之。"

　　刘备便按徐庶所提供的方位前去拜访诸葛亮，不巧，去了两次都没有见到诸葛亮。诸葛亮认为，如果他真正尊重人才，就必然有第三次。这一次，无论如何也不能让他再扑空。当刘备第三次来到隆中诸葛亮居住的草屋前时，诸葛亮已经把院内屋内打扫得干干净净，衣冠整洁地迎接贵客临门了。

描绘剪除董卓的瓷板画

　　刘备一见诸葛亮，第一个感觉就是这是一个值得以事业相托的人。说也奇怪，这种一面之交而产生的信任感，是刘备有生以来的第一次。他很快就屏退旁人，对诸葛亮掏出积藏多年的心里话："现在朝纲崩溃，群雄割据，奸臣掌权，使汉朝天子蒙受苦难。我不度德量力，想伸张大义于天下，使天下一统，汉纲复振。然而由于我缺少智术，屡受挫折，时至今日，一无所成。不过，我并不灰心，志亦未减，您能帮我出谋划策吗？"

　　诸葛亮被刘备的赤诚打动了，他将自己多年成竹于胸的思考合盘托了出来："自从董卓乱政以来，豪杰并起，雄踞一方，势力跨州连郡者亦不可胜数。先说北方的曹操，他和袁绍相比，名望低微，兵将寡少。但他最后却能战胜袁绍，由弱变强，这不仅是由于客观形势有利于他，也是他主观努力的结果。如今，曹操已经拥有百万兵众，又有挟天子以令诸侯的政治优势，此时与他争雄显然是不明智的。"

　　他见刘备边听边赞许地点头，又继续说道："孙权占据江东，已经经历了孙坚、孙策、孙权三世雄主，那里地势险要，民众归附，贤能之人尽展其才，因此，只可与他联合而不能与之争夺。"

　　诸葛亮接着说："荆州这个地方，北有汉水、沔水，南可达于南海，东可连接吴会，西则通往巴蜀。这是一个战略要地，而其主刘表却没有能力将其守住。这恐怕是天

孙权，字仲谋，三国时期吴国开国君主、政治家。孙权取得赤壁之战的胜利后，依靠长江天险，多次击退曹魏进攻。曹丕代汉建魏，孙权表面臣服称藩，争取时间巩固政权基础。黄龙元年称帝，先后统治江东50多年。

赐给您的宝地，不知将军对它有意没有?还有益州这个地方，四塞险固，沃野千里，被称为天府之国。当初汉高祖刘邦就靠它成就帝业。如今其主人刘璋昏庸无能，又有张鲁在北边与他分庭抗礼。那里民多地富而刘璋却不知道如何治理，以使百姓安居乐业，因此，那里有眼光有才能的人都希望得到一个明主。"

诸葛亮这段分析告诉刘备，欲求发展，兴复汉室，荆州、益州是必先占领的根据地。最后，诸葛亮又概括总结了平定天下，复兴汉室的任务："将军是汉朝帝室的后代，信义著于四海，延揽英雄豪杰，思贤如饥似渴。如果跨有荆、益二州，据险守土，西面与诸戎和睦相处，南面安抚夷人越人，对外结好孙权，对内治国理政，等待时局有变，就命一得力将军率荆州之军进攻宛、洛，将军则亲率益州大军出秦川进攻中原，百姓孰敢不箪食壶浆以迎将军?如果真能那样，那么将军的霸业可成，强盛的汉朝可以再现了。"

诸葛亮这段精辟的论说，就是被后人赞颂不绝的"隆中对"。

诸葛亮为刘备献策，并非局限于刘备所驻守的新野，而是综观全局，预测未来。北方的曹操、江东的孙权、荆州的刘表、益州的刘璋、汉中的张鲁，均在他的考虑之列。诸葛亮胸怀全局，而制定出这样一个完整的发展战略，使刘备得以抓住机会，扩充力量，振兴蜀国。

《隆中对》中的种种预测是以客观事实为依据的。经过通盘考虑，得出了合乎逻辑的结论。据此而制定的决策可行而稳妥。这一决策的核心是避开强大的曹操和孙权，向力量薄弱的中西部发展，然后积蓄力量，向中原拓展。这既符合当时的形势，又颇得兵法要领。

《隆中对》乃是处于危世而能高瞻远瞩的伟大的战略思想的产物。历史也基本沿着《隆中对》所预测的方向发展。它显示出诸葛亮前无古人的高超的智谋与智慧。

诸葛亮对风云变幻、动乱不已的汉末形势的分析，深刻清晰而有条理。在此基础上提出的一套行动计划、纲领和正确策略，勾画了三国鼎立的蓝图，既高瞻远瞩，雄心勃勃，又脚踏实地，切实可行。此后，三国历史的发展，就是这幅历史图卷的徐徐展现。后来的历史事实，雄辩地证明了隆中对策的正确性和诸葛亮超人的智慧及惊人的预见性。

　　隆中对策作为谋略的杰作和范例而成为千古佳话。在当时，隆中对策对苦苦求索而四处碰壁的刘备，构设了开创大业的宏伟蓝图。他在一筹莫展、寄人篱下的困境中，不啻得到一副灵丹妙药，发聋振聩，顿开茅塞，不禁拍案叫绝。

三国木牛

　　刘备认为诸葛亮是他所寻求的最理想的辅弼，就恳切地请他出来帮助自己。诸葛亮被他诚挚的态度所打动，决心辅佐刘备，创建大业，实现安国济民之志，就毅然随刘备来到新野。

　　刘备对这位27岁的青年敬若师长，两人亲密无间。关羽、张飞不服气，刘备解释说："我得到孔明先生，如鱼得水，请你们不要说闲话。"

　　没有诸葛亮的刘备，还是个没有立足之地的流浪汉，有了诸葛亮的辅佐，才真正成了一股势力，才有权利参加争夺天下的游戏。原因就在于"隆中对"的策算为他提供了指路明灯，从此有了方向。后来事实证明，诸葛亮的策算是正确的，如果不是关羽的大意失荆州和刘备彝陵之战惨败，恢复汉朝江山也并非不可能。

第六十五章 善为道者

【原文】

古之善为道者，非以明①民，将以愚之②。民之难治，以其智多③。故以智治国，国之贼；不以智治国，国之福。知此两者，亦楷式④。常知楷式，是谓玄德⑤。玄德深矣，远矣，与物反矣⑥，然后乃至大顺⑦。

【注释】

①明：谓多见巧诈。非以明民：不是使人民趋向智诈奸伪。

②愚：谓多见淳朴。将以愚之：将使人民趋向憨厚淳朴。

③智多：诈伪智术繁多。

④楷式：法式、法则。

⑤玄德：玄妙的德行。

⑥物反：返归到纯真淳朴的状态。

⑦大顺：返朴归真，顺应自然，是最大的和顺。

【译文】

古代善于为道的人，不是教导人民知晓智巧伪诈，而是教导人民淳厚朴实。人们之所以难于统治，乃是因为他们使用太多的智巧心机。所以用智巧心机治理国家，就必然会危害国家，不用智巧心机治理国家，才是国家的幸福。了解这两种治国方式的差别，就是一个法则，经常了解这个法则，就叫做"玄德"。玄德又深又远，和具体的事物复归到真朴，然后才能极大地顺乎于自然。

【评析】

本章是老子愚民思想的集中体现。老子认为显学成见的纷纷涌现只会引导社会日趋混乱，所以，为求社会稳定，他主张愚民。从老子立道为最高"楷式"的前提看，这样的思想走向是不难理解的：因为道的最显著特征就是混沌无名，所以，效仿它的理想社会就是一个不鼓励过分地分化特化、不崇尚智巧的社会。从老子所处的历史时代看，他的愚民思想可以看成是对春秋战国时期因激烈的社会动荡导致对智巧伪作的更加依赖，因对智巧伪作的更加依赖又导致社会动荡的更趋加剧这一正反恶性循环现实的反思。对社会激烈动荡的痛恨，对民生疾苦的深切同情，使得老子把蚂蚁与蜜蜂式的社会形态推为人间社会的理想楷模。

我们应该看到，老子的愚民主张是兼以"浑君"相辅的。他的愚民思想与封建统治者的那种为求一己纵欲之顺畅而施行的以欺民而愚民的统治术不可同日而语。民愚、士明、君浑是老子思想中理想的社会图景。

【故事】

老子反对人们使用太多的智巧心机，因为人们都玩弄心机诡诈，社会就会陷入混乱，国家也很难治理。尤其是对于统治者而言，机巧狡黠就会使社会风气败坏，人们之间就互相算计，彼此残害，最后害人害己。

为官者最重要的不是聪明与否，而是品德，没有好的品德，越聪明就对人民越有害，造成的危害也就越大。

唐朝武则天时大兴诬告之风，索元礼以善审诬告案而升官至推事。他审讯囚犯时，制作了一种"换笼头"的刑具，紧箍犯人的头，还加上楔子塞紧，有不少人看到这刑具就违心地屈招，有的刚烈之士，死不承认，被整到头骨开裂，脑髓流出满地。他还设计了"凤晒翅"、"狝猴钻火"等刑具。"凤晒翅"是用椽子锁住犯人的手足加以扭转，同时劈砍，直到骨头破碎。又把囚犯悬吊在屋梁下，用悬石下坠敲击他的头。此人真是凶残无比。

武则天时的赢州刺史独孤庄也残酷暴虐。一天他抓到一个窃贼，窃贼本已招供。独孤庄又喊到："把我制的刑具拿出来。"这个刑具是一个铁钩，一丈多长。非常锐利，用绳索挂在树上。独孤庄对窃贼说道："你没有听说过好汉钩下死吧？"就下令把他的面颊钩上，再派壮士拉拽钩上的绳索，把面颊从头上钩下来了。

武则天

武则天称帝后，大开科举，破格用人；奖励农桑，发展经济；知人善任，容人纳谏。在她掌理朝政近半个世纪，社会稳定，经济发展，为后来"开元盛世"打下基础。但是，武则天逼害王后萧妃，杀害亲子，大封武氏诸王，重用酷吏，严刑峻法，冤狱丛生，受到历史的谴斥。

凶残的独孤庄常常以此取乐。

武则天时，还有两个以凶残而升官的酷吏，一个是来俊臣，一个是周兴。

周兴任刑部侍郎，审问犯人，手段凶残狠毒，善于研究刑具，刑法规定以外的痛苦手段，他没有不采用的，当时的人都称他为"牛头阿婆"。

后来周兴因害人太多，民愤极大，武则天决定抛弃他，令来俊臣逮捕和审讯周兴谋反。

来俊臣心知周兴是办案的老手，一定不会老实招供，于是设下一计，请周兴饮酒。

饮酒之间，来俊臣装作请教周兴道："囚犯十分狡猾，大多不肯认罪，你有什么办法?"

周兴说："这很容易，拿一口大瓮来，用炭火在它的四周烘烤，把囚犯放在瓮里，看他招不招!"

来俊臣就令人抬来大瓮，用炭火在它四周围烤，起身对周兴说："现有圣上批准审讯老兄，请您进入这个瓮吧。"周兴惶恐，不住地求饶，随即完全服罪。

这些为官之人被权利迷了心窍，以至于残忍至极，所以老子提出"愚民"，呼吁人们都恢复质朴纯真的人性。

唐代彩绘文官俑

第六十六章　不争之争

【原文】

江海之所以能为百谷王①者，以其善下之②，故能为百谷王。是以圣人欲上民③，必以言下之④；欲先民⑤，必以身后之。是以圣人处上而民不重⑥，处前而民不害。是以天下乐推而不厌⑦。以其不争，故天下莫能与之争。

【注释】

①谷：川。百谷王：百川汇集的地方。

②下：处在下游而使水能汇集。

③欲上民：要想治理人民。

④言下之：要先听从人民的意愿。

⑤欲先民：要想领导人民。身后之：把个人利益放在人民的利益之后。

⑥重：累、不堪重负。

⑦推：推崇，爱戴。不厌：不厌弃。

【译文】

江海所以能够成为百川河流所汇聚的地方，乃是由于它善于处在低下的地方，所以能够成为百川之王。因此，圣人要领导人民，必须用言辞对人民表示谦下，要想领导人民，必须把自己的利益放在他们的后面。所以，有道的圣人虽然地位居于人民之上，而人民并不感到负担沉重；居于人民之前，而人民并不感到受害。天下的人民都乐意拥戴而不感到厌倦。因为他不与人民相争，所以天下没有人能和他相争。

【评析】

本章讲的是"不争"的政治哲学。本章开头用江海作比喻，老子喜欢用江河来比喻人的处下居后，同时也以江海象征人的包容。江海为百川所趋，圣人为人心所向，那

是由于"善下"的缘故。老子认为，执政者只有肯于居下，才会最终居上；只有肯于退后，才会最终当前；只有肯于不争，才会无人能争。

针对统治者于国内弄权作势，于国外急欲扩张，百姓不堪其压迫扰害之苦痛，针对那些处在前面的人见利争先，百姓受其害的状况，老子要执政者谦下、退身。本章以朴素的辨证思想论述了王者之道。

【故事】

"圣人欲上民，必以言下之；欲先民，必以身后之。"老子阐明了统治者要谦下退让，不能压迫人民，骑在人民的头上作威作福。作为统治者，只有深入民众，体察民间疾苦，反映人民的根本利益，才能够受到人民的拥护。老子的民本思想，被历朝历代所推崇，是国家安定繁荣的法宝。

刘恒，汉高祖刘邦之子。高祖十一年，刘邦平定陈豨叛乱后，刘恒被封为代王。汉高后八年，长期执掌西汉中央政权的吕后病死，丞相陈平、太尉周勃等采取果断措施消灭了吕氏集团，素以"仁孝宽厚"著称的代王刘恒被迎立为皇帝，他就是后来的汉文帝。文帝在位期间，减轻赋税，奖励农耕，约法省禁，与民休息，为西汉社会经济的恢复和发展作出了重要贡献。在个人生活方面，汉文帝也以身作则，处处节俭，力求减轻百姓的负担，有关他罢修露台、遗诏薄葬的故事，两千年来一直传为美谈。

西汉初年，由于楚汉战争的破坏，整个社会已经衰弱不堪：人口稀少，土地荒芜，百姓无余财，将相乘牛车，到处是荒凉凋敝的景象。为发展经济，增强国力，巩固新兴的政权，汉初统治者吸取秦王朝二世而亡的历史教训，确定了"无为而治"、与民休息的政治方针。汉文帝即位后，遵循这条既定的政治路线，在节省开支、减轻剥削方面采取了一些更彻底、更有效的措施。

即位后的第二年，汉文帝以不久前出现日食为由发布诏令说："相传日食等灾异现象是上天对君主无德、政治混乱提出的警告，大臣们若发现我有什么过失请随时给予

周勃

周勃，秦末汉初的军事家和政治家、西汉开国功臣，沛县人，汉高祖封为绛侯。周勃为人憨厚刚正，高祖称他可委以大事。可是周勃不习经术，鄙薄儒生。每次召见儒生和说客，总是让他们快快道来，别咬文嚼字。

批评。同时，请注意访求那些贤良方正、能犯颜直谏的人，将他们举荐上来，以补正我的过失。今后各级政府和各个部门，务必节省费用，减轻徭役，以便百姓。现在北部边境地区仍受匈奴族的威胁，不能解散各地屯戍部队，但保卫京师的军队不宜过多，今下令裁减其中的一部分。太仆所掌管的马匹也要裁减，除留下中央必备的以外，其他全部支付各地驿站使用。"

同年，博士贾谊上书汉文帝，痛陈当时弃农经商、靡费财物之风的危害，对汉兴以来国家积蓄不足的现状表示深深的忧虑，他请求政府重视农业，加强对流亡农民的管理。汉文帝采纳了这个建议，首先恢复了先秦时代天子亲率万民耕种"籍田"的传统，不久又下令将当年田租减免一半，三十而税一，以提高人民从事农业生产的积极性。文帝前元十二年，汉文帝再次发布诏令说："农业是国家的根本，现在对致力于农业的人征收租税，容易导致本末无别，不利于农业的发展，为此，特下令彻底免除田税！"这项命令颁布后，十几年内未曾改变，直到汉景帝前元元年才又重新恢复了三十税一的制度。

免除田税与减省耗费是文帝治国方略中两个密切相关的措施，正是因为能够禁奢侈、戒铺张，将官府的各项开支降低到最低程度，才能有宣布"除田之租税"的胆识和气魄。文帝即位之初，贾谊曾劝他改正朔、易服色、定官名、兴礼乐，加强天子的威严，文帝认为这套改革方案兴师动众，过于靡费，未加采用。文帝在位23年间，宫殿、苑囿、车观、服装及日用品都一仍其旧，无所增益。他每当发现宫中制作规模太大，不利于民，便立即予以制止。有一次，汉文帝想建造一座"露台"，等召集工匠计算造价后，才知道造这座露台要花费"百金"。文帝说："百金相当于十户中等家庭的财产。我有幸登上帝位，继承了豪华的宫室，常怕自己不能胜任，对不起祖先，何必再来浪费？"当即打消了造台的念头。

在日常生活中，汉文帝也力求简朴，自觉地为百官做出表率。文帝平时只穿质地粗糙的黑色服装，在他的带动

汉文帝

汉文帝刘恒，高祖刘邦第三子，汉惠帝刘盈弟，母薄姬。初被立为代王，建都晋阳。惠帝死后，吕后立非正统的少帝。吕后死，吕产、吕禄企图发动政变夺取帝位。刘恒在周勃、陈平支持下诛灭了诸吕势力，登上皇帝宝座，是为文帝，在位23年，与汉景帝开创"文景之治"。

下，嫔妃们也从不讲究服饰的艳丽。宫中帷帐不加文绣，器物不尚华美，一派敦厚古朴的气象。

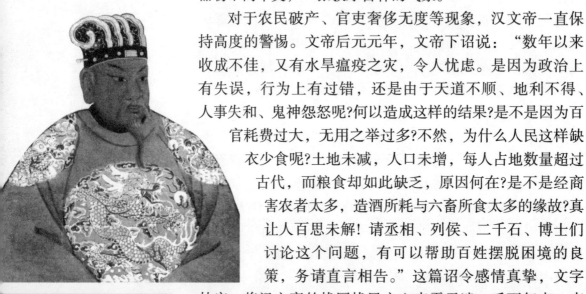

汉文帝

对于农民破产、官吏奢侈无度等现象，汉文帝一直保持高度的警惕。文帝后元元年，文帝下诏说："数年以来收成不佳，又有水旱瘟疫之灾，令人忧虑。是因为政治上有失误，行为上有过错，还是由于天道不顺、地利不得、人事失和、鬼神怨怒呢?何以造成这样的结果?是不是因为百官耗费过大，无用之举过多?不然，为什么人民这样缺衣少食呢?土地未减，人口未增，每人占地数量超过古代，而粮食却如此缺乏，原因何在?是不是经商害农者太多，造酒所耗与六畜所食太多的缘故?真让人百思未解! 请丞相、列侯、二千石、博士们讨论这个问题，有可以帮助百姓摆脱困境的良策，务请直言相告。"这篇诏令感情真挚，文字朴实，将汉文帝的忧国忧民之心表露无遗，千百年来一直为人们所传诵。

文帝后元六年夏天，京师各地遇到特大旱灾和蝗灾。汉文帝当即决定撤销国家垄断山泽的禁令，让民众自由渔猎和樵采;又削减宫中日用品的供应，裁减郎官名额，开仓赈济贫民。自这次赈灾之后，才四十多岁的汉文帝却忧劳成疾，一病不起了。

封建时代的帝王都有生前修筑陵墓的习惯，汉文帝当然不例外，但在这方面，他同样厉行节约，倡导简朴。汉文帝的陵墓——霸陵依山而建，不起高坟，这本身就节省了许多无益的耗费。有一次，文帝率群臣前往霸陵巡视，想到人死后一切将化为空无，不免万分惆怅。他让随行的慎夫人鼓瑟一曲，自己引吭高歌，声调慷慨而悲凉。随后文帝对群臣说："如果用北山巨石为外椁，以麻絮、胶漆填塞棺椁之间，还有腐烂、被盗之虞吗?"大家都表赞同，只有中郎将张释之上前说："假若墓中有世人想得到的东西，就是以整座南山堵住墓门，人们也能挖出缝隙;如果墓中不收藏值钱的东西，即便没有石椁，又岂用担惊受怕?"文帝听后连连称善，遂下令霸陵中全以瓦器陪葬，不得用金钱铜锡做装饰，并提升张释之做廷尉以示鼓励。

文帝后元七年，汉文帝日感身体不支，不久病逝于未央宫。弥留之际他留下诏书说："天下万物有生必有死。既然死是天地自然之理，又何必为之哀痛! 现在社会上流行好生恶死、破家厚葬、久服伤生的风气，我对此甚为反感! 我本无德，深愧未能造福于百姓，死后再让人们长期守丧，加重百姓的痛苦，将何颜以对天下?我有幸登上帝位，至今已二十余年，赖有上天的护佑，境内安宁。我既无才，常恐不能善始善终，因自己的过错给先帝带来羞愧。现在天年已尽，即将追随于先帝的左右，我只感到欣幸，怎会有悲伤留恋之意?今天下吏民，从该诏书下达之日起，哭灵三天后即可脱去丧服。民间可照常娶妇嫁女、祭祖祀神、饮酒食肉。宫中亲属应当服丧者，不要跣足，经带 (头上、腰上缠的丧带) 的宽度不要超过三寸。不要用白布裹盖兵器和车辆，不要征发民众到宫殿中哭灵。应当哭灵者，每日早晚各派十五人即可。不是规定的哭灵时间，不得擅哭。下棺以后，服大功之丧十五日、小功之丧十四日，禫祭后七日除服。其他方面，可依该诏令精神规定具体做法。请布告天下，让人们明知我意。霸陵应维持原貌，不得擅改，我死后，夫人以下的嫔妃都遣返故乡，任其嫁人。"

汉文帝对丧葬的安排，贯彻了他一生奉行节俭利民的原则，这对一个封建帝王来说是十分难得的。

西汉凤灯

第六十七章　持保三宝

【原文】

天下皆谓我"道"大①，似不肖②。夫唯大，故似不肖。若肖，久矣其细也夫！我有三宝，持而保之：一曰慈，二曰俭，三曰不敢为天下先。慈故能勇；俭故能广；不敢为天下先，故能成器长③。今舍慈且④勇；舍俭且广；舍后且先；死矣！⑤夫慈，以战则胜，以守则固。天将救之，以慈卫之。

【注释】

①大：宏大、博大。

②肖：像，相似。

③器长：天下的领袖，万物的主宰。

④且：取。

⑤死：这里指失败。

【译文】

天下人都认为我说的道太空泛广大，不像任何器物。正因为它太广大，所以不像任何器物。如果它像任何器物，它早就显露出渺小来了。我这道有三个特点，常作为法宝来保持：第一是广慈博爱，第二是恬淡节俭，第三是顺应自然、不敢主观任意于天下人之先。慈爱，所以能勇于行道；节俭，所以能扩广博爱；不敢主观任意于天下人之先，所以能成为天下的首长。现在舍弃广慈博爱而为私欲好勇斗狠，舍弃恬淡节俭而尚好奢侈铺张，舍弃顺应自然而任由主观意气争先，乃是自寻死路！慈爱，用于战斗则能胜利，用于守卫则能坚固。天道若救助谁，将会让谁用自身的慈爱来卫护自己。

【评析】

这一章是"道"的自述，讲的是"道"的原则在政治、军事方面的具体运用。老子说，"道"的原则有三条，这就是："慈"，"俭"，"不敢为天下先"，这是"谦让"、"不争"思想的体现。有"道"的人运用这三条原则，能取得非常好的效果，否则，便会自取灭亡。本章实际是对《德经》第三十八章以来的一个小结。

我们可以看到，在老子道论中，诸如柔和处世、不言、不辞、不为主、不有、不宰等准则都可以归入慈的范畴；诸如为腹不为目、不盈、不多藏、不厚爱、贵言、希言、寡欲等都可以归入俭的范畴；诸如后其身、外其身、爱以身为天下等都可以归入"不敢为天下先"的范畴。可见，"三宝"的确是对大道的原则性把握，它使大道并不以其"大"而流于空泛。只要设想一下在未知不确定的风雨旅途相携行进的过程中，是否是奉行此三宝的群体才最具有无比柔韧的生命力，就不难发现"老子"三宝概括的全面性。

【故事】

节俭是中华民族的传统美德，也是老子思想的精髓。老子把俭作为道家的三宝之一，并要永久保持。老子的三宝是不可分割的，一个真正慈爱的人，必定也是一个节俭和谦逊的人。

晏婴，字平仲，后人尊称他为晏子。晏婴出生于齐国贵族，长期居于要职，在当时列国间享有很高的声望。他在个人生活方面一向清廉而俭朴，受到后人的高度赞扬。翻开中国历史，我们可以看到很多将过人的机智与俭朴谦逊的美德集于一身的人物形象，晏婴可以说是其中最有代表性的人物之一。

周灵王十六年，晏婴的父亲、齐国大夫晏弱死去。当时，卿大夫的丧礼是非常隆重的，为矫正时弊，警醒世人，年轻的晏婴顶住流俗的压力，勇敢地对传统丧仪做了改革。按照礼制规定，为晏弱送葬时应有遣车（装载随葬牲体的送葬车）5辆，晏婴却只安排了1辆遣车；按规定灵柩下葬后主持丧礼者还要请参加典礼的宾客们聚会一番，举行繁琐的拜宾、送宾等仪式，晏婴减掉了这套程序，安葬完毕即刻返回家中，让送葬的亲朋好友自行离去。

晏婴

晏婴，字仲，谥平，习惯上多称平仲。春秋后期一位重要的政治家、思想家、外交家。以有政治远见和外交才能，作风朴素闻名诸侯。他爱国忧民，敢于直谏，在诸侯和百姓中享有极高的声誉。他博闻强识，善于辞令，主张以礼治国，曾力谏齐景公轻赋省刑。

晏婴铜像

　　晏婴当然也不是因为对晏弱感情淡漠才简化丧仪。在停殡期间，晏婴身着粗布丧衣，脚穿草鞋，每日以粥代食，夜晚睡在临时搭成的草棚里，下铺粗苫，头枕茅草。这种接近于士阶层守丧规定的仪法连晏氏家臣也觉得过于俭苦，他劝告晏婴说："您现在已继任为大夫，这样守丧不合您的身份。"晏婴回答说："只有那些高居卿位的人才算得上大夫。像我这样刚刚继承父爵的人怎敢僭用大夫之礼？"晏婴以这样"低级"的标准为父守丧，除了向世人说明自己简化丧仪完全是为矫正奢侈之风外，还有意同那些不顾廉耻、服丧期间便无所顾忌地纵情声色的贵族们区别开来。

　　晏婴生活的时代，正是齐国政局最为混乱的时期。齐国公室日趋衰弱，卿大夫的势力却越来越强，特别是在国氏、高氏等原有的大族外，又兴起了一些新的卿族如崔氏、庆氏、陈氏等等。在新老卿族以及卿族与国君之间，围绕着权力和财产的再分配，展开了尖锐激烈的斗争。不少卿大夫一夜之间成为炙手可热的独裁者，但立足未稳便被更强的对手所推翻。权贵们依恃富有不修德政而导致迅速灭亡的事实，使晏婴更加清醒地认识到聚敛无度的危害，因此，他在担任大夫后有意识地立身于争权夺利的漩涡之外，始终不渝地奉行着俭朴廉洁的生活原则。

　　周景王元年，吴国大臣季札访问齐国，与晏婴一见如故，甚表倾慕。季札预感齐国的平静形势下仍潜伏着大族火并、社会动荡的危机，他建议晏婴交出自己的封邑和有关政务，以免卷入战乱之中。这个建议正合晏婴的夙愿，随后，晏婴就向齐景公提出"纳邑与政"的请求，将所辖封邑以及管理封邑的职权全部交还给国家。从此，晏婴的生活更为节俭。在晏氏家中，"食不重肉，妾不衣帛"。晏婴本人常常穿戴着洗旧的衣冠朝见国君，一件狐皮外衣穿了三十多年也不舍得扔掉。在其他贵族官员们费尽心机追逐利禄的时候，晏婴却一直安于这种清贫淡泊的生活。

　　有一次，齐景公对晏婴说："你现在的住宅邻近闹市，周围吵嚷嘈杂，尘土飞扬，而且地势低洼，又潮湿，又狭窄，怎能住人？我给你换栋宽敞明亮的房子如何？"

晏婴辞谢说：“现在这所房屋已经住过晏家好几代人，我的功业比不上祖先，却能承受祖先的恩惠，住上这样的房屋，已经够奢侈了。况且邻近闹市，购物便利，也是一条好处，哪敢麻烦您为我换房？”

时隔不久，晏婴前往晋国商讨两国通婚事宜，齐景公知其不在，强令晏家周围的居民搬到别处，拆毁他们的住宅，为晏婴建造了一座堂皇华丽的新居。晏婴返回齐国，对眼前的事实感到十分痛心。他在拜谢了齐景公的好意之

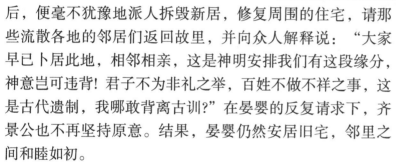

齐景公殉马坑

后，便毫不犹豫地派人拆毁新居，修复周围的住宅，请那些流散各地的邻居们返回故里，并向众人解释说：“大家早已卜居此地，相邻相亲，这是神明安排我们有这段缘分，神意岂可违背！君子不为非礼之举，百姓不做不祥之事，这是古代遗制，我哪敢背离古训？”在晏婴的反复请求下，齐景公也不再坚持原意。结果，晏婴仍然安居旧宅，邻里之间和睦如初。

晏婴痛斥奢侈浪费，不但本人厉行节俭，而且还不遗余力地倡导和推行节俭，这些都已远远地超越了他所受到的历史局限而具有永久的思想价值。

第六十八章　不争之德

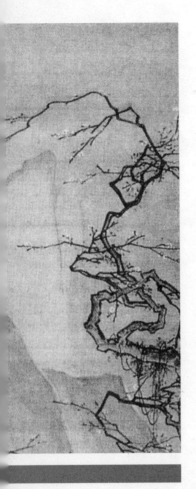

【原文】

善为士者，不武①；善战者，不怒；善胜敌者，不与②；善用人者，为之下。是谓不争之德，是谓用人之力，是谓配天古之极。③

【注释】

①士：武士，这里指武帅。武：勇猛、勇敢。

②与：敌对，面对面的交锋厮杀。

③配天：配合天的规律，顺应自然之道。

【译文】

善为将帅的人，不逞武勇；善于争战的人，不被激怒拼命；善于取胜者，不与敌人交锋厮杀；善于用人者，态度谦下。这叫做不争的德行，这叫做任用人才的能力，这叫做顺应自然之道。这一切就是自古以来最高的准则。

【评析】

本章是老子无为退守思想在军事上的应用。本章思想与前章述及的"慈"是一致的。事实上，老子是在阐述军事上讲究战略战术的同时，宣扬了人道主义思想，因此，老子把它奉为古往今来的准则是不过分的。本章内容既是讲用兵打仗，又是讲辩证法的道理。"善战者，不怒"，"武"、"怒"是军事指挥者暴烈、失去理智的表现。一旦"怒"上心头，就会失去冷静，也就不能客观地分析、研究敌我双方的优与劣，而以主观臆断和愤怒的情绪代替客观实际，这种状况将给国家和军队，带来极大危害和灾难。《孙子兵法·火攻》写道："主不可以怒而兴师，将不可以愠而致战。"这是说，国君不能因一时之愤怒而发动战争；将帅不能因一时之气愤而出阵开仗。这一军事思想与老子在本章里所讲的内容是基本一致的。

【故事】

"善用人者，为之下"，指善于用人要对人表示谦下。"礼贤下士"是中国民族的传统美德，也是领导者成功与否的关键。刘备"三顾茅庐"请诸葛亮成就其伟业，刘邦善于用人赢得楚汉之争，燕昭王筑"黄金台"招贤天下贤才，这都是礼贤下士的表现。可谓千军易得，一将难求，求得人才才是取得胜利的关键，而礼贤下士更是能广招人才的根本。

邹衍，战国时期齐国人，是当时著名的阴阳五行家。他研究天人之理，颇为善辩，号称"谈天衍"。

邹衍先后游历韩、魏、齐、赵等国，都受到了极高的礼遇。燕昭王听说邹衍要从齐国来，便早早地等在城外，看到邹衍来了，亲自用衣袖裹着扫把，一边退着走，一边为邹衍在前面清扫道路。这还不算，待邹衍入座时，燕昭王还把他请到老师的座位上，而自己却坐在弟子席上，毕恭毕敬地请邹衍以师长的身份给自己授业。

昭王厚礼待士、卑身求教的精神，使邹衍深为感动，这样他就在燕国长期住了下来。这件事在有学识的人中引起了强烈的反响，使到燕国来的贤人更为踊跃，从而出现了"士争凑燕"的局面。

乐毅是魏国名将乐羊之后，他才学出众，深通兵法，是能文善武的难得人才。他听说燕昭王能"屈身下士"，便前去拜见，受到了隆重接待，被任命为亚卿，后任讨伐齐国的上将军，备受昭王器重。

燕昭王执政期间，为了尽快医治一度亡国所造成的创伤，他以乐毅为亚卿，针对时弊，力主改革，使燕国很快成为战国七雄之一。在政治方面，制定法律，严明法纪，确定察能授官的用人政策，以正吏风；在安民方面，循法顺令，奖励守法庶民，以稳定社会秩序；在吏政方面，提倡"吊死问孤，与百姓同甘苦"，以笼络民心，争取全国各阶层的拥护；在军事上，进行战法和纪律训练，以尽快提高燕军的军纪和战斗力。为了富国强兵，燕昭王兢兢业业奋斗了28载，终于使燕国强大起来。

邹衍

邹衍，齐国人，战国末期哲学家，诸子百家中阴阳家的代表人物。由于他善于雄辩，出口"闳大不经"，当时人们称他"谈天衍"。邹衍虽然在"百家"中自成一家，但他的"五行始终"之说却源于儒家孔丘、孟轲的"五行说"，后被儒家改头换面为其托古改制服务。

正当燕昭王广聚人才发愤图强之时，齐国却因齐湣王的昏庸而走向衰败，为燕国伐齐雪耻创造了良好的时机。在正式采取行动之前，燕昭王再次请教乐毅，谋求伐齐的策略。乐毅建议说："齐国虽已衰败，但地大人多，实力仍然很雄厚，不宜单独攻打。大王要想攻打齐国，必须联合与齐国为仇的其他国家，共同举兵，才有取胜的把握。"昭王采纳了乐毅的建议，于周赧王三十一年，组成了由燕、赵、韩、魏、楚五国参加的反齐联盟，并由乐毅率领五国联军，大举攻齐，在济水西岸大破齐军。

这时，其他四国将领因打了几个胜仗，也占领了齐国的几个城池，就心满意足地驻扎了下来。只有乐毅率领的燕国军队乘胜追击，直捣齐国都城，杀死齐湣王才作休整。乐毅出兵半年，已攻占齐国70多个城池，只剩下莒城和即墨两处还没投降。为了收服齐国民心，他采取了许多济民安良的政策，很得人心。乐毅的胜利引起了燕国朝廷"小人"的嫉妒，燕国大夫唆使燕太子在昭王面前进谗言："齐王已经死了，齐国就剩两座城池，乐毅半年能打下70多座，为什么费了3年功夫还打不下这两座？据说他怕齐民不服，因此要拿恩德去感化他们，等齐国人真的归降了他，他不就当上齐王了吗？对此，父王不可不防啊！"燕昭王一听，顿时大怒，骂太子轻信谗言，诬陷忠良，狠狠打了太子二十大板，惩罚太子忘恩负义。他说："先父的仇是谁报的？还不是乐毅大将军吗？按照他的功劳，咱们把他当大恩人还嫌不够，你却轻信谗言，说他的坏话。就是他真做了齐王，也是应该的呀！以后你再轻信谗言，妄加怀疑，我决不轻饶！"

在打了太子之后，燕昭王马上派使者去齐国都城拜见乐毅，并传旨立乐毅为齐王。对此，乐毅非常感激，可是，他对天起誓，宁死不受。于是燕昭王改封乐毅为昌国君。

燕昭王筑黄金台广招贤士，礼贤下士，更对人才尊重信任有加，被后人传为佳话。

第六十九章　哀者胜矣

【原文】

用兵有言："吾不敢为主①，而为客②；不敢进寸，而退尺。"是谓行无行③；攘无臂④；扔无敌⑤；执无兵。祸莫大于轻敌，轻敌几丧吾宝。故抗兵相加⑥，哀者胜矣。

【注释】

①主：战争中主动进攻的一方。

②客：战争中应战、防守的一方。

③行无行：第一个行是动词，行进、行军。第二个是名词，行列、行阵。

④攘：撩起，举起。

⑤扔：就、对抗。

⑥相加：即相若，指旗鼓相当。

【译文】

用兵的人曾经这样说："我不敢主动进犯，而采取守势；不敢前进一步，而宁可后退一尺。"这就叫做虽然摆开阵势，却像没有阵势可摆一样；虽然要奋臂搏杀，却像没有臂膀可举一样；虽然面临敌人，却像没有敌人可打一样；虽然有兵器，却像没有兵器可以执握一样。祸患再没有比轻敌更大的了，轻敌几乎丧失了我的"三宝"。所以，两军实力相当的时候，悲痛的一方可以获得胜利。

【评析】

这一章讲的是用兵作战的方针和方法。老子主张，战争要以守为攻，以守取胜。老子的这个主张既是老子以退为进的处世哲学在战争上的运用，也表现了老子的反战思想。他认为，如果是被迫卷入战争，就应该采取完全的守势，这是他把谦退忍让、无为静柔的哲学思想，通过军事再次表述出来，而老子并不是兵家，并不是就军事论军事。

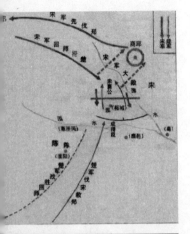

泓水之战示意图

周襄王十四年初冬发生的泓水之战，是宋、楚两国为争夺中原霸权而进行的一次作战，也是中国古代战争史上因思想保守、墨守成规而导致失败的典型战例之一。泓水之战规模虽不很大，但是在中国古代战争发展史上却具有一定的意义。它标志着商周以来以"成列而鼓"为主要特色的"礼义之兵"行将寿终正寝，新型的以"诡诈奇谋"为主导的作战方式正在崛起。

但是这个主张是不全面的，要取得战争的胜利，不能单纯的守，而要该进攻时就进攻。这一章讲到"哀兵必胜，骄兵必败"、"用兵作战，轻敌是最大的祸害"的道理，成为千古兵家的军事名言。本章和前两章是相呼应的，都是在阐明哀、慈、柔的道理，以明不争之德。

【故事】

"用兵有言，吾不敢为主而为客，不敢进寸而退尺。是谓行无行，攘无臂，扔无敌，执无兵。"这是老子谦退忍让思想在军事上的应用。西军对阵，处于敌强我弱的情形下，不妨先退一步、后发制人，由劣势转为优势、由被动转为主动，以取得胜利。历史上几大有名的以弱胜的战役，都是采取这种先让一步、后发制人的策略。晋楚之战就是典例之一。

春秋时期，当第一个称霸的齐桓公死后，齐国宫廷内乱，削弱了作为大国的地位。彼时，南方的楚国却越来越强盛，并成为事实上的霸主。

周襄王十四年，楚军与宋军在泓水展开大战，一举摧毁了宋军主力，取得了全胜。楚军通过泓水之捷壮大了自己的力量，威震天下。随后，中原地区的鲁国、宋国、郑国、陈国、蔡国、许国、曹国、卫国等诸侯国慑于楚国的强大，纷纷与之结盟，受楚国挟制。楚国的国力膨胀，引起北方一位君主担心。此人便是名扬天下的春秋五霸之一的晋文公。

实际上，当时晋文公也有称霸之野心。南方楚国的强大与骄横一直是晋文公的心病。他想剪除目空一切的楚成王，因为成王是自己成就霸业的绊脚石。

在晋文公看来，与楚国一战是不可避免的，只是时间早晚的问题。他没有料到，一场变故使这场龙虎争斗提前来到了。

泓水之战，楚国大败宋国，宋国虽然称降，但内心却不服输。看见晋国日益强大，宋国突然改变国策，叛楚而亲晋。这一下可不得了，楚成王气急败坏，于周襄王十九年率大军围攻宋国。

当时，楚成王以令尹子玉为将，亲率楚军与陈、蔡、郑、许等诸侯国军队组成的盟军，进逼宋国国都商丘(今河南商丘南)。

宋国告急，派快骑直奔晋国，向晋文公求救。晋文公早已做好与楚国一战的准备，于是立即召开战前军事会议，并在会议上反复强调："我军不可冒进，不可速决，应相机而行。"

周襄王二十年，晋文公亲率大军，先后攻陷楚国的盟国卫国、曹国。

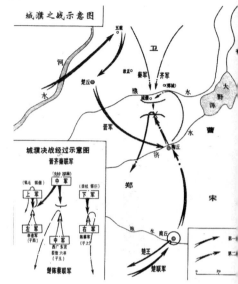

城濮之战示意图

楚成王见晋军先后打败自己的盟国卫、曹，并唆使两国叛楚亲晋，顿时大怒，便立即调动联军向攻占曹国的晋军发起进攻。

为了避开楚军的锋芒，晋文公下令"退避三舍"。一舍为30里，退避三舍即退兵90里，将军队撤至卫国的城濮。

晋军将领不解，对此颇有微词，晋文公对手下诸将说："当年，我流亡在外，曾避难于楚国，成王待我不薄。离开楚国时，我与成王有约，日后如果两国开战，晋军一定退避三舍。现在我怎么能忘恩负义、背信弃义呢?况且战争最后的结果，不取决于一时的进退。你们必须服从指挥，否则立即斩首。"

将士们见晋文公胸有成竹，说这番话时语调铿锵有力，有理有据，无不打消疑虑，增加了必胜的信心。

在城濮，晋文公开始布置战阵、点将领兵，令狐偃为上军主将，负责右翼攻击；栾枝为下军主将，负责左翼攻击；先轸为中军主将，负责晋军主力作战，并协调左右两翼。兵分三路，攻击楚军。楚成王见晋军退避至城濮，便传令盟国军队："让我等在城濮截住晋军的退路，杀他个片甲不留，然后设宴请大家畅饮。"

楚成王随即率楚军追踪晋军而至城濮，并在城濮布阵如下：以陈国、蔡国军队为右军，由子上指挥；以申国、息国军队为左军，由子西指挥；以楚国军队为中军，作为主力，由子玉指挥。

两军对垒，展开了一场激烈的厮杀。

晋文公认为由陈、蔡军队组成的右翼是楚军的薄弱环节，便令晋军首先选择楚军右翼作为进攻目标，晋文公一声令下，大将栾枝率晋军左翼下军扑向敌军，把子上统率的陈、蔡联军打得大败。

同时，狐偃指挥晋军右翼上军佯装退却，诱惑楚军左翼追击，使其侧翼暴露给晋军主力。这时，先轸统领的晋军中军主力乘势侧击楚军左翼，双方互有死伤，杀得难解难分。

紧接着，狐偃回师夹击楚军左翼。只见狐偃老当益壮，越战越勇，在千军万马中纵马驰骋，左冲右突，身上胄甲满是鲜血。敌人一见"狐"字大旗，无不抱头鼠窜。结果，申、息联军被打得落花流水。

楚军统帅子玉仍然负隅顽抗。楚成王为了保存楚军主力不被全歼，下令子玉率军撤退。子玉无奈，只得率领大军后退。

晋军乘胜追击，又消灭许多敌人。

史书记载，当时与晋军一同作战的还有宋国、齐国、秦国的军队。

城濮之战后，楚军北进受阻，中原诸侯国纷纷叛楚归晋。

晋文公在践土大会诸侯，继齐桓公之后成为一代新的霸主。

春秋人足敦

第七十章　被褐怀玉

【原文】

吾言甚易知，甚易行①。天下莫能知，莫能行。言有宗，事有君②，夫唯无知，是以不我知。知我者希，则③我者贵。是以圣人被褐而怀玉④。

【注释】

①知：理解。行：实行。

②宗、君：皆有根本的意思。

③则：效法。贵：有少的意思。

④被：读（pī），穿着。褐：粗布，此处指粗布的衣服。怀玉：指胸怀大道。

【译文】

我的理论很容易理解，很容易实行，而天下人却没有人理解，没有人实行。我的理论有它的宗旨，行为有它的原则。人们没有掌握这个根本，所以不能理解我。理解我的人非常的少，效法我的人尤为难得，所以圣人总是身穿着粗布的衣服却胸怀豁达，志向高远。

【评析】

本章流露出老子对当时的统治者失望的情绪。老子试图对人们的思想和行为进行探索，对于万事万物作出根本的认识和注解，他以浅显的文字讲述了深奥的道理，正如身着粗衣而怀揣美玉一般。但不能被人们理解，更不被人们实行，因而他感叹道"知我者希"。看来，他的那一套治天下的理想，只有他幻想中的"圣人"才能实现，在现实中是无法实现的。他不了解，任何治国方案，都必须适应统治阶层的利益，否则，他们是不会采纳，不会去实行的。于是，老子就有了这一篇感慨之论。本章是专对掌权者而言的，不是对一般人说的。文中的"我"、"吾"等词，可

汉昭帝

刘弗陵，西汉皇
帝。汉武帝少子，母
亲赵婕妤，又称钩弋
夫人。幼年即位，初
由霍光、桑弘羊等共
辅国政，继续实行武
帝时期政策，曾多次
击败匈奴、乌桓等，
加强了北方戍防。元
平元年病死，年仅21
岁。

谓之"道"的人格化。

【故事】

老子感慨道："知我者希!"老子的理论浅显易懂，但
是天下没人理解采纳。他的这句话反映了自己怀才不遇，
不被统治者赏才的思想苦闷。自古的贤士都"被褐怀玉"，
但却不为世人所知，不为统治者所用。这里老子希望统治
者能够识别真正的人才，重用怀玉之人。统治者能识人用
人，才能保证统治的长治久安。汉昭帝年纪轻轻就能够通
过自己的洞察力了解阴谋后面的事实真相，识别忠诚与奸
诈，避免内乱。

汉武帝死后，昭帝即位。昭帝名刘弗陵，在位13年。
刘弗陵继位时年仅8岁，遵照武帝遗诏，由霍光辅政，故
"政事一决于光"。因霍光大权独揽，与很多大臣结怨。左
将军上官桀、桑弘羊与霍光不和，多次设法陷害霍光。

有一次，霍光外出检阅御林军，后又把一个校尉叫到
大将军府。上官桀趁机让心腹模仿燕王的口气和笔迹，给
皇帝写了一封信，派人乔装打扮送进宫里。

当时汉昭帝年仅14岁，他接到这封自称是燕王写来的
信，打开一看，只见上面写着：据闻大将军霍光外出检阅
御林军，居然坐着和皇帝一样的车子，而后又自作主张，
擅自调用校尉，可见他心有异志。我担心他会对皇上不利，
燕王愿意亲自到京城来，保卫皇帝。

昭帝看罢，沉思良久，把信放在一边。

第二天早朝，霍光听说燕王上书告发他，心里很是害
怕，于是躲在偏殿的画室里等待发落。昭帝临朝时，不见
霍光，便问道："大将军为何没来上朝?"

上官桀赶紧趋前一步回答："启禀大王，我想霍将军
可能是因为被燕王告发，不敢入朝了吧?"

"哦，果真如此?去请霍将军上朝。"

"是"，一名小太监到偏殿去请霍光。

霍光走上大殿，赶紧摘下帽子，伏在地上向昭帝请罪，
却听见昭帝和颜悦色地说："大将军请起来戴上帽子，朕
知道你没有罪，是有人故意要陷害于你。"

霍光问道："陛下明查，可是您怎么知道的呢?"

昭帝说："大将军检阅御林军的地点离京城不远，调用校尉也是最近的事，加起来不到十天的功夫，燕王远在千里之外，怎么可能这么快就得到消息?再说，即使燕王知道了，马上派人来上书，也来不及赶到这里。如果大将军真要谋反，也用不着调一个校尉。我看，写这封信的人才是别有用心。"

霍光和其余大臣听了，都很佩服这位少年皇帝的聪明伶俐。而上官桀则是不敢再乱发一言。

不久，上官桀又伙同御史大夫桑弘羊、鄂邑公主等人，勾结燕王刘旦密谋谋杀霍光，废除刘弗陵，由刘旦继位，霍光侦知这一阴谋后奏告刘弗陵，刘弗陵立即命田千秋发兵以谋反罪诛杀桑弘羊、上官桀等，迫使刘旦自杀，避免了一场政变。而这时的刘弗陵年仅14岁，能够成功地处理此事，颇让人称道。后人评价说："汉昭帝年十四，能察霍光之忠，知燕王上书之诈，诛桑弘羊、上官桀。高祖、文、景俱不如也。"

当时昭帝年仅14岁，尚书及左右大臣都对他这种洞察力很惊奇。汉昭帝以自己的智慧挫败了上官司桀浑水摸鱼的计谋，保全了忠诚的下属，也避免了一场内乱。

霍光

霍光，字子孟，约生于汉武帝元光年间，卒于汉宣帝地节二年。河东平阳人。他跟随汉武帝近30年，是武帝时期的重要谋臣。汉武帝死后，他受命为汉昭帝的辅政大臣，执掌汉室最高权力近20年，为汉室的安定和中兴建立了功勋，成为西汉历史发展中的重要政治人物。

第七十一章　知不知矣

【原文】

知不知①，尚矣；不知知，病也②。圣人不病，以其病病③。夫唯病病，是以不病。

【注释】

①知不知：知道自己有所不知。

②病：指毛病、缺点。

③病病：前一个"病"是动词，以……为缺点。后一个"病"为名词。

【译文】

知道自己有所不知，最好；不知道却自以为知道，这就是缺点。有道的人没有缺点，因为他把缺点当作缺点。正因为他把缺点当作缺点，所以他没有缺点。

【评析】

这一章，讲的是人应该有自知之明，不要不懂装懂，装腔作势。只有敢于正视自己的缺点，并加以改正，才能不断克服自己的缺点，使自己日益完善。老子认为，"知不知"，才是最高明的。在古今社会生活中，刚愎自用、自以为是的人并不少见。这些人缺乏自知之明，刚刚学到一点儿知识，就以为了不起，从而目中无人，目空一切，甚至把自己的老师也不放在眼中。这些人肆意贬低别人，抬高自己，以为天下第一，这说到底，如果不是道德品质问题，那就是没有自知之明。这种思想与孔子的"知之为知之，不知为不知，是知也"，苏格拉底所说的"知道自己不知道"的观点具有异曲同工之处。这对于人们进行自我修养，是颇具有教益的。

【故事】

自以为是，盲目自信，不知道却自以为知道，必然就会带来祸患，圣人有自知之明，不会不懂装懂。老子认为"知不知，尚矣"，能够做到这点是最好的。战国赵括自幼熟读兵书，精通兵法，探讨兵法问题连他父亲赵奢都不及他。所以他自以为可以攻无不克，骄傲自满，但是他却没有实际经验。自以为是请愿攻秦，最后阵破身亡。

赵括，战国时期赵国人，大将军赵奢的儿子，赵奢机智善战，曾为赵国立下汗马功劳。赵括受父亲影响，年少的时候就开始学习兵法，立志要成为父亲一样的大将军。他熟读兵书，每当谈论如何领兵打仗时，他总是口若悬河，认为没人能比得上他，一副天下为我独尊的模样。他还和父亲赵奢探讨兵法上的问题，赵奢也难不倒他，赵括更加骄傲了，简直目空一切，把打仗看成是一件再简单不过的事情了。人们听说赵括这样精通兵法，都纷纷来讨教，有的也向他挑战，但是都被赵括打败了。于是赵括名声大振。

但是赵奢并不认为儿子能领兵打仗，对于儿子这副样子更是看不惯。赵奢的妻子疑惑，儿子那么有出息，怎么他父亲就是不欣赏他呢，于是问赵奢："夫君，我们的儿子饱读兵书，那么多有名的人来向他讨教，都说不过他，你怎么还是不满意，总是看他不顺眼呢。"赵奢说："领兵打仗，是事关生死的大事，而赵括却把它看得轻松平常。要是赵王不任用他做将军还好，如果一旦让他做了将军，那么在战场上他一定会吃大亏的。"赵奢的妻子觉得夫君说得对，就说："日后，如果赵王真的让他做大将军，我一定恳请大王不要这么做。"

待到赵括成年，他的名声更大了，赵王于是请赵括任赵国大将军。赵括的母亲听到这个消息，马上觐见大王说："您一定不要拜赵括为大将军啊。"赵王不解，问："为什么啊，赵括是赵奢大将军和你的儿子，虎父无犬子，他的父亲那么善于打仗，他一定不会差。而且，他少年时就显露出超人的军事才华，又跟随他父亲征战多年，怎么会不成呢？"

赵括的母亲回答说："早年我跟随他父亲的时候，他身为大将军，身边靠他奉养的人有几十个，和他要好的人

赵奢

赵奢，生卒年不详，号马服君，汉族"马"姓起源。赵国人，与赵王室同宗，当届贵族。战国后期赵国名将。战国八将领之一，主要生活在赵武灵王到赵孝成王时期，享年六十多岁。

有几百人，大王您赏赐给他的东西他都分给手下的军官和士兵。每当不打仗他空闲的时候，他便邀请朋友在家谈天、讨论政事。而他一旦接受了军职，就无暇顾家里的事，都是我一人承担。现在赵括刚刚被任命为大将军，他便摆出一副狂傲的样子，高高坐在帅坐上接见自己的部署，他的军官和士卒们没有敢抬头看他的。而大王赏赐给他的金银珠宝，都被他藏在家中，不但如此，他一旦看上合适的田地、住宅就会毫不犹豫地买下来，他对待自己的手下要求严格，稍有小错，就要军法处置。大王您看，他哪点像他父亲啊。您还是不要让他统兵打仗了。"赵王不听，说："这你就不要担心了，我自有主张。"赵括的母亲看无力说服大王，只好无奈地说："既然如此，那么将来如果赵括因战败获罪，我是否可以免除被株连的罪责呢?"赵王同意。

不久，赵括领军与秦国将军白起在长平开战，赵括自以为是，死板地照搬兵书，一反老将军廉颇的部署，结果40万大军被秦军活埋，自己也身首异处。

赵奢之墓

第七十二章　自知自爱

【原文】

民不畏威①，则大威至。无狎②其所居，无厌③其所生。夫唯不厌④，是以不厌。是以圣人自知不自见⑤，自爱不自贵⑥。故去彼取此。

【注释】

①威：指统治者的镇压和威慑。

②无狎：狎通狭，意为压迫、逼迫。无狎，即不要逼迫的意思。

③厌：同"压"，压迫、压制。

④厌：讨厌、厌恶。

⑤见：同"现"表现。

⑥自贵：自我炫耀高贵，有追逐名利的欲望。

【译文】

当人民不再畏惧统治的威压的时候，那么，反而统治者的更大威胁就临头了。不要逼迫人民不得安居，不要阻塞人民的谋生之路。只有不去阻塞人民，才不会有出之于人民的反阻塞。因此，圣人但求自知，不去自我炫耀；但求自爱，不去自显高贵。所以要舍弃"自贵"而选取"自爱"。

【评析】

本章对统治者提出警告，劝导他们为王朝的恒常稳定计划，要切实地调整自身的行为以减轻人民的负担，要以慈临民。出于对激烈的社会变革所造成的大动荡大破坏的避免，以及对"能敝而新成"的渐进变革的向往，老子把他的政治理想寄托在对统治者的可能的成功劝诱之上。

老子看到了统治者的所作所为对社会稳定与否所起的决定性作用，为统治者提出了一道值得深思的重大课题，这是老子的贡献之一。

【故事】

老子警告统治者不要把自己看得太珍贵，也不要在百姓面前过于炫耀自己。这其中也体现了老子为人处世的原则与态度，不要抬高自己，贬低别人。自视清高，放不下自己的身份，终究会被其所害。

让一位身居高位的领导者忘记自己的身份，忘记自己过去所取得的成绩，并不是一件容易的事。而以地位、功绩自居，往往会成为领导者做出正确判断的桎梏。下面讲一个事例。

陆逊

陆逊，字伯言，本名陆议，吴郡吴县华亭人，孙策之婿，三国时期吴国大臣，著名的军事家和政治家。

刘备本是一位谦虚、慎行的人，"桃园结义"使他与关羽、张飞亲如兄弟，关羽、张飞之死使他十分悲痛。为给关羽、张飞报仇，刘备兴两川之兵浩荡东来，江南人民皆胆裂，日夜哭号。投东吴的关羽旧部糜芳、傅士仁，将刘备所恨者马忠杀了，献首级降刘备，刘备连糜、傅也剐了，一同祭关公。东吴诸将献计孙权，将杀张飞投东吴的范疆、张达也送还刘备，以图息战宁人，谁料刘备剐了范、张，仍怒气不消，定要灭吴。孙权在这种情况下，从阚泽言，起用陆逊为主将，统率步水马三军抗刘。消息传来，刘备问陆逊何许人也。马良说是东吴一书生，年幼多才，多有谋略，袭荆州便是他用的计，刘备大怒，非要擒杀陆逊为关羽、张飞报仇。马良谏道，陆逊有周瑜之才，不能轻敌。刘备却说："朕用兵老矣，岂仅不如一黄口孺子耶！"

"朕用兵老矣。"战争是残酷的客观现象，不分老嫩定优劣。用兵之道，看谁能把握战机，深谙谋略，不论谁的年龄大就算谁的计谋多。刘备在此以资夸口，以为自己经历的战争多，计谋就老到，这很可笑，不符合实际。

"岂反不如一黄口孺子！"陆逊被他嘲为"黄口孺子"，可见刘备确看不起年纪轻轻总制军马的东吴新任大部督陆逊。刘备是气糊涂了，不晓得当年自己桃园结义，投军拉队伍时，与关、张也曾是年轻人。

其实，战争中涌现的著名将领，都先是年轻时崛起的。刘备轻敌，瞧不起对方主将年轻，是未战先败了一阵。

　　两句话联起来，还归结在他的身份上——架子放不下。
　　这教训告诉我们，在考虑关键问题时，切忌把自己的身份摆进去。时时想到自己的职务，看问题就少了客观性，多了盲目性，这样考虑问题就不周全，处理问题就会产生误差，脱离实际，以至造成抱恨终身的损失。

第七十三章　天网恢恢

【原文】

勇于敢则杀①，勇于不敢则活②。此两者，或利或害。天之所恶，孰知其故？是以圣人犹难之③。天之道，不争而善胜，不应而善应，不召而自来，繟然④而善谋。天网恢恢⑤，疏而不失。

【注释】

①敢：坚强，刚强。杀：死的意思。

②不敢：柔弱。活：生存，与"死"相对。

③是以圣人犹难之：此句疑为第六十三章重出于此。

④繟然：坦然，舒缓，宽舒。

⑤恢恢：广大、宽广无边。

【译文】

勇于坚强不顾一切，就会死亡；勇于柔弱无为，就可以生存。这两种勇的结果，有的得利，有的受害。天道所厌恶的，谁知道这其中的缘故呢？因此圣人也难以解说明白。自然的规律是，不斗争而善于取胜；不讲话而善于应承；不召唤而自动到来，坦然而善于安排筹划。自然的范围，宽广无边，虽然宽疏但并不漏失。

【评析】

本章主要讲人生哲学。第一层意思是柔弱胜坚强，第二层意思是天道自然。这两层意思之间是相互沟通的。老子认为，自然的规律是柔弱不争的。他说，勇气建立在妄为蛮干的基础上，就会遭到杀身之祸；勇气建立在谨慎的基础上，就可以活命。勇与柔相结合，人们就会得到益处，勇与妄为相结合，人们就会遭受灾祸。同样是勇，利与害大相径庭。

"天网恢恢，疏而不失。"其含义在今天得到了丰富和发展，已经成为著名的法律术语。但是，老子认为人的命运好坏优劣，自有上天的安排，非人力所能改变的，让人们听天由命，含有宿命论的消极思想。

【故事】

老子说：勇于敢则杀，勇于不敢则活。

老子认为，真正的勇敢是与柔相结合的，建立在谨慎的基础上的，体现为勇武的精神，气概的内在素质，而不是勇于主观蛮干，逞一时意气，全凭匹夫之勇。不顾客观实际的妄为蛮干，只是自寻死路。

中国前秦皇帝符坚可谓是英明一世，却因在讨伐东晋这一件事上的主观蛮干而国破身亡，真是令人痛惋。十六国时期，是我国历史上分裂割据的时代。北方各少数民族趁西晋末年的"八王之乱"，纷纷起兵反晋，先后建立了16个割据政权，进行了长达130多年的混战，出现了70多位君主。但是，最后整个北方都被前秦皇帝符坚所统一。符坚的志向不仅限于统一北方，而是统一天下，经过20多年的精心治理，前秦已是国富兵强，只剩下地处东南一角的东晋尚未征服，符坚耿耿于怀。

符坚手下曾有一个管仲一样的辅政重臣名叫王猛，可惜后来死掉了。符坚在王猛生前对王猛是言听计从的，但是他却没有听王猛临死留下的忠告。

王猛认为前秦的敌人是鲜卑人和羌人，但是符坚却十分信任从前前来投奔他的鲜卑贵族慕容垂和羌族贵族姚苌。王猛劝他不要进攻东晋，但符坚却把东晋当作唯一的敌人，非把它消灭不可。

王猛死后的第三年，符坚就派他的几子符丕和慕容垂、姚苌等带了十几万大军，分兵几路进攻东晋的襄阳。守襄阳的晋将朱序坚决抵抗。秦兵花了将近1年时间，把襄阳攻了下来。

符丕把朱序俘虏了，送到长安。符坚认为朱序能够为晋国坚守襄阳，是个有气节的忠臣，把他收在秦国做个官员。

符坚接着又派兵十几万从襄阳向东进攻淮南。东晋守

王猛

王猛，字景略，十六国前秦大臣。符坚的重要谋士。王猛博学好读兵书，厌恶浮华风尚，善于谋略和用兵。任职18年，综合儒法，选拔廉明，讲求实效，政绩斐然。

谢安

谢安，字安石，陈郡阳夏人。谢安出生名门，喜爱读书，不愿做官。多次被朝廷征召，均被谢安拒绝。公元 360 年，谢安终于担任司马一职，并在公元 373 年以自己的沉着冷静阻止了桓温篡权的阴谋。公元 383 年，苻坚率领百万大军，意图吞灭东晋，谢安以征讨大都督的身分负责军事，最终击败苻坚，并由此诞生了"小儿辈遂已破贼"与"不觉屐齿之折"的故事。

将谢石、谢玄率领水陆两路进攻，把秦兵打得一败涂地。

但是，苻坚不肯就此罢休。到了公元382年，他认为准备成熟，就下决心大举进攻东晋。

这一年十月，苻坚在皇宫里的太极殿召集大臣商量。苻坚说："我继承王位到现在已快30年。各地的势力差不多都平定了，只有盘踞在东南的晋国，还不肯降服。我打算亲自带领去讨伐晋国，你们认为怎么样？"

大臣们纷纷表示反对。大臣权翼说："晋国虽然弱小，但是他们还有像谢安、桓冲那样的文武大臣，团结一致。咱们要大举攻晋，恐怕不是时候。"

苻坚听了权翼的话，拉长了脸很不高兴。另一个武将石越说："晋国有长江作为火然屏障，再加上百姓都想抵抗，只怕我们不能够取胜。"

苻坚更加生气，他大声说："哼，长江天险有什么了不起，我们的军队那么多，人家把手里的马鞭子投到长江里，也可以把长江的水堵塞。他们还能拿什么来做屏障。"

大伙儿议论了半天，没有一个结果。苻坚不耐烦地说："还是让我自己来决断。"大臣们看见苻坚发火，只好一个个退出宫殿。最后，只有他弟弟苻融还留在殿上。

苻坚把苻融拉在他的身边，说："自古以来，决定国家大计的，总是靠一两个人。今天，大家议论纷纷，没有议出个结果来。这件事还是咱们两人来决定吧。"

苻融心情沉重地回答说："我看攻打晋国确有许多困难。今天这些反对出兵的，都是陛下的忠臣。希望陛下采纳他们的意见。"

苻坚没料到苻融也会反对他，马上沉下脸来，说："连你也会说出这种丧气的话来，真叫人失望。我有精兵百万，兵器、粮草堆积如山，要打下晋国这样残余敌人，哪有不胜的道理。"

苻融看见苻坚这样一意孤行，急得差不多要哭起来。他苦苦劝告苻坚说："现在要打晋国，不但没有必胜的希望，而且京城里还有许许多多鲜卑人、羌人、羯人。陛下离开长安远征，要是他们起来叛乱，后悔也来不及了。陛下难道忘记王猛临终前讲的一番话吗!"

打那以后,还有不少大臣劝苻坚不要攻晋。苻坚一概不理睬。有一次,京兆尹慕容垂进宫求见。苻坚要慕容垂谈谈他的看法。慕容垂说:"强国吃掉弱国,大国并吞小国,这是自然的道理。像陛下这样英明的君王,手下有雄师百万,满朝是良将谋士,要灭掉小小晋国,不在话下。陛下只要自己拿定主意就是,何必去征求许多人的意见呢。"

苻坚听了慕容垂的话,高兴得眉开眼笑,说:"看来,能和我一起平定天下的,只有你啦!"说着,马上吩咐左右拿500匹绸缎赏给慕容垂。

苻坚之墓

苻坚,字永固,氐族人,苻雄之子,苻洪之孙,是十六国时期前秦的皇帝。自称大秦天王,他早期是一位很有作为的皇帝,曾统一中国北方,国力一度超过东晋数倍,很有机会统一全国,但因其个性原因,最后还是在淝水之战中惨败。

苻坚拒绝了大臣和亲人的劝说,决心孤注一掷,进攻东晋。他派苻融、慕容垂充当先锋,又把姚苌封为龙骧将军,指挥益州、梁州的人马,准备出兵攻晋。

苻坚就在君臣认识不一的情况下,于建元十九年五月下达了进攻东晋的命令随后调集90多万兵力,陆续向东晋进发,大军旗鼓相望,绵延千里。交战前,苻坚急于求胜,在未经核实敌情,不明东晋意图的情况下,不听部将的劝阻,盲目同意退军决战。结果中了东晋的圈套,一退而不可收拾,导致淝水惨败。不仅前锋统帅苻融被杀,苻坚自己也被流矢射中,落荒而逃。

主观蛮干的苻坚自己以悲剧告终,使整个中国北方也陷入悲剧之中。

第七十四章　民不畏死

【原文】

民不畏死，奈何以死惧之。若使民常畏死，而为奇^①者，吾得执^②而杀之，孰敢？常有司杀者^③杀。夫代司杀者杀，是谓代大匠斫^④，希有不伤其手者矣。

【注释】

①为奇：奇，奇诡、诡异。为奇指为邪作恶的人。

②执：拘押，捉拿。

③司：主管，掌握，专管。

④斫：砍、削。

【译文】

人民都已经不怕死了，为什么还要拿死来恐吓他们呢？像那些想要让人民普遍都怕死，那么对那些作恶犯法的人，把他们抓起来杀掉，谁还敢干坏事呢？通常有掌管杀人的人来执行杀戮，那些代替上天去杀人的，等于是代替高明的匠人去砍削木材。代替高明的匠人去砍削木材的人，就很少有不砍伤自己的手的了。

【评析】

本章的主旨是在于批评和谴责统治者对百姓滥用杀戮政策。前一部分，指出杀戮是无效的，因而是不该实行的。后一部分说奉行杀戮政策是违背天道的，同时警告说，违天道伤人者必自伤。

本章从"杀人无益"和"杀人有祸"两面立论，表现了老子无为而治的一贯政治主张，和反对统治者滥用刑律、杀戮无辜的思想倾向。毫无疑问，要求完全废除人为的法令，完全依靠自然天道来惩罚杀戮，这毕竟是不现实的，即行不通，又不符合社会发展的特点。因此，老子的主张就显得不和时务，近于迂腐。但也应该看出，不滥用刑律、废除死刑也是文明社会的体现，这当看作是老子的超前意识和良好愿望。

【故事】

老子批判统治者施行苛政，滥用酷刑，杀戮百姓的政策。惩罚和杀戮是违背自然之道的，一旦人民忍受不了君主的残暴无道，就不会畏惧死亡，走向反抗的道路。对于陈胜和吴广来说，既然是死，为什么不反抗，反抗可能还有生的希望。于是面对秦二世的残暴统治，他们奋起反抗。

陈胜是阳城人，字涉。吴广是阳夏人，字叔。陈胜年轻的时候，曾经被别人雇佣给人家耕田。有一次耕田休息，来到田埂上，陈胜忿忿不平了很久，说："如果有朝一日富贵了，不要相互忘记了啊！"一起受雇的伙伴笑着回答说："你是受雇耕田的，有什么富贵？"陈胜长叹一声道："唉！燕雀哪里知道鸿鹄的志向啊！"

陈胜吴广起义

秦二世元年七月，征发闾里的贫民去戍守渔阳，有九百多人，驻在大泽乡。陈胜、吴广都编在队伍中，作屯长。正赶上天下大雨，道路不通，估计已经耽误了应该到达的期限。误了期限，根据法律要斩首。陈胜、吴广就合计说："现在误期也是死，干一番大事业也是死，同样是死，为国家大事而死好吗？"陈胜说："天下人受秦朝之苦已经很久了。我听说二世皇帝是小儿子，不应当继位，该继位的是公子扶苏。扶苏因为多次劝谏的缘故，始皇派他在外统领军队。现在有人听说他没有罪过，二世杀死了他。百姓大多听说他贤能，不知道他已经死去。项燕作楚国将军，屡有战功，爱护士卒，楚国人爱戴他。有人以为他死了，有人认为他逃亡了。如今我们诈称公子扶苏、项燕，为天下的带头人，应该有很多响应的人。"吴广深以为然，于是他们就进行占卜。

占卜的人知道他们的意图，说："先生的事情都可行，有大的业绩。然而先生向鬼卜问了吗？"陈胜、吴广很高兴，考虑向鬼卜问的事，说："这是教我首先取威于群众。"于是就用朱砂在帛上书写"陈胜王"，放入人家网到的鱼肚子里。戍卒买回鱼煮着吃，得到鱼肚子中的帛书，

陈胜，字涉，阳城人。陈胜从谋划起义，到称王立国，再到兵败被害，前后不过半年时间，但他点燃的反秦烈火烧红了大半个中国。"陈胜虽死，其所置遣侯王将相竟亡秦，由涉首事也。"3年后，刘邦领导的农民起义军杀入咸阳，推翻了暴秦统治，中国历史上第一次大规模农民战争最终取得了胜利。

已经感到奇怪了。陈胜又私下让吴广到驻地旁丛林中的神庙去，夜间燃起篝火，学着狐狸嗥叫说："大楚兴，陈胜王！"大家听到了，都指指点点地看着陈胜。

吴广素来关心别人，戍卒中很多人都听从他使唤。带队的县尉喝醉了，吴广故意一再扬言想要逃走，使县尉生气，侮辱自己，以便激怒众人。县尉果然鞭笞吴广。县尉拔出剑来，吴广奋起，夺下剑，杀死了县尉。陈胜帮助吴广，全力杀死两名县尉，召集众宣告说："诸位遇上大雨，都已经误了期限，误了期限应当斩首。即便不斩首，而戍边死去的本来就十有六七。况且壮士不死则已，死就死得其所，王侯将相难道是天生的吗！"徒众都说："恭敬地接受命令。"于是诈称公子扶苏、项燕，顺从民众的意愿。大家裸露右臂，号称"大楚"，修筑高坛盟誓，用县尉的首级作祭品。

陈胜自立为将军，吴广作都尉，进攻大泽乡，调集士卒，攻打蕲县。攻下蕲县，就派符离人葛婴率军攻略蕲县以东地区，苦、柘、谯等地，也都攻了下来。行进中招收士卒。等到抵达陈县，已有战车六七百辆，骑兵一千余人，步兵数万人。进攻陈县，陈县县令不在，只有县丞与陈胜军队在谯门中交战，还没取胜，县丞就死了，陈胜的军队便进城占领了陈县。过了几天，下令召集三老、豪杰都来集会商议事情。三老、豪杰都说："将军身披铠甲，手执锐利武器，讨伐无道，消灭暴秦，重建楚国，根据功劳应该称王。"陈胜便自立为王，国号为"张楚"。

陈胜起义虽未能推翻秦王朝的统治，却点燃了农民起义的熊熊烈火，使秦王朝"传至二世"就被并起于山东的豪俊所灭了。

"王侯将相宁有种乎？"这句话鼓舞了多少人为改变自己的命运起来抗争！苛政猛于虎也，如果忍气吞声，甘被人当作牛马使唤，那你这辈子便永无翻身之日。陈胜起义的故事告诉我们，不要为强权所屈服，要敢于做自己的主人。如果有人欺负你，你也要给他狠狠的一击；如果你慑于对方的权威，便只能做他的奴隶。强权并不意味着一切，打倒了强权才意味着一切。

陈胜吴广起义雕塑

第七十五章　民之轻死

【原文】

民之饥，以其上食税之多，是以饥。民之难治，以其上之有为①，是以难治。民之轻死，以其上求生之厚②，是以轻死。夫唯无以生为者，是贤③于贵生④。

【注释】

①有为：繁苛的政治，统治者强作妄为。

②以其上求生之厚：由于统治者奉养过于丰厚奢侈。

③贤：胜过的、超过的意思。

④贵生：厚养生命。

【译文】

人民之所以饥饿，是由于统治者征收的赋税太多，所以人民才会陷于饥饿。人民之所以难于统治，是由于统治者政令繁苛而肆意妄为，所以人民才难以统治。人民之所以不怕死，是因为统治者奉养自己的生活过于丰厚奢侈，所以人民才不怕死。只有不看重自己生命的人，才比过分看重自己生命的人高明。

【评析】

本章揭示了劳动人民与封建统治者之间阶级矛盾的实质：人民的饥荒，是统治者沉重的租税造成的；人民的轻生，是统治者无厌的聚敛造成的。老子警告统治者：只有恬静无为，不自私自利，才不会激起老百姓的怨恨，做到上下相安，国运长久，统治者也能长寿。这种说法，当然同贯穿《老子》书中的"无为"思想相通，它反映了被压迫的人民群众的要求，正是作为人民群众主体的广大农民阶级思想的流露。老子的言论，初步触及到阶级社会的本质问题，值得肯定。

翟让

翟让，隋末农民起义中瓦岗军前期领袖。东郡韦城县人。大业七年，翟让与同郡人徐世勣、单雄信起兵于瓦岗，后被李密用计杀死。

【故事】

自古以来就有"勿与困兽斗"的说法，如果把人民逼迫到无路可走的地步，人民就会不畏惧死亡而进行反抗。老子指出，人们的饥荒是由统治者的税严苛造成的；人民的反抗是由统治者剥削与苛酷引起的。人民为了求生存就会发生暴动，那时统治者不得好果。

隋朝末年，隋炀帝杨广滥用民力，大兴土木，穷兵黩武，用暴力迫使农民与土地分离，严重摧毁了生产力，社会生产被破坏，阶级矛盾迅速激化。大业五年，长白山有"狂寇"数万。六年，北方的雁门和东都洛阳，先后发生暴动。虽不久都被镇压，但却是全国性农民起义的先兆。黄河南北一带，在营建东都、修缮长城、开凿运河的过程中，遭受的祸害最为严重。大业七年，炀帝下令进攻高丽，在全国征兵百余万人向涿郡集中，又强征上百万的民夫转运粮械。车牛往者不返，士卒死亡过半，耕稼失时，田畴多荒，给人民带来巨大灾祸，这一带农民纷纷起义反抗。

同年，邹平民王薄聚集农民据长白山起义，自称"知世郎"，作《毋向辽东浪死歌》反对辽东之役，以发动民众。逃避征役的广大农民纷纷参加到王薄起义军中。随后，平原刘霸道、鄃县张金称、漳南孙安祖和窦建德、渤海高士达、韦城翟让、章丘杜伏威等相继起兵。其余反隋小股武装不可胜数。这一年起义军主要起于今山东、河北、河南间，聚保山林川泽，主力则是逃避征役的贫苦农民。

炀帝无视人民的愤怒与反抗，大业八年悍然发兵攻打高丽，促使起义进一步发展。这一年，见诸史籍记载的新的起义军有21支，其中，山东14支，江淮4支，河南、关中和河西各1支。起义的地区扩大，重点仍在河北、山东。起义的群众基础也扩大了，大多数是贫苦农民，也有牧子（身份不自由的牧民）和下层僧侣。

在起义队伍迅速扩大的同时，隋统治集团内部发生分裂。大业九年，炀帝发动第二次对高丽战争。大贵族杨素之子礼部尚书杨玄感，乘炀帝在辽东之机，联合一批贵族子弟起兵黎阳，进逼东都。炀帝与玄感之间的厮杀，抵消了统治阶级的实力，义军乘机发展。到大业十年第三次对高丽战争时，义军处处皆是，道路隔绝，官军已经无法按期集中。

大业十一年以后，隋统治阶级开始把大部分军队用于镇压农民起义军。炀帝还命令在郡县城郭、驿站、村庄的周围修筑城堡，强迫农民到城堡里居住，以隔断义军与民众的联系。统治者对起义军和一般农民进行了疯狂的大屠杀。隋将樊子盖镇压起义军时，将汾水以北村庄全部烧光，俘虏的起义军全部被屠杀。王世充打败江南刘元进起义军时，把诱降来的3万人也全部屠杀。

统治者的残酷镇压迫使更多的农民起来反抗，到大业十二年，先后在全国各地兴起的起义军大小不下百余支，义众达数百万。起义军攻陷许多郡县，消灭大量隋兵。隋炀帝调杨义臣率辽东还兵镇压河北起义军，自率禁军到江都，镇压南下江淮的起义军。在和隋军主力作战的过程中，起义军败而复聚，由分散走向集中，逐步形成了瓦岗军、河北夏军和江淮吴军三支主力。

王世充

王世充，隋末割据者之一。字行满，本姓支，出自西域。其祖支颓耨，徙居新丰，早亡。其父收，因母改嫁仪同霸城人王粲，故冒姓王。王收曾官至怀、汴二州长史。世充卷发，利口善辩，涉书传，好兵法，且明习法律。后被仇人所杀。

瓦岗军的创始人是翟让。大业十二年，曾参与杨玄感反隋的贵族李密也来参加瓦岗军。他说服附近小股起义军聚集到瓦岗军周围。瓦岗军攻破要塞金堤关，打下荥阳诸县。炀帝以张须陀为荥阳通守，率兵两万前来镇压。李密说服翟让还击。翟让率兵列阵以待，李密统骁勇常何等游骑千人埋伏于荥阳大海寺北，大败隋军，阵斩张须陀。

在河北地区，大业十二年，张金称、高士达先后被隋军镇压，窦建德收合两部余众，军势复振，很快发展到十余万人。隋在河北地方上的武装力量基本上已被消灭，起义军兵锋所至，隋朝官吏"稍以城降之"。次年正月，窦建德在乐寿县郊建立政权，自称长乐王，署置百官，改元丁丑。

在江淮一带，大业十二年七月，炀帝至江都时，李子通据海陵，左才相在淮北，杜伏威屯六合，从三面威胁江都。炀帝遣陈棱率宿卫精兵八千进行讨伐，互有胜负。次年正月，又遣陈棱征讨江淮一带起义军中力量最强大的杜伏威。隋军大败，起义军乘胜攻破高邮，占历阳，杜伏威自称总管，以辅公柘为长史，很快控制了淮南各县，江淮间小股反隋武装多来归附，形成了江淮间巨大的起义力量。

从大业十三年三四月瓦岗军围逼东都开始，以瓦岗军为中坚，以窦建德、杜伏威为两翼的农民起义军，对隋王朝进行了摧毁性的打击。六月，瓦岗军大败隋军，东都危急。

在农民起义军从各条战线向隋王朝发起全面进攻的同时，朔方梁师都、马邑刘武周、金城薛举等地主官僚也纷纷起兵，割据地方。大业十三年五月，隋太原留守李渊也从太原起兵。七月，趁隋军与瓦岗军大战之机，进入关中。十一月，攻克长安。

大业十四年三月，在江都的隋禁军将领利用关中士兵思归的情绪，推宇文化及为主，发动兵变，杀死隋炀帝，领兵西归。五月，李渊在长安即皇帝位，建立唐朝。留守东都的隋越王侗也在洛阳即皇帝位，改元皇泰，史称皇泰主。

隋末，由于隋炀帝的暴政，纷纷暴发农民起义，统治阶级内部也分崩离析，最后王朝被推翻。

唐高祖李渊

第七十六章　柔弱处上

【原文】

人之生也柔弱①，其死也坚强②。草木之生也柔脆，其死也枯槁③。故坚强者死之徒，柔弱者生之徒。是以兵强则灭，木强则折④。强大处下，柔弱处上。

【注释】

①柔弱：柔软。弱：软。

②坚强：意为僵硬。

③枯槁：形容草木干枯，枯萎。

④折：折断。

【译文】

人活着的时候身体是柔软的，死了以后身体就变得僵硬。草木生长时是柔软脆弱的，死了以后就变得干硬枯萎了。所以坚强的东西属于死亡的一类，柔弱的东西属于生长的一类。因此，用兵逞强就会遭到灭亡，树木强大了就会遭到砍伐摧折。凡是强大的，总是处于下位，凡是柔弱的，反而居于上位。

【评析】

老子在本章中用日常生活中最为常见的事物和现象作比喻，进一步形象的说明了贵柔处弱重要性的深刻哲理。老子从人生时柔弱，死时僵硬；植物生时柔脆，死仍枯槁，兵强则灭，木强则折等现象中，抽象出"强大处下，柔弱处上"的规律，充分发挥其"柔弱胜刚强"的奥秘。全章首先摆出事实，其次阐述道理，最后得出结论，逻辑严谨，说理透彻。这一章又一次表达了老子的辩证法思想。这种思想来源于对自然和社会现象的观察和总结。这里，无论柔弱还是坚强，也无论"生之徒"还是"死之徒"，都是事物变化发展的内在因素在发挥作用。

【故事】

本章老子依然阐述其柔弱胜刚强的观点，老子通过人生时弱，死时硬；树木生时柔，死时枯的比喻，说明柔弱具有不可估计的力量，想要强大就必须保持柔下的主张。"兵强则亡，木强则折"，人生之计，当强则强，当柔则柔，刚柔并济才是至理。

秦国想凭借自己强大的军事实力来使魏国在外交上屈服，甚至自己要派人去魏国担任国相。如果秦国一定要这么做，也不是做不到，但其最终的结果却会是事与愿违。如果换一种方法，那就会是完全不同的另一种局面。且看苏代的这一段分析。

秦国要召见魏相信安君，信安君不想到秦国去。

战国金釜

为了信安君，苏代劝说秦王道："我听说，忠诚的人言谈举止不一定都恰当得体，言行恰当得体的人也并不一定就是忠实的人。现在我想陈述自己愚见，恐怕有的话会被大王认为是不忠，以至使自己获腰斩之罪，希望大王慎重考察。

"如今，大王想让人到魏国控制大权以加强与魏国的外交关系，我担心这样做反而会使魏对秦、魏两国的关系更加疑惑，本来打算堵住魏、赵两国的交往，结果反而会加强两国的力量。魏王非常信任亲近信安君，他认为信安君很有才能，特意加以重用，魏国对秦国的畏惧和尊敬也是十分明显的。如今您要是派人去魏国得不到重用，那么大王派人去魏国就是没有意义的。如果大王派去的人被任用了，就表明魏王是舍弃了自己信任的人而任用自己所畏惧厌恶的人，这就会使魏王心中极为不快；让人放弃万乘之国的国相之位而自动引退，这是魏国的信安君所很难做到的。让一国之君处于不安的心态，强迫别国的相国做他不愿意做的事，想用这种办法来搞好两国之间的关系，肯定是难以长久的。所以，我认为魏国对秦、魏两国的关系会更加疑惑。况且如果魏国信安君退出了相位，那么赵国的谋臣一定会说：'既然魏国的信安君被迫放弃相位，那么秦国也会让自己所信任的人在赵国受到重用，这样一来，赵国虽然还是赵国，而我们这些大臣不会被任用了，赵国虽然没有灭亡，我们这些人就危险了。'这样，赵国举国上下必有与秦国拼死交战的决心。所以，我担心这反倒会使赵国更加强硬壮大。

"大王如果打算加强与魏国的关系，还要使赵国小心翼翼地侍奉秦国，那就不如仍然任用信安君为魏相。如果魏国信安君侍奉大王，就可使国家安定，名声显赫；如果他背离大王，就会使国家危险，势力减弱。这样信安君侍奉大王，对上是为其君王尽忠，对下则是为自己打算，所以他一定会十分周到地侍奉大王。赵国的大臣也一定会说：'魏国的名分地位不比我们高，土地收成也不比我们多，但由于信安君侍奉秦国，秦国对他很友好，所以国家得以安定。如今我们与秦国对抗，军队成为秦军攻击的靶子，国家处于被削弱的危险形势之中，这不是好办法。对外结怨于秦，对内则产生祸患，身处死亡之地，这不是上策。'这样他们就会对以前所做的事感到伤心，为他们的行为而感到后悔，为了得到国家的安宁和个人的好处，各诸侯国一定会更多地割让土地来进一步侍奉于大王。这样大王对于赵国割让土地这样的好处，真是唾手可得了。这是连尧、舜都求之不得的事情的呀！我希望大王明察。"

战国龙纹玉环

刚柔之道，在于适时、适事、适人，如果不看具体情况，一味用强，往往是事倍功半。苏代认为用刚硬的办法对待魏国，犹如让魏国蒙受亡国的耻辱，反使魏国独立完好，这样，只能引起魏国举国上下的一致反抗，甚而引起连锁反应，使别的诸侯国也一致抗秦。不如实行怀柔政策，让魏国心甘情愿地侍奉秦国。

第七十七章　功成不处

【原文】

天之道，其犹张弓与？高者抑下，下者举之，有余者损之，不足者补之①。天之道，损有余而补不足。人之道，则不然，损不足以奉有余。孰能有余以奉天下，唯有道者。是以圣人为而不恃，功成而不处②，其不欲见贤。

【注释】

①损：减少，减。

②处：居，停留，意为"占有、享受"。

【译文】

自然的规律不就像张弓开弦一样吗？弦位高了就压低些，弦位低了就抬高些，弦位过满就减损些，弦位不足就补充些。自然的法则，是损减有余来补充不足。人类社会世俗的作法却不然，而是损减贫穷不足来供奉富贵有余。谁能让有余来供奉天下呢？只有有道之人。因此，圣人有所作为却不自恃己能，有所成就也不居功自傲，他不愿显示自己的贤德。

【评析】

本章文字透露出一种平等与均衡思想，这是老子的社会思想。老子把自然界保持生态平衡的现象归之于"损有余而补不足"，因此他要求人类社会也应当改变"损不足以奉有余"的不合理、不平等的现象，效法自然界。这体现了他的社会财富平均化和人类平等的观念。这一章是第七十四章、七十五章里"民不畏死，奈何以死惧之"、"民之饥，以其上食税之多"这一思想的继续和发展，表达了老子对统治者推行苛政的痛恨，对老百姓生活艰难困苦的同情。所以，这是《道德经》所具有的人民性一面，是其精粹。

【故事】

"是以圣人，为而不恃，功成而不处，其不欲见贤。"
这就是老子认为的有道之人应具有的品格，不自恃有功，
不显示自己的贤德，所以圣人才能够做到减少有余的，来
补给天下的不足。丙吉就是一个尽职尽责，不求回报，不
言功劳的有道之人。

丙吉是西汉鲁国人。他自幼学习律令，曾任鲁国狱吏，
因有功绩，被提拔到朝中任廷尉右监，后来调到长安任狱
吏。宣帝即位后任御史大夫、丞相等职。

汉武帝末年，发生了"巫蛊之祸"，祸及卫太子。汉武
帝在盛怒之下命令追查卫太子全家及其党羽。卫太子被迫
自杀，全家被抄斩，长安城有几万人受到株连。当时，后
来成了汉宣帝的刘病已刚生下来几个月，也因卫太子的事
被牵连入狱。丙吉奉诏令检查监狱时，发现了这个小皇曾
孙。丙吉知道卫太子被害并无事实根据，因此，对于皇曾
孙的遭遇很是同情。丙吉就暗中让两个比较宽厚谨慎，又
有奶的女犯人轮流喂养这个婴儿，每天亲自去检查喂养情
况，不准任何人虐待这个孩子。若是没有丙吉的关怀爱护，
可怜的皇曾孙或许早就死在狱中了。

后元二年，汉武帝生病，有一个会看天象的人说：
"我们看到长安监狱的上空有天子贵人之气。"汉武帝便下
令将监狱里的囚犯统统杀掉，并派郭穰连夜来到监狱。丙
吉得知后立即关闭监狱门，不准郭穰进去，还说："监狱
里面是有一个无辜而又可怜的皇曾孙，无缘无故地杀死普
通的人都不应该，何况这个孩子是皇帝的亲曾孙啊！"说完，
丙吉就坐在监狱门口，双方一直僵持到天明。郭穰进不了
监狱，便回去向汉武帝告丙吉的状。汉武帝听了禀报后，
有所醒悟并说："这大概也是天命吧！"于是下令把监狱里
关的死囚一律免去死罪，皇曾孙得以保全下来。

丙吉知道把皇曾孙长期放在长安监狱中总不是办法，
他听说有个叫史良娣的人忠厚可靠，就驾车把皇曾孙送到
她家抚养。到了汉昭帝继位后不久就去世了。由于昭帝无
子，造成了无继承王位之人的局面。大将军霍光与车骑将

丙吉

丙吉，字少卿，
鲁国人。为人深沉忠
厚，不夸耀自己的长
处。地节三年，立皇
太子，丙吉充任太子
太傅。几个月后，升
任御史大夫。五年后，
代替魏相当丞相。丙
吉原本自狱法小吏被
起用，后来学《诗》、
《礼》，能通大义。最
后官居相位，崇尚宽
大，讲求礼让。

军张安世便商议如何立新帝。丙吉此时任大将军府长史、光禄大夫、给事中等职务。他对霍光说："如今国家百姓的性命就掌握在将军手中了。皇曾孙刘病已寄养在民间，现年已十八九岁了。他通晓经学儒术及治国之道，平日行为谨慎，举止谦和，是理想的继承人。"霍光采纳了丙吉的奏议，辅佐皇曾孙登基，这就是汉宣帝。汉宣帝即位后，封丙吉为关内侯。

丙吉为人深沉忠厚，从不炫耀自己的长处和功劳。因此，汉宣帝根本就不知道丙吉对自己有如此大的恩德，朝中也没有人知道他的大恩大德，丙吉依然毫无怨言地为国事尽心尽力。后来霍氏被诛灭，宣帝亲政，并亲自过问尚书省的事情。但是，出乎意外的是，一位名叫则的宫婢说她曾经有保护养育皇帝的功劳。汉宣帝诏令官员查问此事，丙吉只好如实禀奏，这样汉宣帝才恍然大悟，知道丙吉是自己在大难之际的救命恩人。汉宣帝立即召见丙吉，称赞他有如此大的功德，平日却只字不提，真是难得的贤臣。于是下令封丙吉为博阳侯，升任丞相。

临到受封时，丙吉正好病重，不能起床。皇帝就让人把封印纽佩带在丙吉身上，表示封爵。但是，丙吉依然是那样的谦恭礼让，一再辞谢。当他病好后，正式上书辞谢对他的赏赐，谦虚地说："我不能无功受禄，虚名受赏。"汉宣帝感动地说："我对你进行封赏，是因为你对朝廷确实立有大功，而不是虚名。可是你却上书辞谢，我要是同意了你的辞谢，就显得我是一个知恩不报的人了。现在天下太平，没有太多的事，你尽管安心养病，少操劳，只要你把身体保养好了，其他一切事你就放心好了。"就这样丙吉才不得不接受封赏，从此，为朝廷更加尽忠尽职。

汉宣帝刘询

汉宣帝刘询，本名刘病已，字次卿，即位后改名刘询，西汉第十位皇帝。由于宣帝长期在民间生活，深知民间疾苦，所以他在位时期，勤俭治国，进一步确定儒家地位，而且还很放松人民的思想，对大臣要求严格，特别是宣帝亲政以后，汉朝的政治更加清明，社会经济更加繁荣。因此史书对宣帝大为赞赏，曰："孝宣之治，信赏必罚，文治武功，可谓中兴。"他与前任汉昭帝刘弗陵的统治被并称为"昭宣中兴"。

第七十八章　柔之胜刚

【原文】

天下莫柔弱于水，而攻坚强者莫之能胜，以其无以易之①。弱之胜强，柔之胜刚，天下莫不知，莫能行。是以圣人云："受国之垢②，是谓社稷主；受国不祥③，是为天下王。"正言若反。

【注释】

①易：替代、取代。

②垢：垢污，意谓责怨，屈辱。

③不祥：灾难，祸殃。

【译文】

天下没有什么东西比水更柔弱，但攻击坚强之物，没有能胜过水的，因为没有什么东西可以代替它。弱能胜强，柔能胜刚，天下无人不知晓，却没有人能够实行。因此圣人说："能替代国家承受其屈辱，方为社稷之主；能替代国家承受其祸殃，才是天下的君王。"正面的话像是反话似的。

【评析】

本章以水为例，说明弱可以胜强、柔可以胜刚的道理。老子所举水的例子是人们日常生活中常见的。水表面上软弱无力，却有任何力量都不能抵挡的力量。老子阐明卑下屈辱的观念，实际上反而能够保持高高在上的地位，具有坚强的力量。所以，对于老子柔弱似水的主张，应该加以深入理解，不能停留在字面上。由此推而言之，老子认为体道的圣人就像水一样，甘愿处于卑下柔弱的位置，对国家和人民实行"无为而治"。本章后面有一句话："正言若反"，集中概括了老子辩证法思想，其含义十分深刻、丰富。

汉光武帝刘秀

近世著名史学家范文澜评光武帝说:"这个以南阳豪强为主体的刘秀军,在政治上有优势,在军事上有谋略,再加上禁止房掠,争取民心,这就决定了它的必然胜利。刘秀既是地主阶级的代表,自然是农民起义军的死敌;但是他也代表着社会的共同要求,完成了国家统一的伟大事业。他在推倒王莽的战争中,在削平割据的战争中,都起了极大的作用,因之,他是对当时历史有重要贡献的历史人物。"

【故事】

水是柔弱的,但是却能攻克刚强无比的石块或堤坎,能侵蚀或消融浸泡在水里的强硬之物。水又是卑下的,所以老子希望统治者能够像水一样,甘愿处于卑下柔弱的位置,对国家和人民实行"柔道"——无为而治。

中国历史上的许多以"柔道"处世、以"柔道"治国的成功事例,早已证明"柔道"比"刚道"更加行之有效。"柔道"的事半功倍、为利久远之特点,更是"刚道"所远为不及的。

汉朝的刘秀是一位以柔开国、以柔治国的皇帝。他以"柔"为主,在政治、军事诸方面也都体现出了这种精神,应该说他把老子的"柔道"发挥到了一个很高的境界。

刘秀生于公元前6年十二月,是汉高祖刘邦的九世孙。其父刘钦是南顿县令,在刘秀九岁时病故,此后,刘秀与哥哥刘绩缤被叔叔收养。据说刘秀身长七尺三寸,美髯朗目,大口隆准,生有帝王相。

刘秀28岁的时候,王莽的"新政"很不得人心,加上天灾人祸,各地的农民纷纷起义,尤其是绿林、赤眉两支起义军,声势浩大,可与王莽军一较高低。在这种风起云涌的形势下,刘秀借南阳一带谷物歉收,与兄刘缤谋划起义,得众七八千人。刘秀起义后,逐渐与当地的其他起义军联合,一度并入绿林军。

公元23年二月,绿林军为了号召天下,立刘秀的族兄刘玄为帝,年号更始,绿林军的势力得到了迅猛的发展,以至王莽"一日三惊"。王莽纠集新朝主力约42万人,号称百万,派大司空王邑、大司徒王寻率领,直扑绿林军。

刘秀等人放弃阳关,率部退守昆阳。昆阳守军只有八九千人,敌人则连营百里,势力太过悬殊。有些人主张分散撤出,刘秀坚决反对,认为如果并力御敌,尚有保全的希望,如果分散突围,必被包围消灭。他亲自率领十三骑趁夜突出南门求救,他说服了定陵、郾城等地的起义军,亲率精兵数千人偷渡昆水,突袭敌人,使敌人手忙脚乱,阵脚不稳,终至大败。

　　自打败了王邑、王寻的军队以后，刘秀兄弟两人威名日盛，这就遭到另一派起义军将领的嫉妒，加上刘縯当初曾反对立刘玄为帝，正好借此进谗，说刘縯不除，终为后患。刘玄懦弱无能，并无主张，便听了人言，准备伺机发难。不久起义军内部发生了分裂，刘秀的哥哥刘縯被杀。

　　刘秀当时正在昆阳，听到哥哥被杀，十分悲痛，大哭了一场，立即动身来到宛城，见了刘玄，并不多说话，只讲自己的过失。刘玄问起昆阳的守城情况，刘秀归功于诸将，一点也不自夸自傲。回到住处，逢人吊问，也绝口不提哥哥被杀的事。既不穿孝，也照常吃饭，与平时一样，毫无改变。刘玄见他如此，反觉得有些惭愧，从此更加信任刘秀，并拜为破虏大将军，封武信侯。

　　其实刘秀因为兄长被杀而万分悲痛，此后数年想起此事还经常流泪叹息。但他知道当时尚无力与平林、新市两股起义军的力量抗衡，所以隐忍不发。刘秀的这次隐忍，既保全了自己，又在起义军中赢得了同情和信赖，为他日后自立创造了一定条件。

　　等到起义军杀了王莽，迎接刘玄进入洛阳，刘玄的其他官属都戴着布做的帽子，形状滑稽可笑，洛阳沿途的人见了，莫不暗暗发笑。唯有司隶刘秀的僚属，都穿着汉朝装束，人们见了，都喜悦地说："不图今日复见汉官威仪。"于是，人心皆归刘秀。

　　刘玄定都洛阳以后，便欲派一位亲近而又有能力的大臣去安抚河北一带。刘秀看到这是一个发展个人力量的大好机会，便托人往说刘玄。刘玄同意了这个请求，刘秀就以更始政权大司马的身份前往河北，开始了扩张个人势力、建立东汉政权的活动。

　　当时的河北有三股势力：最大的是王郎，他自称是刘邦的后代，号召力很大；其次是王莽的残余势力；再次是铜马、青犊等农民起义军。刘秀在河北每到一地，必接见官吏，平反冤狱，废除王莽的苛政，恢复汉朝的制度，释放囚犯，慰问饥民。所做之事，均都顺应民心，因而官民喜悦。

王莽

　　王莽，字巨君。西汉末年外戚，新王朝的建立者。哀帝死，王政君以太皇太后临朝称制，任王莽为大司马，立汉平帝，由他总揽朝政。平帝死，改立2岁的孺子婴为帝，自己以摄政名义据天子之位，称"假皇帝"。初始元年，废孺子婴，自称皇帝，改号为新，建年号为"始建国"。于是托故改制，下令变法。公元23年，新王朝在赤眉、绿林等农民起义军的打击下崩溃，王莽也在绿林军攻入长安时被杀。

刘秀

　　当时，有一个叫刘林的人向他献计说："现在赤眉军在黄河以东，如果决河灌赤眉，那么百万人都会成为鱼鳖了。"刘秀认为这样太过残忍，定会失去民心，就没有这样做。刘秀初到河北之时，兵少将寡，地方上各自为政，无人听他指挥，虽能"延揽英雄，务悦民心，立高祖之业"，但毕竟没有大量军队。他为王郎所追杀，曾多次陷入窘境。后来，他逐渐延揽了邓禹、冯异、寇恂、铫期、耿纯等人才，又假借当地起义军的名义招集人马，壮大声势，并联合信都、上谷、渔阳等地的官僚集团，才算站住了脚。由于他实行"柔道"政策，服人以德不以威，众人一旦归心，就较为稳定。

　　在消灭王郎以后，军士从王郎处收得了许多议论刘秀的书信，如果究查起来，会引起一大批人逃跑或者造反。刘秀根本连看都不看，命令当众烧掉，真正起到了"令反侧子自安"的效果，使那些惴惴不安的人下定决心跟随刘秀到底。公元25年，刘秀势力十分强大，又有同学自关中捧赤伏符来见，说刘秀称帝是"上天之命"，刘秀便在诸将的一再请求下称帝，年号光武，称帝之后，便和原来的农民起义军争夺天下，此时，他仍贯彻以柔道治天下的思想，这对他迅速取得胜利起到了很大的作用。

　　刘秀轻取洛阳就是运用这一思想的成功范例。当时，洛阳城池坚固，李轶、朱鲔拥兵30万。刘秀先用离间计，让朱鲔刺杀了李轶，后又派人劝说朱鲔投降。但朱鲔因参与过谋杀刘秀的哥哥的事，害怕刘秀复仇，犹豫不决。刘秀知道后，立即派人告诉他说："举大事者不计小怨，朱鲔若能投降，不仅绝不加诛，还会保其现在的爵位，并对河盟誓，绝不食言。"朱鲔投降后，刘秀果然亲为解缚，以礼相待。

　　在中国历史上，往往是"飞鸟尽，良弓藏；狡兔死，走狗烹；敌国灭，谋臣亡"，但唯独东汉的开国功臣皆得善终，就这一点，就足以说明刘秀"柔道"治国的可取性。

第七十九章　报怨以德

【原文】

和大怨①，必有余怨；报怨以德，安可以为善？是以圣人执左契②，而不责③于人。有德司契，无德司彻④。天道无亲，常与善人。

【注释】

①和：和解，调解。

②左契：契约，契券。

③责：索取所欠。

④司彻：掌管税收。彻：周代的田税制度。

【译文】

和解深重的怨恨，必然还会留下残余的怨恨；用德来报答怨恨，这怎么可以算是妥善处理怨恨的办法呢？因此，圣人保存借据的存根，但并不强迫别人偿还债务。有"德"之人就像持有借据的圣人那样宽容，无"德"的人就像掌管税收的人那样刁诈苛刻。自然规律对任何人都没有偏爱，永远帮助有德的善人。

【评析】

老子理想的政治社会是以德化民、辅助人民，给予而不大量索取，决不骚扰百姓。因此本章最后归结到期望做个有德自善之人，而得天德福佑。老子认为，用德和解重大的怨仇，必然还存有余怨。因此这不是一个万全之策，最好的办法就是根本不与人结怨。即要求统治者实行清静无为之政，辅助百姓而不干涉他们；给予百姓而不向他们索取；这样就不会积蓄怨仇，这便是治国行政的上策。否则，肆意盘剥、搜刮，随意施用严刑峻法约束、限制人民，那就会与民结怨，这便是治国行政的下策。以此来提示为政者不可蓄怨于民，警告统治者不要激化与老百姓之间的矛盾。

【故事】

中国有句俗话说："冤家宜解不宜结。"许多人从亲身经历中体会到：多一个朋友多一条路，少一个仇人少一堵墙。以德报怨，化怨恨为友爱，减少对立面，是开辟通向事业成功之路的关键。老子提倡报怨以德，以宽大的胸怀，包容错误，包容仇怨，不计前嫌，是最高的为善之德。

作为领导，用宽容的态度对待下属，就会得到下属的效忠。"以恨报怨，怨恨就会无穷尽；以德报怨，怨恨就会必解。"

战国时期，楚庄王亲自统率大军出外讨伐，结果大获全胜。为了庆祝赫赫战功，庄王在渐台宴请群臣。欢宴从早上一直办到日落西山，可是庄王及群臣仍然兴犹未尽，遂命点起蜡烛夜宴，又命宠妃许姬斟酒助兴。

正酣畅时，忽然刮来一阵大风，蜡烛都被吹灭了。黑暗中，一个人趁着酒兴，竟然拉住了许姬的衣袖。许姬十分恼怒，又不便声张，挣扎之中衣袖被扯破。直到她机警地扯断了那人帽子上的缨带，那人才惊慌地溜掉。许姬走到庄王跟前，附耳禀报了实情，并请庄王严加查办那个色胆包天之人。

庄王听罢，沉吟片刻，吩咐左右先不要点灯，然后命令众人解开缨带，摘下帽子，尽情畅饮。群臣闻言，纷纷解开缨带，摘下帽子，这时庄王才命人掌灯点烛。在烛光之下，只见群臣绝缨饮酒，已无法辨认谁的缨带被扯断了。庄王就像没有发生这件事一样，与众人痛饮至深夜方散。自此以后，庄王再也没有提起此事。

几年之后，庄王出兵伐晋，命襄老为前军统帅。襄老回到营地后，召集属部商讨策略。其部将唐狡请命，愿为大军开道，不获全胜誓不返营。于是，唐狡只带几百名亲兵，连夜奔袭而去。由于唐狡骁勇善战，晋军被杀得落荒而逃。

楚庄王出征雕塑

楚庄王，中国春秋时期楚国君主。春秋五霸之一。芈姓，名旅。又称熊侣。在位期间非常重视选择人才，先后得到伍参、苏从、孙叔敖、子重等卓有才能的文臣武将的辅佐。他继齐桓公、晋文公、秦穆公之后，也当上霸主。前后统治楚国23年，使楚国强盛一时。

庆功会上，庄王召见唐狡，并当众加倍赐赏。唐狡忙跪下："臣蒙君王之恩赐已经很厚了，哪敢再领赏呢?"庄王惊讶道："寡人并不认识你，怎么说受过我赏赐呢?"唐狡愧色满面，低声谢罪："绝缨夜宴上扯许姬衣袖的就是我。大王不追究我的死罪，我一直感激你，没有一天忘记此事，所以这一次我主动率军进攻，是准备以死相报。"

在场的大臣听了，才恍然大悟，为什么当时庄王命令人们解缨摘帽，对庄王的做法，都非常钦佩。襄老不禁赞叹道："倘若当初君王不能容人之过，宽恕别人，而是在绝缨夜宴上明烛治罪，又怎能得到唐狡拼力死战呢?"

领导者如果有宽容的雅量，他的德行就大。宽容下属的错误，包容下属的怨恨，才能使下属信服，并全力以赴地工作。

战国玉瓶

第八十章　小国寡民

【原文】

小国寡民①。使②有什伯之器③而不用；使民重死④而不远徙⑤；虽有舟舆⑥，无所乘之；虽有甲兵⑦，无所陈之⑧。使人复结绳⑨而用之。至治之极。甘美食，美其服，安其居，乐其俗，邻国相望，鸡犬之声相闻，民至老死不相往来。

【注释】

①小国寡民：小，使……变小，寡，使……变少。此句意为，使国家变小，使人民稀少。

②使：即使。

③什伯之器：各种各样的器具。什伯，意为极多，多种多样。

④重死：看重死亡，即不轻易冒着生命危险去做事。重：看重，重视。

⑤徙：迁移、远走。

⑥舆：原指箱子，此处是车子的意思。

⑦甲兵：武器装备。

⑧陈：陈列。此句引申为布阵打仗。

⑨结绳：文字产生以前，人们以绳记事。

【译文】

使国家变小，使人民稀少。即使有各种各样的器具也不使用；使人民重视死亡，而不向远方迁徙；虽然有船只车辆，却不必乘坐它；虽然有武器装备，却没有地方去布阵打仗；使人民再回复到远古结绳记事的状态之中。国家治理得好极了，使人民吃得香甜，穿得漂亮，使人们住得安适，过得快乐。相邻的国与国之间互相望得见，鸡犬的叫声都可以听得见，但人民直到老死，也不互相往来。

【评析】

本篇描述的是老子理想中的"国家"的一幅美好蓝图，也是一幅充满田园气息的农村欢乐图。老子用理想的笔墨，着力描绘了"小国寡民"的农村社会生活情景，表达了他的社会政治理想。老子面对日益发展、日趋文明、急剧动荡的变革社会的现实，感觉到了力不从心，穷于应付，从而产生出一种失落感、压迫感和抵触情绪，于是，他情不自禁地怀念起远古蒙昧时期结绳记事的时代来。老子把"小国寡民"幻化为"桃花源"式理想天地。认为在那个天地里，人民没有兵战祸灾的困扰。

老子的复古思想，固然表现了他对于现实的不满、对于理想生活的向往，但是他美化上古，幻想把前进了的社会在拉回去，表现了老子思想中消极没落的一面。事实上，在他构想的那片封闭的小天地里，人民是不可能过上好生活的。

【故事】

老子理想的社会，国小人少，政治清明、君主不干扰民众，百姓得以自由的生活。没有战争，没有暴政。这反映了老子希望统治者实行无为而治的政治制度，清政爱民，减少对人民的剥削。

明代金壶

元末吏治的腐败，激起了大规模的农民起义，这给朱元璋深刻的教训。他意识到："老百姓的力量是可怕的。如果当权者办事不当，上违天意，下失民心，发展下去，天怒人怨，没有不灭亡的。"即皇帝位后，朱元璋召见文武百官，对他们宣布："我从前在民间时，看见州县的官吏大多不爱恤百姓，他们往往贪财好色，饮酒废事，对民间的疾苦无动于衷。我恨透了。如今要严肃法纪，发现官吏贪污，虐待百姓的，坚决治罪，决不宽恕。"

明政府制订了许多法律章程，对各级官吏的职权、任务及应当遵守的事项，都作出详细的规定，对官吏的违法乱纪行为，也定出具体的惩处办法。洪武年间，对违法乱纪，贪污受贿的官吏，除去平常的零星打击，还进行了几次大规模的清洗，其中以郭桓案规模最大。

朱元璋

朱元璋,幼名重
八,又名兴宗,字国
端。濠州钟离人。出
身贫寒,少年时在皇
觉寺为僧。元末,参
加红巾军郭子兴部下
反元,称吴国公,后
称吴王,后来灭陈友
谅、张士诚。出兵北
伐元朝,攻下元朝大
都,历15年而成帝
业。1368年,朱元璋
以应天府为都城,国
号大明,年号洪武,
建立了明朝。

洪武十八年,有人告发北平二司与户部侍郎郭桓通同舞弊,贪污税粮。朱元璋把六部左右侍郎以下的官吏都处以死刑,追出赃粮700万石。供词牵连副各布政司的官吏,又杀了数万人。追赃还牵连到各地的地主,许多中产以上的地方被弄得倾家荡产。由于采取了这些有力措施,吏治腐败的现象逐渐得到扭转。

朱元璋整肃吏治所采取的一项重要措施是抑制豪强。豪强地主占有大量土地,在乡里横行霸道,欺凌百姓,是造成社会动荡的一个重要因素。朱元璋几次下令把江南的富户迁到中都凤阳或京师。

朱元璋整肃吏治,加强了国家的统一,并使社会矛盾得到一定程度的缓和,政治局面日渐趋于安定。他希望这种安定的局面能够长期保持,不再发生动荡。每日黄昏,便令专人在道路上敲打木铎,高声呼喊:"和睦乡城,教训子孙,各安生理,毋作非为!"五更时,又派士兵在城门谯楼上吹角高吟:"创业难,守城也难,难也难!"

明王朝建立初期,豪强地主仍拥有众多奴隶。为了发展农业生产,朱元璋决心把这些私家掌握的劳动力夺过来。1372年,他遍令全国,凡因战乱被迫为奴的,主家必须立即放还,恢复其自由民身份;凡因饥荒而典卖为奴的男女,由政府代为赎身。同时,明政府又通过法律形式明确规定:普通地主不许蓄养奴婢,违者杖刑一百,所养奴婢放为良民。

封建时代,医治战争创伤的主要措施是奖励垦荒和实行屯田。

建国第一年,朱元璋颁发诏书明令天下:田主在战争中遗下的荒芜土地经他人垦为熟地的,归垦荒者所有;如田主回乡,由政府在附近拨给同样面积的荒地;对于其他荒地,鼓励尽力开垦,垦出的土地承认是垦荒者的产业,而且免征3年田赋。为把更多的农民固定在土地上,以增加封建赋役和安定封建秩序,朱元璋还积极推行"招抚流亡"的政策,号召逃亡农户回乡垦荒辟,政府拨给田亩、菜地。

在奖励垦荒的同时,明政府又推行民屯、军屯、商屯等屯田政策。

通过元末农民战争，朱元璋认识到对百姓如果榨取过甚，就会激起强烈的反抗，懂得了"步急则颠（摔跤），弦急则绝，民急则乱"的道理。即位后，为安定民心，调动农民的积极性，从多方面设法减轻农民的负担。他反复强调，要把赋税徭役的征派控制在一定限度之内，"取之有制，用之有节"，不可只顾眼前的利益，竭泽而渔，把百姓榨得一干二净。明初制定的赋税法，为三十税一。徭役一般是有田一顷出丁夫一人，每岁人在农闲时节赴京服役三十日。由于经过长期的战乱，元代的户口和土地簿籍已大部丧失，保存下来的也同实际情况不相符合。地主便乘机隐瞒丁口和田产，逃漏徭役和赋税，把负担转嫁到农民身上，官吏也上下联手，乘机舞弊贪污，额外地加重农民的负担。朱元璋下令在全国普遍清查户口，丈量土地，于1381年和1387年编制赋役黄册和鱼鳞图册，对徭役、赋役进行彻底整顿。这在一定程度上限制了豪强地主隐瞒丁口田产逃避徭、赋的状况。从而减轻了农民的负担。

明代铜火铳

朱元璋"休养生息"政策的实施，究其真正目的，正如他自己所言："天下初定，百姓财力俱困，譬如初飞之鸟，不可拔其羽；新植之木，不可摇其根。"意在养鸡下卵，追求长治久安。

这在客观上也刺激了社会经济的恢复发展，洪武二十四年比洪武元年全国的垦田面积扩大了1倍多，政府的年税粮收入是元朝的2倍。在洪武年间经济发展的基础上，社会生产在以后的永乐、洪熙、宣德三朝继续上升，从而形成了"明初盛世"的局面。

第八十一章　为而不争

【原文】

信言不美①，美言不信。善者不辩②，辩者不善。知者不博③，博者不知。圣人不积④，既以为人己愈有⑤，既以与人己愈多。天之道，利而不害。圣人之道，为而不争。

【注释】

①信：是凭据、根据的意思。信言：诚实的话。美：华丽、漂亮，粉饰、美化。

②善：善良。辩：辩说、巧说、巧辩、诡辩。

③博：博杂，这里指故意卖弄自己懂得多。

④积：积藏，此指私留。

⑤有：富有。

【译文】

真实可信的话并不是辞藻华美，辞藻华美之言并不真实可信。善良的人不巧言利舌、无理狡辩，巧言利舌、无理狡辩之的不善良。真正有知识的人不卖弄自己，卖弄自己懂得多的人不是真有知识。圣人是不存占有之心的，而是尽力照顾别人，他自己反而更为充足；他尽力给予别人，自己反而更丰富。自然的规律是让万事万物都得到好处，而不伤害它们。圣人的行为准则，是为他人效劳却不与人相争。

【评析】

本章是《道德经》的最后一章，应该是全书正式的结束语。它首先是说观察分析事物应持有的辨证立场和方法，其次是阐述圣人治世处事应该遵循的根本原则，最后是总论"天人相通"的问题。

本章开头提出了三对范畴：信与美；善与辩；知与博，这实际上是真假、美丑、善恶的问题。老子试图说明某些事物的表面现象和其实质往往并不一致。这是评判人类行为的道德标准，包含有丰富的辩证法思想。老子的理想就是重归于"朴"，回到没有受到伪诈、智巧、争斗等世俗的污染之本性。

本章的格言，可以作为人类行为的最高准则，例如信实、讷言、专精、利民而不争。人生的最高境界是真、善、美的结合，而以真为核心。

【故事】

美言不信、信言不美，老子认为信实的话质朴并不华美，而华美的话动听，往往虚饰不实。这与我们所说的"良药苦口利于病，忠言逆耳利于行"是同一个道理。春秋时吴国伍子胥说话难听，但是都是实情；而伯嚭说得动听，却害了吴国。所以老子提示我们要提高识别能力，不要轻信美言。

伍子胥，名员，字子胥，春秋时楚国人，后为吴国相国。伍子胥的父亲伍奢是楚国大夫、太子建的老师。伍子胥因为楚平王杀了他的父亲和兄长，又要杀他，他便从楚国逃亡到吴国，准备借助吴国的力量攻打楚国，报父兄被杀之仇。伍子胥到吴国后，协助公子光刺死吴王僚，继承了吴国的王位，这就是吴王阖闾。经过十几年的准备，吴国发兵攻打楚国，楚国大败，吴国军队占领了楚国的都城，伍子胥掘开楚平王的坟墓鞭打楚平王的尸体，以泄心中之恨。以后，吴王阖闾又出兵攻打越国，不料兵败身亡。

吴王阖闾去世后，由夫差继位，伍子胥忠心耿耿地辅佐吴王夫差，每天操练人马，准备再次攻打越国。周敬王二十六年，吴王夫差亲自统率大军，命伍子胥为大将，伯嚭为副将，出兵攻打越国。吴国军队在五湖的椒山之下把越国军队打得大败。越王勾践见大势不好，便想讲和，于是大臣文种出主意，用金银财宝和美女贿赂伯嚭，求他帮忙，伯嚭收了礼物后，就带着文种到吴王夫差面前求情，吴越两国准备讲和。

伍子胥听说这件事后，气冲冲地跑去见吴王，坚决反对吴国与越国讲和。伍子胥谏阻道："吴越两国如同仇敌，

伍子胥

伍子胥，名员，字子胥，封于申地，故又称申胥。春秋时楚国人。其父、兄为楚平王所杀，他逃至吴国，助吴王阖闾筑城练兵，发愤图强，任相国。又举荐深通兵学的孙武为将，使吴成为东南地区一强国。夫差时劝王拒绝越国求和并停止伐齐。知夫差昧于大势而不可谏，吴国必为越国所破灭，为避祸而托子于齐国鲍氏，反遭太宰伯嚭诬陷，被逼自杀。

勾践

吴国不灭越国，越国就要灭吴国。这些年来，您天天让人提醒您不要忘记报仇，可是到了灭越国的时候，您为什么又要答应讲和呢?"

吴王夫差被质问得说不出话来，伯嚭在一旁赶快帮助越国讲话，最后伍子胥谏阻不成，还是允许越国求和。伍子胥出来后，恨恨地说："越国十年生聚，十年教训，不用二十年，吴国非被越国灭掉不可!"

越国根据讲和条件，越王勾践要到吴国为吴王夫差服役。

勾践在三年的服役中，忍辱负重，委曲求全，使吴王十分感动，便下令准备放勾践回国。伍子胥得到消息后，又去见吴王谏阻，劝吴王不能放勾践回国。吴王不仅不听，反而把伍子胥斥责一顿，说："勾践已经认罪，并且已经改过自新，三年来服侍我十分用心。我有病时，他能尝我的粪便以判断病症;我派人污辱他，他没有丝毫不快。"伍子胥说："勾践这个人善于伪装，我派人了解，他仍然想着复国报仇。无论如何，不能放勾践回国，并且赶快把他杀掉。"吴王不听伍子胥的谏阻，还是将勾践放回国去。

不久，勾践听说吴王要建造姑苏台，就派人伐了许多巨大的木料给吴王运去，并且把最大的一根称作神木，以引起吴王的注意。吴王看到如此大的木料，便下令扩大姑苏台的建造。

伍子胥得知此事，又面见吴王，劝阻吴王要爱惜百姓，不要大造宫殿，节约人力物力。吴王对伍子胥的净谏置之不理，仍然下令大造宫殿。以后，勾践又将西施、郑旦等众多美女送给吴王，尤其是西施，不仅美貌天下无双，才智、谈吐、识见更是压倒群芳，使吴王非常高兴。伍子胥得知此事，不顾个人安危，也不顾忌吴王的态度，面见吴王劝谏说："以前，夏王桀就是因为宠爱妺喜而亡国，商纣王也是因为宠爱妲己而亡国，现在越王送来的美女可不能收留! 大王千万不要上当!"吴王还没有说话，伯嚭却说："伍子胥你府中不是也有美女侍候吗?大王有几个美女算什么。你不能把大王比作夏王桀和商纣王!"

　　吴王听了伯嚭的话，连连点头，对伍子胥说："相国你上了年纪，回去休息吧。以后这些小事你少管一些。"伍子胥见自己的劝谏不起作用，而吴王办事越来越荒唐，不禁十分生气，可又无可奈何。

　　以后，吴王夫差决定讨伐齐国，争当中原盟主。伍子胥前来劝谏，也没有作用。吴王从中原回来后，伯嚭向他报告说，伍子胥对吴王不满，要去投奔齐国。吴王也不调查核实，就派人把伍子胥叫来，说："看在先王的面上，我不处分你，你回去吧，以后不要再来见我!"说完吴王也不等伍子胥解释，就命人把伍子胥轰了出去。第二天，吴王又派人给伍子胥送去一把宝剑，并让这个人看着伍子胥自杀。伍子胥接过宝剑，仰天长叹，说："我伍子胥帮助先王阖闾，东征西讨，奠定了吴国的基业。先王曾经要分吴国一半给我，我都不要。没想到今天大王却听信谣言要杀我。我死不足惜，吴国的江山可就难保了!"

古邗沟遗址

　　伍子胥说完，把剑放在脖子上，然后嘱咐家人："我死后，要在我的坟墓上种上梓树，以便将来可以做棺材；还要把我的眼睛挖了下来挂在吴都东门上，让我亲眼看着越兵攻入，吴国灭亡!"伍子胥嘱咐完，就自刎而死。

　　吴王杀了伍子胥之后，更加肆无忌惮、任意妄为，他动员大量人力挖了一条大运河，贯通了长江和淮河两大流域，这就是著名的邗沟。以后，吴王率军攻打齐国，又率军与晋定公黄池会盟，使吴国的实力大衰。周敬王三十八年，越王勾践经过12年的准备，开始攻打吴国。

　　周元王四年，勾践终于将吴王夫差打败，吴王自杀。吴王夫差自杀前，对周围的人说："我真后悔没有听伍子胥的话呀!"